GREGG BRADEN

MARCHER ENTRE LES MONDES
LA SCIENCE DE LA COMPASSION

Om Mani Padme Hum

Traduction de ce mantra tibétain :
« Que le joyau du lotus descende dans ton cœur. »

GREGG BRADEN

MARCHER ENTRE LES MONDES

LA SCIENCE DE LA COMPASSION

Traduit de l'américain par Michel Saint-Germain

« [...] *et ce message n'était destiné qu'à l'oreille de l'homme,*
celui qui marche entre les mondes de la terre et du ciel.
Et à l'oreille de l'homme fut murmuré ce message... »

Extrait des manuscrits de la mer Morte

Ariane Éditions Inc.

Titre original anglais :
Walking Between The Worlds, The Science of Compassion
Copyright © 1997 By Gregg Braden
Walking Between the Worlds
c/o Radio Bookstore Press
P.O. Box 3010
Bellevue, Wa. 98009-3010

© 2000 pour l'édition française
Ariane Éditions inc.
1209, av. Bernard O., bureau 110, Outremont, Qc, Canada H2V 1V7
Téléphone : (514) 276-2949, télécopieur : (514) 276-4121
Courrier électronique : ariane@mlink.net

Traduction : Michel St-Germain
Révision : Martine Vallée
Révision linguistique : Monique Riendeau, Marielle Bouchard
Graphisme : Carl Lemyre
Mise en page : Bergeron Communications Graphiques

ISBN : 2-920987-42-9
Dépôt légal : 1ᵉ trimestre 2000
Bibliothèque nationale du Québec
Bibliothèque nationale du Canada
Bibliothèque nationale de Paris

Diffusion
Québec : ADA Diffusion – (450) 929-0296
Site Web : www.ada-inc.com
France : D.G. Diffusion – 05.61.000.999
Belgique : Rabelais – 22.18.73.65
Suisse : Transat – 23.42.77.40

Imprimé au Canada

DÉDICACE

Avec les grâces de la connaissance la plus élevée,
dans la sagesse aimante,
à partir d'un espace de compassion sans pareille,
je vous dédie cet ouvrage,
à vous, la dernière génération à arriver à maturité avant
la fin de ce grand cycle d'expérience.

À vous dont la vie jette un pont sur l'époque
que les Anciens appelaient le « non-temps ».
À vous qui ancrerez une nouvelle sagesse
enracinée dans la compassion,
en posant les fondations pour ceux
qui auront le courage de suivre.
C'est à vous qu'on demande de se rappeler
l'amour, la compassion et la confiance
tout en vivant dans un monde qui a
haï, jugé et craint.

Vous transcenderez ces polarités,
tout en vivant en elles.

Ce livre est destiné et dédié à
« vous qui marchez entre les mondes ».

LES ILLUSTRATIONS

D epuis des siècles, les Orientaux ont une profonde influence sur la culture occidentale. La philosophie, la respiration, la méditation, les techniques de Sumi-e japonaise et de peinture chinoise sont des exemples des cadeaux qui continuent d'inspirer nos vies. La peinture à l'encre orientale est autant influencée par la philosophie et le *chi*, ou énergie vitale, que par l'interprétation visuelle. Les poètes, les écrivains et les artistes ont été parmi les premiers à reconnaître les diverses qualités représentées dans les éléments vivants du paysage. Les interprétations suivantes éclairent les illustrations qui ornent les têtes de chapitres de *Marcher entre les mondes*.

ILLUSTRATIONS TECHNIQUES

LISTE DES TABLEAUX

TABLE DES MATIÈRES

REMERCIEMENTS

Dans son livre *Le Prophète*, Khalil Gibran affirme que « le travail est l'amour rendu visible[1] ». Je sens une certaine vérité dans cette citation de Gibran, je sais qu'elle se vérifie dans ma vie. Terminer ce travail, mon « amour rendu visible », c'est comme compléter une phrase qui a commencé par le texte *L'Éveil au point zéro*. Dans cet achèvement, je trouve une paix immense.

J'aimerais dire merci et exprimer ma plus profonde gratitude à tous ceux qui ont contribué à *Marcher entre les mondes*, parfois sans même avoir conscience de leur contribution.

À Laura et Paul, merci de votre amitié et de votre soutien.

À Mark, grand merci pour ta vision artistique.

À Gwynne, pour tes conseils et ton inspiration dans le processus d'édition.

Remerciements spéciaux aux chercheurs du HearthMath Institute. Leur vision fournit un fondement à l'espoir, aux nouvelles possibilités et au rappel de notre relation les uns avec les autres et avec notre terre.

De plus, j'aimerais rendre hommage à Dan Winter, qui m'a gracieusement permis de partager sa recherche validant la relation de résonance entre notre corps et notre terre. Dan, ton travail apporte un lien tangible avec la connaissance intérieure à tous ces gens dont tu touches la vie.

À tous ceux qui ont suivi un atelier *Point zéro* ou *Science de la compassion*, merci de m'avoir enseigné les paroles qui comptaient pour vous, lorsque vous étaient offerts ces concepts parfois ésotériques et nébuleux. Si le message de ce texte a quelque sens pour vous, alors vous et moi aurons bien fait notre « travail » ensemble.

Melissa, merci de partager ta vie avec moi. Ta volonté d'avoir une maison « virtuelle », avec des animaux et des plantes virtuels, m'a permis de créer cette œuvre, de toucher la vie de bien des personnes, et nous a permis, à toi et à moi, de voir la beauté dans des endroits que peu ont eu la chance de parcourir. Comme tu me le dis si souvent, la beauté n'est qu'un reflet de celui qui la voit. La beauté que tu perçois en ce monde, ce n'est que cela ; ta beauté s'est montrée sous la forme d'une confiance, d'une patience, d'un amour et d'un soutien sans relâche.

Marcher entre les mondes

À notre petit ami félin, Sik (prononcer *sîk*, mot tibétain qui signifie « léopard des neiges »), disparu durant les premières étapes de ce travail. Merci de ton amitié, de ta compagnie, des fins de soirées que tu passais enroulé sur le divan avec moi, ou marchant sur les pages alors que je corrigeais les épreuves.

Nous nous ennuyons de tes regards à l'envers à partir de l'échelle de la kiva, de tes parties de hockey avec des amandes fumées sur le plancher de la cuisine et de ton regard pensif dans nos yeux, toujours au bon moment.

De toi, nous avons appris la leçon de l'intendance de la vie. Je sais qu'au départ, tu ne nous a jamais appartenu. Nous avons tout simplement été les chanceux avec qui tu as choisi de vivre pendant les neuf mois de ta vie sur terre.

Force et grâces à toi, alors que nous te libérons vers ton voyage d'exploration et de découverte.

Merci d'avoir partagé ta sagesse avec nous.

Merci pour le temps que nous avons passé ensemble.

PRÉFACE

Vous avez lu les livres, entendu les prédictions, vu les émissions spéciales et participé aux ateliers. Grâce aux grands réseaux de télévision, vous avez eu l'occasion de voir dans votre salon l'autopsie d'un extraterrestre, des reportages sur des sites d'écrasement d'ovnis, *Prophéties anciennes I et II*, et des glyphes mystérieux qui se produisent dans tous les grands pays céréaliers. Vous avez vu les cartes des changements prévus pour l'Amérique du Nord et des « endroits sûrs » qu'on vous propose, à vous et à votre famille. Vous avez entendu les paroles canalisées des anges, des archanges et des maîtres ascensionnés. Des guides venant de planètes éloignées et la hiérarchie spirituelle d'une multitude d'êtres bien intentionnés ont offert des messages qui vont d'avertissements de la fin du monde à l'anticipation de l'extase. Beaucoup ont offert un enseignement détaillé sur les régimes alimentaires, la respiration, l'exercice, et un barrage d'obligations et d'interdits sur la manière de mener sa vie. Au cours de cette vie-ci, vous avez eu l'occasion d'entendre, de voir et de faire l'expérience d'immenses quantités d'informations détaillées sur un changement sans précédent dans votre monde et votre vie.

Mais au fond de vous-même, des questions demeurent.

« Qu'est-ce que ça veut dire tout ça pour moi ? »

« Comment savoir ce qui est bon pour ma famille, pour ma vie ? »

Pour bien des gens, la conscience de toute cette information a déclenché de l'anxiété et même de la peur. Pourquoi s'attendre à moins ? Il est sans doute effrayant d'entendre parler hors contexte de ces bouleversements. Il est peut-être encore plus inquiétant de ressentir du désespoir en prêtant l'oreille à un changement sans pouvoir y faire quoi que ce soit, en apparence. Dans certains cas, les avatars semblent immédiats. Les changements terrestres prédits en sont un bon exemple. Devrais-je déménager loin des côtes, vers une zone sécuritaire ? Devrais-je quitter mon véritable emploi et poursuivre des intérêts spirituels ? Que deviendra ma famille durant et après le Passage des époques ? Comment défendrons-nous notre corps contre les nouveaux virus et les nouvelles maladies ?

Marcher entre les mondes

Il est clair que la qualité de votre vie ne dépend pas d'informations privilégiées ayant trait à des boissons secrètes découvertes en Ukraine, à des camouflages gouvernementaux, à des conspirations vieilles de cinquante ans, ou à ce qu'un ange a dit par la bouche de quelqu'un. Vous n'avez pas besoin de savoir ce que raconte untel sur la chronologie des champs magnétiques ou sur les catastrophes planétaires pour susciter des relations saines et nourrissantes dans votre vie et celle de votre famille.

Hors contexte, des prévisions et des avertissements bien intentionnés peuvent servir à effrayer et à promouvoir un changement fondé sur la peur plutôt qu'un choix bien senti. La raison de cette peur, c'est que chaque prédiction et avertissement est envisagé dans la perspective d'un paradigme dépassé. Les questions demeurent toujours.

« Qu'est-ce que je fais à cette époque de changement unique en son genre ? »

« Comment savoir ce qui est bon ? »

Le rythme du changement dans votre corps reflète celui d'une transformation dans votre monde. Ce miroir fait en sorte qu'en périodes de bouleversements intenses et rapides de la réalité, vous n'êtes pas la même personne, vous n'envisagez pas la même réalité du point de vue qui était le vôtre il y a un an, deux jours, ou même hier. C'est le seul facteur dont on ne tient pas compte dans nombre de prédictions et de scénarios futuristes. Plus question d'observer le changement de loin et de comparer le nouveau à tout ce que vous connaissez déjà : vous voilà devenu le changement.

Voici votre chance de choisir une voie, la Seconde Voie, pour jeter les bases d'une sagesse autre qui n'a pas encore de nom. Ce moment de notre vie concerne moins ce que nous « faisons » et davantage ce que nous devenons. Puisque notre culture nous conditionne à « faire », on me pose souvent la question :

« Que dois-je faire pour apprendre la compassion ? »

Dans sa simplicité, la réponse à cette question a souvent été un défi lancé à ma capacité de communication. J'ai souvent trouvé que le défi diminuait chaque fois que je répondais. Comment vous présenter une science qui ne se rapporte pas à ce que vous faites ? Comment vous communiquer la simplicité de permettre et d'être, plutôt que d'agir et de susciter des choses ? Il est certes possible de présenter des méditations, des prières et des techniques qui vous fourniront le sentiment du pardon et de la compassion. Mais ces sentiments sont un point de référence par rapport à ce que vous êtes déjà devenu. Votre voie consiste à vous rappeler votre nature véritable et à vivre cette nature dans les défis de la vie, peu importe comment la vie vous est montrée.

La compassion est une conscience que vous devenez, plutôt qu'une chose que vous accomplissez à l'occasion.

Sans contredit, les phénomènes physiques mentionnés plus haut, et bien d'autres, peuvent se produire maintenant et possèdent un intérêt immense. La question :

« Est-il nécessaire de connaître chacun d'eux ou de les comprendre ? » La réponse :

« Probablement pas. »

Ce qui est nécessaire, c'est que votre vie fonctionne pour vous. Ce qui est nécessaire, c'est votre vie et l'occasion d'exprimer tout ce qu'elle signifie désormais pour vous. Il y a une forte chance que la plupart des événements déjà mentionnés soient en train de se dérouler dans votre vie. Mais je vous demande de considérer le fait que chaque événement joue un rôle sain et naturel dans un processus qui dépasse de loin l'événement en soi.

Si scandaleux qu'ils puissent paraître, ces phénomènes sont des sous-produits d'une réalité beaucoup plus importante. Chacun renvoie à un changement dans la création qui se reflète dans votre corps. Il est vital pour vous d'avoir un bon sentiment concernant chaque journée, peu importe comment elle se termine. Le sentiment vous signale la manière dont vous avez résolu chacun des choix au cours de cette journée.

Comme d'autres nous l'ont gracieusement rappelé, ce qui compte, ce n'est pas tant le fait d'accomplir quelque chose que la façon de l'accomplir. Imaginez-vous en train de creuser des fossés, de faire cuire des hamburgers, de guérir les malades ou de créer des logiciels. Aucune de ces tâches ne peut être meilleure ou pire avant que nous, ou quelqu'un dont nous estimons l'opinion, émettions un jugement sur elle. Avant que ses efforts soient comparés à ceux d'un autre, chacun est tout simplement en train d'exprimer, de créer et d'être.

Vous êtes arrivé à un moment de votre histoire où il peut vous être utile de reconnaître que votre pouvoir se limite à vos choix de vie et à leurs résultats, sans les juger bons ou mauvais, bien ou mal. En l'absence de jugement, vos expressions sont là, tout simplement, et il n'est pas question d'échec, qu'il s'agisse de votre carrière, de vos relations, de votre famille ou de votre travail. Comment voulez-vous échouer quand votre but est l'expérience ?

Des outils anciens vous ont été laissés, en prévision de cette période de l'histoire, pour vous aider à maîtriser votre vie à ce stade. Ces outils vivent en vous, encodés, disponibles dès maintenant, à l'instant même. Vous connaissez peut-être cet encodage mentalement, mais le connaissez-vous dans votre corps ? La capacité se trouve en vous, peut-être dormante, assurément vivante, de rectifier le pattern de vie dans votre corps de même que votre regard sur cette vie. Et ce changement peut survenir en un clin d'œil, si vous le permettez.

Modifier la chimie de votre corps en changeant de perspective, c'est peut-être l'outil le plus puissant que vous ayez à votre disposition pour le reste de cette vie-ci.

Marcher entre les mondes

Des chercheurs ont récemment démontré au monde occidental un phénomène enseigné dans les écoles de mystères depuis des millénaires. D'après de nouvelles informations, l'émotion humaine détermine la structure de l'ADN dans le corps[1]. En outre, des expériences de laboratoire ont montré que l'ADN définit de quelle façon des patterns de lumière, exprimés sous forme de matière, encerclent le corps humain[2]. Imaginez les implications.

Autrement dit, les chercheurs ont découvert que la disposition de la matière (atomes, bactéries, virus, climat, et même les gens) qui entoure votre corps est directement reliée aux sentiments et aux émotions qui émanent de votre corps !

Vous permettre de vous rappeler, c'est le signe d'un niveau élevé de maîtrise personnelle recherché par beaucoup et atteint par un nombre relativement restreint de gens dans le passé. Savez-vous à quel point c'est puissant ? Au-delà de la technologie du microcircuit, au-delà des manipulations génétiques et de l'ingénierie produite par les substances chimiques, sans exception, cette relation entre votre corps physique (l'ADN) et l'émotion représente la technologie la plus sophistiquée qui ait jamais embelli ce monde par l'expression de notre corps. Notre science a démontré que l'ADN, votre ADN, est directement relié à votre capacité de pardonner, de permettre et d'aimer dans l'expression de votre vie. La science de l'amour, du pardon et du lâcher-prise n'a rien de nouveau. La technologie qui sous-tend l'amour et le pardon est une science aussi ancienne qu'universelle appelée aujourd'hui compassion. Votre capacité d'exprimer le pardon, en laissant aux autres les résultats de leur propre expérience, sans changer votre nature, est un signe distinctif des niveaux les plus élevés de la maîtrise de la vie. La qualité de votre vie est directement reliée et intimement entremêlée à la maîtrise personnelle du sens que vous avez de votre vie.

Puisque c'est là une forme d'amour, la maîtrise de la compassion est votre véritable pouvoir. Ce qui peut s'interposer entre vous et votre pouvoir véritable, ce sont vos émotions et vos sentiments, interprétés à travers la signification que vous en a donnée votre vie. Dans les champs revitalisants de la compassion, la maladie débilitante n'est pas possible, les virus qui s'attaquent au système immunitaire ne sont pas possibles, le fait que votre corps se retourne contre lui-même ne l'est pas non plus. Par la maîtrise, la maladie est redéfinie. Par votre maîtrise exprimée sous forme de pardon et de compassion, la maladie et même la mort deviennent des choix plutôt que des risques. Votre corps est le miroir biologique, un indicateur de votre niveau de mémoire personnelle.

En présentant *Marcher entre les mondes*, je veux offrir un contexte dans lequel chaque instant de chaque jour joue un rôle fort dans votre préparation à accepter un changement immense et accéléré dans votre vie. Il n'est pas nécessaire de savoir que c'est là une vie de Bodhisattva, que vous êtes en train de vivre un processus d'initiation démontré il y a plus de 6000 ans, ou que l'émotion est une technologie de changement que vous aviez oubliée. Mais vous êtes en train de faire l'expérience de la vie. Il faut vraiment que votre vie vous convienne.

Uniquement en permettant la résolution de chaque relation de votre vie, que ce soit une relation de deux minutes au comptoir de l'épicerie, ou une relation de vingt ans de mariage, vous éveillez des fragments de votre âme qui permettent à votre corps d'être en santé et vous accordent la vitalité ainsi que des relations nourrissantes. Dans cet état d'éveil, le changement se produit avec facilité. La clé qui assurera votre éveil, ainsi que le changement, c'est la science ancienne de la compassion. Votre nature véritable, la compassion, est le but de votre expérience en cette vie-ci. La compassion est votre droit de naissance. Elle vous fera traverser avec grâce cette époque de changement renversant que les Anciens appelaient le Passage des époques.

On me demande souvent à quoi je suis affilié. Quel groupe, quel cours, me fournit la base de ma présentation ? J'ai choisi de n'adhérer à aucune organisation, à aucun groupe ni à aucune voie. Sauf indication contraire, les propos que je tiens en ces pages, ou dans les séminaires, sont les miens et reflètent ma voie. C'est parce que nous sommes tous arrivés à ce moment, ensemble, à partir de nos propres perspectives uniques, de notre point de vue et de notre expérience, que je vous demande de voir au-delà des mots de ce texte s'ils ne sont pas les vôtres. S'il vous plaît, ressentez l'intention sous-jacente des paroles et le contexte dans lequel cette présentation est faite.

Mes enseignants les plus importants ont été ceux avec lesquels j'ai passé du temps en partage. Chaque relation, chaque amitié, qu'elle ait duré quarante ans ou trois minutes, m'a montré quelque chose de moi-même. Tels sont ces aperçus que je vous présente, dans l'espoir qu'ils puissent vous être utiles à ce moment de votre vie. Parfois, je n'ai pas reconnu la leçon avant d'avoir acquis le fondement nécessaire pour comprendre. Parfois, ce fondement est venu des années ou même des décennies plus tard !

À dessein, pendant que ce corps d'information prenait forme, je me suis retenu de lire, d'assister à des conférences et de participer à des ateliers ou à des retraites. J'ai choisi de présenter *Marcher entre les mondes* dans toute son unicité, dégagé du langage, des concepts ou des descriptions des autres. Les subtils déclencheurs de la mémoire se trouvent dans notre langage. Par le langage verbal ou non verbal, nous reflétons les relations entre les mots mêmes et la chimie cérébrale subséquente qui produit des états de conscience variés.

Lorsqu'on me demande d'identifier une voie formelle qui traduit étroitement les concepts que je présente, je fais référence aux traditions esséniennes des manuscrits de Qumran, à la bibliothèque de Nag Hamadi et à leurs dérivés dans les textes égyptiens, araméens, éthiopiens et tibétains, ainsi qu'aux traditions orales de nombreuses cultures indigènes. Au moins deux groupes amérindiens sont les précurseurs de multiples ensembles de croyances ultérieurs, y compris les traditions chrétiennes et indigènes de l'Occident. À travers ces traditions, on nous montre des codes de conduite à l'image même de la vie qui nous entoure. Notre voie ne se trouve pas dans les écritures, les textes ou les temples de ceux qui nous ont précédés. Ces reliques sont les artefacts de notre quête du rappel de nous-mêmes. Mes croyances et l'histoire de ma vie m'ont démontré qu'en définitive, toutes les voies, peu importe leur expression extérieure, mènent au Un. Les codes du Un nous sont réfléchis quotidiennement sous la forme du monde vivant qui nous entoure. La loi qui permet à la vie de battre dans chaque humain, chaque organisme, chaque plante et insecte est celle-là même que nous cherchons dans les textes, les paroles oubliées et les traditions orales de l'Antiquité.

Même si je fais parfois référence à un texte ancien pour clarifier ou illustrer un principe, je crois nettement que nous avons dépassé l'époque de nos écritures, de nos temples, de nos grilles et de nos technologies extérieurs. En nous rappelant notre relation sacrée avec la vie entière, les uns avec les autres, ces guides sacrés nous ont bien servis. À l'époque où nous vivons, nous avons à mon avis franchi le mode d'action des références anciennes. Aujourd'hui, à quelques années de la fermeture de ce grand cycle d'expérience, on nous demande de devenir les espoirs, les rêves et les vies que nous avons considérés comme des visions des prophéties et des écritures. On vous demande de devenir le plus grand cadeau que vous puissiez jamais vous offrir, ainsi qu'à votre créateur et à ceux qui vous sont les plus chers. Aujourd'hui, on vous demande de devenir compassion.

Gregg Braden
Août 1996

INTRODUCTION

FIGURE 1 : *Branche de prunier en fleurs*
Symbole sanscrit représentant l'arbre de sagesse

IL Y A LONGTEMPS

Notre vie sur terre était très différente de celle d'aujourd'hui. Le sol produisait en abondance, il y avait peu d'occupants, et nous nous rappelions…

Nous nous rappelions la vraie nature de la compassion qui était nos vies. Nous nous rappelions la beauté de ce monde, notre relation avec celui-ci et le cadeau que nous appelons la vie.

Puis, quelque chose est arrivé. Notre vie a changé lorsque le souvenir de notre cadeau a commencé à s'estomper. Nous sentant séparés du monde même dont nous étions venus faire l'expérience, nous nous sommes mis à construire des machines, des extensions de nos sens, pour explorer notre monde et, une fois de plus, nous rappeler.

Dans les profondeurs du monde quantique et subatomique, nous avons voyagé. Dans les tréfonds de l'espace interstellaire, nous lançons des sondes, des appareils, des substituts de nos perceptions pour découvrir davantage. À présent, un mystère se déploie à mesure que notre science cherche le souvenir de nous-mêmes. À partir des abysses de l'espace, des royaumes les plus creux de l'atome, nous trouvons une force qui ne peut être mesurée ou construite. Cette force, l'intelligence qui nous lie tous dans sa création, les Anciens l'appelaient tout simplement l'Esprit. Toutes les données, chaque mesure et l'information dans son ensemble nous ramènent à nous en nous demandant de nous rappeler le mystère en nous. Collectivement, à mesure que nous nous approchons du stade historique que les Anciens appelaient le Passage des époques, notre propre science nous ramène à nous-mêmes, à la technologie la plus sophistiquée à avoir jamais orné ce monde de sa présence, le mystère de vous et moi. À travers cette force mystérieuse qui s'exprime dans notre vie, nous allons nous connaître. Dans cette connaissance, une fois de plus, nous nous rappelons.

EXTRAIT DE LA VIDÉO
L'ÉVEIL AU POINT ZÉRO
DE GREGG BRADEN

⌒∞⌒

Presque aussitôt après la publication du livre *L'Éveil au point zéro : l'initiation collective*, on m'a demandé d'élaborer. Des lecteurs voulaient mieux comprendre de quelle façon cette matière m'avait été présentée. D'où venait *L'Éveil au point zéro* ? Quels événements avaient transpiré dans ma vie pour me permettre de tisser une continuité entre de profondes relations interpersonnelles, des textes anciens et obscurs et les champs magnétiques terrestres ? Que m'était-il arrivé au mont Sinaï en 1987 et dans les Andes péruviennes en 1994 ? Pourquoi avais-je choisi d'habiter les hauts déserts du Sud-Ouest américain ?

Marcher entre les mondes : la science de la compassion constitue ma réponse partielle à ces questions. C'est avec une urgence teintée de grâce que je présente ce travail. Lorsque je me pose la question :

Si on m'accordait une seule journée en ce monde pour laisser à ceux que j'aime et qui me sont les plus chers le message qui, selon moi, leur serait le plus utile pour la vie, quel serait ce message ?

Ma réponse, c'est *Marcher entre les mondes : la science de la compassion*.

Le récit suivant s'est échelonné sur presque 42 ans, et il se poursuit encore. *Marcher entre les mondes* incarne à mon avis le message le plus irrésistible que je puisse vous offrir à ce stade de notre vie. Matérialisation de l'espoir, de la clarté et du rappel, ce message peut très bien représenter le plus grand récit de compassion jamais démontré dans notre ancienne mémoire du futur.

Lors d'ateliers et de séminaires, j'ai constaté l'effet direct qu'avait cette présentation sur des gens. Pour certaines personnes, ces récits ont eu un puissant effet catalytique sur leur vie en les poussant à redéfinir le sens de la blessure, de la douleur et de la peur, ainsi que de la joie et de l'extase des relations passées. D'autres ont découvert un contexte et une validation opportuns pour eux-mêmes et pour des proches avec qui ils partageaient le mystère de la vie. Avec cette validation est arrivée l'impulsion de procéder à l'offrande de la vie en embrassant chaque défi comme une occasion de démontrer sa maîtrise et non comme un autre « examen » de l'école de la vie. La question à laquelle on vous demande de répondre en vivant votre vie a été maintes fois énoncée par quantité d'enseignants :

Êtes-vous un être physique qui fait des expériences spirituelles, ou un être spirituel qui fait des expériences physiques[1] ?

Votre manière d'envisager cette question détermine, pour vous seul, votre manière d'envisager les événements de votre vie à mesure qu'ils se dérouleront devant vous.

LA SCIENCE ET NOTRE PROMESSE

Au sens traditionnel du mot, la science est hypothèse et vérification. Nous appliquons la science sous forme de prédiction, puis de série de tests, jusqu'à ce que la fiabilité et la cohérence d'un résultat ou d'une réponse soient établies. La démonstration de la vérité repose sur la possibilité de répétition. « Si » ces choses arrivent exactement de cette façon, « alors » on peut s'attendre à tel ou tel résultat, et c'est le cas. C'est là-dessus qu'est fondée la vérité de la science. Par le biais de paramètres rigides d'échantillonnage, de contrôle et de vérification, la méthode scientifique prouve la validité du processus.

Presque chaque jour, la recherche apporte son témoignage validant une fois de plus des vérités présentées dans nombre de textes anciens. Ces vérités attestent entre autres l'existence ancienne de hautes technologies d'une grande sophistication, indiquant un monde multidimensionnel et une force fondamentale qui forme le tissu sous-jacent de la création[2], un lien direct entre le sentiment, la pensée, l'émotion et la qualité de notre santé et de notre bien-être[3].

Avant de poursuivre votre lecture, comprenez bien pourquoi et dans quelle perspective je présente cette matière ainsi et maintenant. Du plus profond de mon être, je sens que les passages qui se déroulent à l'intérieur de notre corps, de notre vie et de notre monde font partie d'un processus continu qui a commencé il y a 200 000 ans. Tandis que pour moi ce passage n'est pas cyclique, des textes anciens présentent la perspective d'un « Grand Cycle » d'expériences que nous sommes sur le point de compléter. Je crois que les passages terrestres de patterns sismiques et de systèmes climatiques, les passages humains au sein des systèmes familiaux, sociaux, politiques, économiques et militaires, et les passages corporels de la nouvelle génétique, de la maladie, du malaise et des bactéries sont des exemples sains et naturels de patterns d'énergie en passage.

Nous appelons ces passages le changement.

Les lois de la création nous assurent que c'est dans la mesure où le changement est jugé et découragé, qu'il est ressenti dans la vie comme un défi. Bien que le changement se produise au sein de nos familles, de nos sociétés, de la planète et des relations, il n'y a rien de mal ou de défectueux dans ces systèmes d'énergie. Ils sont tout simplement en mutation. Bien des textes anciens ont révélé que le changement est précisément l'essence de ce moment dans l'histoire de la terre et de l'humanité. Presque universellement, les calendriers anciens, les codex écrits et les prophéties orales désignent l'ère actuelle, cette époque-ci, comme une ère de transformation sans précédent dans l'histoire humaine et terrestre appelée le Passage des époques[4]. De plus, on nous dit que les changements nous conduisent à un monde, au sein de notre réalité terrestre, qui reflète un lieu familier dans notre mémoire collective ; un temps qui précède le temps.

> « [...] la terre, et tout ce qui y habite, n'est qu'un reflet du Royaume du Père céleste. »
>
> D'APRÈS L'ÉVANGILE ESSÉNIEN DE LA PAIX[5].

La nature même de ce passage exige un changement à chaque niveau de notre vie, dans notre façon de manger, de boire et de respirer, jusqu'à celle de cultiver notre nourriture, jusqu'au lieu où nous habitons et jusqu'à notre manière d'aimer. Le changement est le catalyseur de notre croissance, le déclencheur qui nous catapulte, vous et moi, vers de nouvelles façons de nous voir par la lentille de nos sentiments, de nos émotions et de nos relations. Nous nous demandons de dépasser les limites que nous nous sommes imposées, chacun et l'un l'autre, dans le passé. Vous et moi, individuellement et collectivement, déterminons en ce moment comment l'humanité dans son ensemble va réagir au changement. Choisirons-nous la grâce et l'aise, ou la maladie et le malaise ? Le changement est en train de se produire dans votre ville, dans votre famille, dans votre corps, au sein même de vos émotions et dans vos patterns de sommeil.

Les textes qui vous parlent du changement traitent aussi d'une promesse. Celle-ci prend la forme d'une manière de vivre qui vous fera traverser avec grâce et aise cette époque de « purification ». La promesse nous a été laissée dans les textes et les paroles de ceux qui nous ont précédés. Dans leur simplicité, ces paroles sont parfois écartées, car on considère qu'elles manquent de pertinence en cette ère technologique. Selon la promesse, vous n'êtes pas votre expérience, vous devez vous connaître vous-même dans votre expérience pour maîtriser les extrêmes de la vie.

Afin de découvrir votre équilibre, vous devez connaître vos extrêmes. Vous n'êtes ni votre succès, ni vos échecs, ni votre carrière, ni votre pauvreté. Vous n'êtes ni votre joie, ni votre extase, ni votre peur, ni votre douleur. Seuls les éléments de vos expériences vous donnent l'occasion de vous connaître sous différentes facettes, afin que ces dernières puissent être maîtrisées. Vous êtes en ce monde sans appartenir à celui-ci.

La promesse décrit une sorte de conduite menant à la démonstration de la maîtrise personnelle. Sans exception, chaque événement, chaque relation, chaque amour, chaque emploi, amitié, idylle et trahison dont vous ayez jamais fait l'expérience vous a fourni des émotions et des sentiments clés qui vous ont permis d'atteindre la maîtrise. Votre manière de percevoir ces émotions et ces sentiments, votre manière de les définir dans votre vie, voilà votre façon de vous former et de vous enseigner, de vous rappeler la promesse de la compassion. Votre maîtrise de la compassion en tant qu'état d'être est atteinte dans la culmination de deux voies pouvant être vécues individuellement aussi bien que collectivement.

LA TECHNOLOGIE EXTÉRIEURE : LA PREMIÈRE VOIE

J'ai le sentiment que ce moment de notre vie représente un carrefour dans notre mémoire consciente. On nous demande, en vertu même de notre expérience, de choisir entre deux voies. Chacune est valide en soi, sans nécessairement être bonne ni mauvaise. Chacune est complète, avec ses choix et ses conséquences uniques et mène à la même destination dans des délais variables. On peut considérer la Première Voie comme le paradigme dominant, celui qui a fait son temps, comme une voie de technologie extérieure conçue hors de notre corps, d'extensions de nous-mêmes en interaction avec le monde qui nous entoure. Cette voie représente notre réponse culturelle aux défis de la vie. Les causes des événements de la vie se trouvent « ailleurs », dans un monde perçu comme séparé et distinct de notre corps. Par conséquent, les solutions sont conçues « ailleurs », en laissant de côté le jeu entre nous et notre monde. On reconnaît que la maladie, le malaise, les déficiences et les conditions de notre être tirent leur origine des choses que l'on « fait » et y trouvent leur remède. Pensons aux vaccins, aux suppléments alimentaires, aux antibiotiques et aux gadgets qui améliorent l' « extérieur ». Il est clair que ce sont là des technologies fortes et bénéfiques. Je les bénis et j'offre ma gratitude pour leur existence, car telle a été notre voie.

La technologie extérieure est nous, nous rappelant, à travers nos machines, les principes mêmes que nous démontrons dans notre vie et notre corps. Des principes comme la capacitance, la résistance, la transmission, la réception et l'emmagasinage de quantités scalaires et vectorielles d'énergie. Au cours de mes années de service dans les sciences de la terre, de l'espace et de l'informatique, je n'ai encore vu aucune technologie développée à l'extérieur du corps humain qui ne se reflète dans le corps même.

La technologie extérieure, c'est nous qui nous rappelons nous-mêmes en construisant des modèles de nous-mêmes et en appliquant en retour les modèles à nous-mêmes.

La Première Voie nous a amenés, vous et moi, au point où nous sommes aujourd'hui, en nous gardant vivants et forts, en prolongeant notre occasion de choisir une autre voie. La méthode scientifique a été la façon que nous avons choisie de nous démontrer ces « vérités » à nous-mêmes. Grâce à la science, depuis les deux derniers millénaires environ, nous avons validé de nouveau notre nature intérieure en tant que technologie extérieure. Cette voie a certainement fait ses preuves, et sa fiabilité a été établie jusqu'à un certain point, ce qui représente une possibilité d'expérience. Mais une autre voie existe.

LA TECHNOLOGIE INTÉRIEURE : LA SECONDE VOIE

La Seconde Voie est celle de la technologie interne. Fruit d'un rappel plutôt que d'une conception, cette technologie s'est exprimée en vous et en moi, tout simplement dans notre manière de vivre. Cette voie se rappelle le corps humain en tant qu'union sacrée entre l'expression atomique de la « terre mère » et l'expression électrique et magnétique du « père céleste ». Les sciences esséniennes anciennes insistent sur cette idée fondamentale dans leurs premiers enseignements.

> « *Car l'esprit du Fils de l'Homme fut créé de l'esprit du Père céleste, et son corps, du corps de la Terre Mère.* »
> D'APRÈS L'ÉVANGILE ESSÉNIEN DE LA PAIX[6].

La voie de la technologie intérieure se souvient que chaque cellule de nos corps a un potentiel électrique d'environ 1,17 volt. Les statistiques indiquent que le corps moyen est composé d'environ 1 quadrillion de cellules. Un quadrillion de cellules multiplié par 1,17 volt de potentiel pour chacune égale environ 1,17 quadrillion de volts de potentiel bioélectrique par personne. Chaque cellule fait montre de propriétés de capacitance, de résistance, d'emmagasinage, de transmission et de réception, et elle le fait à volonté, par l'intention.

Examinez le potentiel que vous vivez en tant que votre corps ! Savez-vous, vous rappelez-vous, ce que vous pouvez faire de votre potentiel ? Est-il étonnant que des guérisseurs authentiques soient capables de faire ce qu'ils font ? Quel virus, quelle bactérie, quelle condition peut résister à une force de 1,17 quadrillion de volts ? Comment, demandez-vous, cette force est-elle activée et régulée ? La réponse à cette question est l'essence, le point de mire même de tant de textes anciens et de la marche entre les mondes. La réponse, la voici :

La force du potentiel qui est en vous est activée et régulée par la manière dont vous décidez de mener votre vie.

Que choisissez-vous, chaque jour, pour nourrir votre corps ? Où optez-vous de vivre et de grandir avec ceux qui vous sont les plus chers ? Comment avez-vous choisi d'exprimer à ce monde le don unique de votre vie ? De quelle manière parlez-vous aux autres et comment permettez-vous que l'on s'adresse à vous ? Ces questions représentent des occasions de nous conduire de façon consciente et responsable dans chacune de nos vies. La Seconde Voie de la technologie intérieure représente une occasion d'expression personnelle. C'est pour vous et moi l'occasion de faire montre d'une maîtrise personnelle en posant la question suivante :

SI
nous sommes véritablement qui et ce que nous disons être :
des êtres puissants, des maîtres de sagesse et de compassion
vivant à seulement quelques années du
Passage des époques
ET SI
nous nous sommes rappelé que la paix est un choix supérieur à l'absence
de paix dans un monde de polarité
exprimé en tant que pensée, sentiment, émotion et conduite
ET SI
cette responsabilité pour nos vies, notre vitalité et notre bien-être
provient de l'intérieur de nous,
ALORS
pourquoi créer des solutions temporaires pour notre santé et notre
bien-être sous forme de technologies extérieures
à nous-mêmes ?

Pourquoi exigeons-nous des scientifiques qu'ils trouvent « à l'extérieur » un remède au sida, au cancer, au virus ébola, au hantavirus, à la polio, à la maladie de la vache folle ou à l'un ou l'autre des vingt et quelques virus et bactéries qui n'étaient pas là il y a trente ans ? Pourquoi réclamons-nous des agences de maintien de la loi et de la police planétaire qu'elles maintiennent la paix dans notre monde ? Pourquoi choisissons-nous de fuir la responsabilité personnelle qui est notre droit de naissance, lorsque nous déterminons notre façon de répondre à ces puissants agents de changement ?

Dans son livre récent, *The Sound Beings*, Joseph Rael[7], du peuple Tewa, explique notre choix de remèdes, de vaccins et d'antibiotiques comme une façon, pour nous, de nous « décoller » d'un pattern de vie. La perspective Tewa considère la vie sous la forme de « deux tranches de lumière », chacune de qualité différente et avançant toujours. Lorsque nous devenons « collés » à une croyance, une pensée ou un pattern, la lumière ne peut avancer à travers nous. C'est dans la maladie que nous faisons l'expérience d'être « décollés ». La médecine est notre choix, notre voie de conception quelque part « ailleurs » pour nous « décoller » afin de pouvoir recouvrer le mouvement.

Même si la médecine est certainement valable, est-il dans notre meilleur intérêt de nous fier uniquement aux solutions conçues à l'extérieur ? De plus, à quel point ces solutions sont-elles vraiment permanentes ? Quelle proportion des virus que nous croyions « guéris » réapparaît à présent, trente ans plus tard, sous forme de nouvelles mutations pour lesquelles nous n'avons aucun remède ?

Plutôt que de *concevoir* une technologie extérieure pour résoudre ces conséquences (et d'autres) de notre condition antérieure, pourquoi ne pas accepter le cadeau des solutions intégrées en nous en *devenant* la techno-logie ? Pourquoi ne pas ressentir les sentiments, éprouver les émotions et concevoir les pensées qui nous permettent de passer à un état d'être où les bactéries, les virus, le changement et même la mort ont peu de consé-quences ? Les remèdes ne sont que des patterns vibratoires conçus au moyen des modèles que nous avons de nous-mêmes « à l'extérieur ». Pourquoi ne pas devenir les modèles ? Pourquoi ne pas devenir les vibrations à partir de l'intérieur ?

Est-il possible que les virus, les bactéries, les ruptures du système immunitaire, les soulèvements sociaux et politiques et autres conditions actuellement considérées comme des « horreurs » soient en fait de puissants agents de changement ? Est-il possible que ces expériences soient des cataly-seurs auxquels vous et moi avons consenti dans le but de nous propulser col-lectivement vers un choix d'être plus élevé ? Si vous croyez que notre nature est holographique, alors vous devez vous demander : « Est-ce que je crois que ma conduite dans la vie quotidienne a un effet sur l'ensemble des autres ? »

J'ai souvent entendu des gens répondre à cette question en disant qu'ils ne savent pas quoi « faire ». Les Anciens nous disent que la compassion n'est pas une chose que l'on peut faire ou accomplir. C'est plutôt une chose que vous vous permettez de devenir. Le faire est un signe distinctif du paradigme ancien. Vous avez dépassé le faire. Ce moment unique de l'histoire terrestre et humaine est le temps du devenir. Autrement dit, devenir est l'essence même du message puissant et ancien qui nous a été laissé à vous et moi dans les nombreux textes et traditions de ceux qui nous ont précédés.

Le message est le suivant :

« Les conditions que vous choisissez le plus d'avoir dans votre vie, vous devez d'abord les devenir sous la forme de votre vie. »

Incroyablement simple, cette phrase éloquente est la somme de tout le travail accompli par tous les maîtres, tous les saints, les scientifiques, les tech-niciens et les familles, par chacun de vos prédécesseurs spirituels, qui vous préparent à ce moment même de l'histoire terrestre et humaine. Ceux qui pré-tendent choisir la paix dans leur monde doivent d'abord devenir eux-mêmes la paix. Ceux qui affirment haut et fort choisir la prospérité, la santé et la vita-lité pour leurs proches doivent d'abord devenir eux-mêmes ces attributs. Ceux qui choisissent la compassion pour leurs proches et ceux qui considè-rent les autres avec jugement et haine doivent devenir cette compassion même. Le message du « devenir » est l'essence des textes anciens les plus sacrés.

Dans cette perspective, l'ère de notre technologie extérieure est révolue. Vous et moi avons grandi et traversé l'époque où nous étions servis par la Première Voie. Nous avons dépassé l'exigence de nous construire à l'extérieur de nous-mêmes. En cet instant se trouve l'occasion de retenir le souvenir de nous-mêmes dans notre nature véritable. Les machines, les outils et les gadgets sont une collection d'artefacts représentant une technologie révolue ;

c'est notre passé collectif qui est démontré en tant que technologie extérieure à nos corps. Aujourd'hui, vous avez l'occasion de rendre grâce à la technologie de la Première Voie pour tout ce qu'elle a présenté, pour le temps qu'elle vous a accordé, le confort qu'elle vous a offert et pour tout ce qu'elle a signifié pour vous.

Bénissez la technologie et passez à la Seconde Voie. Beaucoup plus sophistiquée que toutes les machines jamais construites par les plus brillants d'entre nous, la Seconde Voie représente une immense amélioration dans la conduite de notre norme de vie. Nous avons maintenant l'occasion de pouvoir devenir la guérison que procurent les remèdes, la santé permanente et éternelle, la paix des pacifistes, la compassion des religions et les vibrants compagnons de la vie, et de le faire avec grâce.

Je vous invite à réexaminer les enseignements qui parlent d'une puissante force de vie qui court « à travers » votre corps. C'est là que réside la séparation.

En plus de circuler en vous, cette force puissante, c'est vous !

Il n'y a aucune séparation entre vous et cette force. Vous seul déterminez votre réaction aux bactéries, aux virus et aux rayons ultraviolets d'une couche d'ozone qui s'amincit, même au virus de la grippe qui circule dans votre bureau. Vous seul délimitez votre seuil de colère, de haine et de rage devant les événements que vous avez habilement créés dans votre vie.

Nous sommes en train de préciser nos résultats à ce moment de l'histoire en établissant notre réaction à ce moment de l'histoire. Dans notre totalité, nous avons quelque chose de beaucoup plus grand à offrir à nous-mêmes et à ceux qui nous sont les plus chers, que nous ne trouverons jamais dans une machine conçue et réalisée « à l'extérieur ».

LE CADEAU DE LA COMPASSION

Le temps de nos temples, de nos réseaux, de nos grilles et de nos guides extérieurs achève. Pour beaucoup, ce qui est arrivé comme une connaissance intérieure était énoncé d'une façon suffisamment claire dans le langage du temps, il y a 2000 ans, et même avant. Notre connaissance nous rappelle que notre vie est l'expression d'une union hautement sophistiquée, d'un mariage sacré, entre les éléments de cette terre et une force directrice non physique. Nous appelons cette force « Esprit ». Aujourd'hui, la plus étonnante des références anciennes réaffirmant sa validité est peut-être le lien entre le sentir et la pensée, et leur relation à la physiologie humaine.

> *« Les demeures du Fils de l'Homme sont au nombre de trois, et aucune ne peut arriver devant le visage de l'(Un) qui ne connaît pas l'ange de paix en chacune des trois. Ce sont le corps, les pensées et les sentiments. »* (Les parenthèses sont de l'auteur.)
>
> D'APRÈS L'ÉVANGILE ESSÉNIEN DE LA PAIX[8].

La paix que nous cherchons dans notre monde et dans notre corps est la paix contenue dans cette référence essénienne. La compassion est définie comme étant la qualité de pensée, de sentiment et d'émotion. On peut faire montre de compassion dans la qualité de conduite de notre vie quotidienne. La vitalité de notre corps, la qualité de notre sang et de notre respiration, notre choix de relations et d'émotions, même notre capacité de reproduction semblent être directement reliés à notre capacité à accueillir la force de la compassion dans notre vie.

Dans la mesure où vous laissez place à la compassion dans votre vie, le changement se déroule avec grâce, aisément. Pour ceux qui exigent une preuve, celle-ci est maintenant disponible. Pour les autres, le simple fait de savoir qu'il y a une relation directe entre les émotions et l'ADN s'avère la validation bienvenue d'une connaissance intérieure qui influence leur vie depuis des années.

LA SCIENCE DE LA COMPASSION

Suivant notre définition d'une science, si vous faites ces choses, alors il se produira telle ou telle chose. Il est clair que les Anciens nous ont laissé une voie. Aujourd'hui, leur voie peut être considérée comme une science choisie pour nous faire traverser avec grâce le Passage des époques. *Marcher entre les mondes*, c'est ma façon de vous présenter cette science, la science de la compassion. Comme c'est notre moyen de désigner un état d'être parfois nébuleux. La compassion, c'est à la fois le sentiment, la pensée et l'émotion en vous qui permettent au circuit de cristal liquide de 1,17 volt, présent dans chaque cellule, de se mettre en phase avec l'oscillateur de cristal liquide à sept couches logé dans votre poitrine et que nous appelons « le cœur ». La compassion, le résultat de la pensée, du sentiment et de l'émotion cohérents, est le programme que vous encodez et qui détermine la vie de votre corps en donnant une réponse à la référence du pouls de la terre.

> Plus qu'un simple sentiment, la compassion est la fusion du sentiment avec l'émotion et la pensée dirigée qui se manifeste dans votre corps !

Offert à vous dans le contexte du langage du XXᵉ siècle, de l'expérience et des relations, *Marcher entre les mondes* ravive une sagesse ancienne qui vit en vous. La compassion est le cœur même de votre nature. La science est offerte en tant que programme de langage et de compréhension, de la manière suivante :

SI
vous laissez la vie vous montrer de nouvelles façons
de vous connaître vous-même
ET SI

vous réconciliez en vous-même ce que la vie vous
a montré,
ALORS
vous devenez compassion.

C'est au sein même de la réconciliation, de la confrontation avec ce que vous avez invité dans votre vie, que vous devenez compassion. Apparemment simple, la compréhension des mystères de la vie est, depuis des siècles, le sujet de controverses et de débats. Jusqu'à quelles extrémités vous êtes-vous permis d'aller pour connaître le plus sombre et le plus clair ? Les Anciens vous disent nettement deux choses :

- Que les événements de votre vie vous rendent service en vous procurant l'occasion d'éprouver des sentiments et des émotions à travers une large gamme d'expériences : tout le « bien » et tout le « mal ».
- De plus, il y a un pattern dans l'ordre de reconnaissance des expériences : celles-ci ont en effet une séquence et une progression.

Les clés de la compassion reposent donc sur votre capacité à accueillir toute expérience dans le contexte du Un sans jugement. Vivre uniquement dans la « lumière », en évitant, en ignorant, en sabotant et en jugeant tout ce qui n'est pas la lumière, c'est desservir l'objectif même de votre vie dans un monde de polarité ! Il est facile de vivre dans la lumière, si la lumière est tout. Mais vous êtes venu dans un monde où la lumière se trouve en union avec son contraire.

Peut-être êtes-vous tombé dans le vieux piège de l'illusion :

- si vous trouvez qu'un aspect de la polarité est meilleur qu'un autre !
- si vous croyez qu'un aspect de notre monde de polarité concerne autre chose que le créateur !

J'entends souvent parler d'individus qui se considèrent eux-mêmes comme des guerriers spirituels livrant la bataille de la lumière et de l'ombre, traçant les lignes spirituelles de la guerre. Cette approche est une voie. Chaque voie porte ses conséquences. Le jugement, qui est la marque distinctive de la polarité, est inhérent à la perspective des lignes de combat.

Il ne peut y avoir de combat sans jugement.

Dans un monde où nous sommes arrivés à faire l'expérience de nous-mêmes et à nous connaître de toutes les façons possibles, comment peut-il y avoir un « bien » et un « mal » dans l'expérience même ? C'est l'attribution du bien, du mal, du clair et de l'obscur qui fait imploser l'unité en polarité. Est-il possible que l'obscurité soit un puissant catalyseur dans nos vies, semblable aux virus dont nous parlions plus haut, nous catapultant au-delà de la polarité dans une technologie encore plus grande, née de la compassion ? En guérissant notre sentiment de séparation, *Marcher entre les mondes* est la voie de la compassion. À maintes reprises, les Esséniens nous ont demandé avec insistance de nous rappeler le message le plus sacré.

> *« [...] et ce message n'était destiné qu'à l'oreille de l'homme, celui qui marche entre les mondes de la terre et du ciel. »*
> D'APRÈS L'ÉVANGILE ESSÉNIEN DE LA PAIX[9].

Trop souvent, dans le passé, les discussions sur le Passage des époques se sont concentrées sur la période précédant, et incluant, le jour du passage. Il est fort possible que vous et moi soyons de la dernière génération à atteindre la maturité avant le Passage des époques. Je vous invite à en envisager les implications. Si tel est le cas, alors vous et moi serons aussi la première génération à nous réveiller de l'autre côté du passage, dans un monde qui aura complété la purification proclamée dans les traditions indigènes et anciennes. Lorsqu'on a fait table rase de la mémoire et de la conscience, que deviennent les fondements de notre mémoire future ? L'état d'être que vous et moi sommes en train d'atteindre, à présent, à cette époque-ci, devient la graine à partir de laquelle nous nous connaîtrons, tout comme ceux qui nous suivront.

Voulons-nous suffisamment changer les cycles de polarité, nous élever au-dessus du jugement de la lumière et de l'ombre vers un espace où toute expérience est vue comme une création qui se connaît elle-même, qui fait l'expérience des conséquences de son propre choix ? Nous aimons-nous suffisamment pour établir les bases d'une sagesse pleine de compassion, tout en vivant dans un monde qui a exprimé la polarité sous forme de haine, de peur et de jugement ? Par la compassion, vous et moi recevons des lignes directrices sur notre conduite potentielle en réponse à ce que la vie nous offre quotidiennement. Suivre cette voie, c'est un choix conscient et intentionnel. C'est dans la compassion que nous trouvons en nous une émotion cohérente. Cet espace se vit comme une pensée, un sentiment et une période qui permettent à notre corps physique de devenir la paix, la vitalité et l'immunité que nous n'avions qu'imaginées dans le passé.

Plus haut, j'ai donné la définition d'une science. La démonstration de la science ne surviendra peut-être jamais en raison d'un seul facteur : l'élément temps. Si les calendriers anciens sont justes, si l'élan de changement et d'inertie des effets reste intact, alors il ne nous reste tout simplement pas assez d'années pour tester, encore et encore, à maintes reprises, et pour nous démontrer que le parcours suggéré est dans le meilleur de nos intérêts. Ironiquement, toutefois, à travers le langage de notre propre science, nous voyons le scénario se dérouler avec précision, tel qu'il a été cartographié pour nous, il y a plus de 6000 ans. Est-il nécessaire qu'un Passage des époques nous donne le coup de pouce utile pour arriver à une vie de compassion ?

Marcher entre les mondes

VEUILLEZ NOTER CECI : Lorsque la signification résonante de *Marcher entre les mondes* s'incorporera en vous, vous créerez avec habileté et maîtrise des situations qui vous demanderont de démontrer l'importance de cette signification dans votre vie. Lorsque vous aurez lu cette page, vous ne pourrez la dé-lire. Lorsque vous aurez entendu le sens de ces mots pour vous, à travers les filtres de votre expérience de la vie, vous ne pourrez dés-entendre ces mots.

Marcher entre les mondes présente un contexte et un cadre dans lesquels chaque moment de chaque jour joue un rôle puissant en vue de vous préparer à gracieusement accepter un changement immense et accéléré dans votre vie. Au cours de cette vie de Bodhisattva, au service de la vie par les yeux de la compassion, votre monde ne pourra plus jamais vous paraître le même. Cette différence est le cadeau que vous faites, à vous-même et à ceux que vous aimez, lorsque, avec grâce et intention, vous vous rappelez la Seconde Voie et marchez entre les mondes du ciel et de la terre.

CHAPITRE UN

LE MYSTÈRE DE CE QUI EST OUBLIÉ

NOTRE POUVOIR DE RESSENTIR

FIGURE 2 : *Pin bonsaï*
Le texte en tibétain représente la racine, le commencement, le pouvoir.

*À cet instant, un soudain coup de vent me frappa et
brûla mes yeux. Je regardai fixement vers l'endroit en question.
Il n'y avait là absolument rien d'extraordinaire.*

« Je ne vois rien », dis-je.

« Tu viens de le sentir », répondit-il.

« Quoi ? Le vent ? »

« Pas juste le vent », précisa-t-il.

*« Pour toi, ça peut sembler être le vent
parce que c'est tout ce que tu connais. »*

D'APRÈS *LE VOYAGE À IXTLAN, LES LEÇONS DE DON JUAN,*
DE CARLOS CASTANEDA[1]

⸎

L a mémoire est une chose curieuse. Parfois, les détails des événements apparemment les plus significatifs de la vie s'évanouissent en quelques jours. Souvent, les événements mêmes s'oublient ou se perdent en quelques courtes années. Je me rappelle m'être assis au bord d'une rivière, en automne, avec ma mère. L'air était vif et frais, et j'étais emmailloté dans des couvertures et des vêtements épais. Ma mère et moi regardions des groupes de jeunes hommes qui ramaient rapidement dans de longues barques étroites. Le rythme était si parfait, le mouvement si souple, presque sans vaguelette dans l'eau. Je me revois rebondir sur les épaules de mon père alors qu'il descendait l'escalier en colimaçon de notre minuscule appartement. Un perroquet vivait dans une cage de l'un des paliers, juste à l'extérieur de l'appartement de Mme Wilkinson. Elle me gardait les jours où mon père était à l'école et où maman devait travailler. Lorsque j'ai rappelé ces premiers souvenirs d'enfance à ma mère, elle m'a regardé, incrédule.

« Tu ne peux te rappeler cette époque, dit-elle, ébahie. Ton père venait de faire son service militaire et nous avions déménagé à Providence, dans le Rhode Island, où il s'était inscrit à l'Université Brown. Je t'emmenais à la rivière regarder l'équipe universitaire s'exercer à l'automne. Tu ne peux pas te souvenir de cette époque-là, tu n'avais qu'un an et demi ! »

La mémoire est pour moi une chose curieuse, car je ne me rappelle pas beaucoup de faits de la suite de cette époque, jusqu'à presque trois ans et demi plus tard. À l'époque, en quelques courtes semaines, deux événements allaient changer à jamais le cours de ma vie. J'ai oublié les détails qui m'ont amené à ce jour-là. Je ne me souviens pas de m'être dit :

Aujourd'hui, je vais me donner une expérience d'un tel pouvoir que je ne survivrai peut-être pas. Si je survis, ma vie ne sera plus jamais la même.

Mais sur un certain plan, je devais le savoir. S'il y avait une connaissance, elle n'était certainement pas consciente.

RAPPELLE-TOI CE SENTIMENT

Deux semaines plus tôt, le 28 juin 1959, j'avais reçu un cadeau d'anniversaire : un train miniature à piles. C'était l'un de ces modèles réduits

Lionel™, et tout le train avait l'air d'une seule locomotive. Il était alimenté en courant électrique au moyen d'une télécommande reliée à la locomotive par environ 1 m de fil. Je ne sais plus à quoi j'ai pensé en prenant les ciseaux dans le tiroir de la cuisine. C'étaient les meilleurs ciseaux de maman ; un gros modèle chromé qui donnait l'impression de pouvoir tout couper – même les fils attachés à mon nouveau train électrique. En coupant le fil, j'ai remarqué un fil de cuivre dénudé, dans sa gaine sécuritaire de caoutchouc isolant. J'ai repris les ciseaux et commencé à débarrasser le fil de son isolation. Une fois entamé, le processus était facile. En quelques minutes, j'avais deux longueurs de fil de cuivre luisant dans la main. J'étais prêt.

J'ai remis les ciseaux en place dans la cuisine, croyant que leur rôle dans la destruction de mon nouveau train demeurerait mon secret. Ouvrant la porte à moustiquaire qui menait de notre salon à l'entrée principale, je me suis dirigé directement vers la prise électrique située juste derrière cette porte. Ce qui est arrivé ensuite, je me le rappelle avec un degré de clarté qui m'étonne encore. En tordant les deux fils pour les rassembler, j'ai fait entrer de force le bout rigide du fil dans l'une des deux ouvertures de la prise. Il ne s'est rien passé. J'ai immédiatement forcé l'autre bout du fil de cuivre dans la seconde ouverture, en l'enfonçant le plus loin possible dans le mur. Aussitôt, une gerbe d'étincelles orange flamboyantes a jailli de la prise, enveloppant mes mains, mes bras et mon visage d'une chaleur cuisante. Je n'ai d'abord ressenti aucune douleur. En une fraction de seconde, j'ai vu les étincelles au ralenti, chacune faisant un petit point rond dans l'émail gris recouvrant le patio. Puis, il y a eu une lumière, un éclair brillant qui semblait venir de l'intérieur de moi, de l'intérieur de ma tête. L'éclair était si aveuglant qu'il masquait tout le reste. Pendant ce temps, je n'avais ni vision, ni pensée, ni souvenir, ni sentiment. La seule sensation dont j'avais conscience, c'était le son, une intense vibration qui s'était emparée de mon corps, le tordant dans des spasmes incontrôlables. Je ne pouvais pas lâcher le fil !

Soudain, je me suis trouvé dans ce qui semblait être un autre monde. Comme les fois où je me mettais au lit le soir et commençais à avoir le « sentiment ». Toujours un sentiment familier qui débutait par un picotement juste avant que je coule vraiment dans le sommeil. Je me sentais rapetisser à l'intérieur de mon corps. Comme si toute ma conscience se retirait de chaque cellule de mon corps, rappelée de toutes les extrémités, rétrécie dans un seul point concentré dans ma poitrine. Puis, devenu ce seul point de ma conscience, je me mettais à rêver sans souvenir de transition. En expansion, je devenais tellement vaste que j'étais partout et nulle part à la fois. Je me réveillais à l'intérieur de ce rêve, perdant toute conscience de « moi » en échange d'un sentiment d'être seulement. Ce sentiment était si familier et si agréable que j'avais hâte, chaque soir, de m'endormir et de me réveiller à l'intérieur de mes rêves.

Je ne sentais plus la vibration. À ce moment-là, il n'y avait plus rien, aucun sentiment de temps ou de non-temps. Je n'avais aucun sentiment de « moi » en tant qu'être ou en tant que « je ». Aucune image de mes mains brûlées par les étincelles n'apparaissait ; je n'éprouvais aucune sensation malgré le courant qui traversait mon corps. Il n'y avait rien, absolument rien. Dans l'immobilité de ce moment, une voix a brisé le silence, une voix que j'allais connaître et à laquelle j'allais désormais faire confiance bien des fois dans ma vie. La voix n'était ni masculine ni féminine et semblait venir de partout à la fois. Calme et rassurante, elle m'a expliqué que la vie que j'avais connue ces cinq premières années était un « don d'amour » offert librement et sans attentes. Cependant, pour poursuivre ma vie à partir de ce moment, je devais choisir. À ce moment, on me demandait de faire un choix : « vivre » en ce monde ou poursuivre la transition que j'avais entreprise vers un autre monde. La voix énonçait clairement et calmement la question suivante : « Choisis-tu la vie ? » Sans avoir à penser, j'ai répondu par une phrase qui me revient souvent, même aujourd'hui, presque quatre décennies plus tard. De quelque part en moi, une autre voix, la mienne, a crié de toutes ses forces. De l'intérieur de mon esprit, j'ai hurlé :

« La vie ! »

« Je choisis la vie ! »

Tout aussi soudainement que cela avait commencé, quelque chose m'a saisi, une force a projeté mon petit corps loin de la prise électrique. Mon dos a fracassé la rambarde du balcon. Les étincelles ont cessé lorsque le fil de cuivre est tombé sur le patio brûlé. Une cuisante douleur a élancé mon corps et je me suis mis à trembler, sans pouvoir me contrôler, en suffoquant. Je ne pouvais pas penser. Je ne pouvais respirer à un rythme régulier.

En repensant à ce jour, je sais que toute cette expérience a duré tout au plus quelques secondes. Sur le coup, j'ai eu l'impression qu'elle s'éternisait, tout en ayant la rapidité d'un battement de cœur. Je ne sais pas combien de temps s'est écoulé pendant que je reprenais conscience. Lorsque j'ai pensé à crier au secours, au départ, les mots ne se formaient pas dans ma bouche pourtant ouverte, et ma voix semblait paralysée par le choc. J'ai continué à crier dans ma tête jusqu'à ce qu'un son émane faiblement de mon corps. Les sons m'appartenaient certainement, mais ils avaient quelque chose de différent ; ils ne me ressemblaient pas. Du fond de mon corps, chaque son s'est mis à fusionner peu à peu. Chaque son était primitif et honnête. Seule la volonté m'a permis de me redresser lorsque mon corps et mes cris ont trouvé l'unique personne qui, je le savais, pouvait m'aider. Ma mère m'a regardé, a vu mes mains et mes bras, et, désespérée, me suppliait sans cesse : « Qu'est-ce que tu as ? », « Qu'est-ce qui s'est passé ? » Tout ce qui me sortait de la bouche, c'étaient des cris. Tout l'événement n'a duré que quelques secondes au début de l'après-midi.

Peu après, alors que j'étais étendu éveillé dans mon petit lit, me remettant de l'expérience, j'ai regardé le ciel bleu foncé par la fenêtre. Un avion était entré dans mon champ de vision et avait disparu contre la vitre opposée. J'ai pensé « Roi du ciel », car le bruit des moteurs me rappelait celui de la télésérie populaire de l'époque. Je me suis dit : « Comme c'est étrange que le ciel semble si bleu ! » Le ciel du Midwest retient habituellement de grandes masses d'humidité, ce qui crée une brume blanche et terne, et paraît légèrement couvert, même par une journée ensoleillée. Mon lit était niché dans un coin de la chambre. Je m'étais toujours senti en sécurité entre ce mur d'un côté et l'autre, derrière ma tête.

Soudain, sans avertissement, j'ai senti ma tête doucement posée entre des mains ouvertes. Je savais qu'il n'y avait personne dans la chambre. Renversant la tête, j'ai laissé mon regard glisser le long du plafond au-dessus de moi et du mur derrière, et là, j'ai vu une silhouette, une personne, debout à l'endroit où la tête de mon lit touchait le mur. Cette forme venait de l'intérieur du mur ! D'abord pâle, à mesure que mes yeux s'ajustaient, l'image devenait plus claire, mais jamais solide. Même pendant qu'elle bougeait derrière ma tête, je voyais le mur. Je regardais le mur à travers cet être. Le corps était drapé de plusieurs pièces de tissu pourpre, qui ne laissait voir que les mains pendant que la présence continuait de bercer ma tête.

Sans avertissement, une seconde silhouette est apparue au même endroit, derrière ma tête, et s'est placée à côté de moi dans la pièce. Aucune des deux ne semblait avoir de caractéristiques masculines ou féminines. Au début, aucune d'elles n'a parlé. Elles ont d'abord touché mon corps à tous les endroits où j'avais été brûlé. J'ai regardé leurs mains se déplacer sur mes mains, puis sur mes bras. J'ai remarqué que ma tête et mes pieds allaient devenir le point de mire du processus, quel qu'il soit. Alors que j'étais étendu entre les deux êtres à peine visibles, j'ai ouvert et fermé les yeux plusieurs fois, en les clignotant pour clarifier et refocaliser ma vision. Ce faisant, la douleur cuisante de mes brûlures m'a envahi et je me suis mis à pleurer. Ouvrant encore les yeux, j'ai remarqué que la teinte bleu foncé du ciel à travers ma fenêtre avait fait place au blanc laiteux, plus familier, du ciel couvert du Midwest. Au même moment, je ne pouvais plus voir ces êtres à ma tête et à mes pieds, même si je pouvais encore sentir leurs corps alors qu'ils touchaient le mien. Avec les mots d'un enfant de cinq ans, à travers la douleur de l'expérience, j'ai tout simplement demandé :

Comment arrêter la douleur ?

Comment vous revoir ?

Pour la première fois, ce qui allait devenir une voix familière a répondu :

« Rappelle-toi ce sentiment. »

Lorsque j'ai entendu ces paroles, quelque chose dans mon corps a immédiatement changé. Il a suffi que j'entende ces paroles pour que cela se produise. À cet instant, mon corps n'a plus fait mal. Grâce à ce changement, je pouvais à nouveau voir les deux êtres dont la voix serait là pour moi à d'autres moments critiques de ma vie. Ce jour-là, j'appris quelque chose qui allait plus tard devenir une expérience pivot dans ma vie et me permettre de toucher la vie des autres. Cette chose est ceci : il m'a suffi de changer mes sentiments pour modifier ma façon de voir le monde environnant !

J'ai détourné mon visage pour regarder par la fenêtre de la chambre. Une fois de plus, le ciel était d'un bleu foncé, intense et clair. Quelque chose a commencé à m'envahir. Je sommeillais à mesure que la chambre disparaissait de ma vue. J'ai fermé les yeux à nouveau et me suis mis à glisser dans un rêve, oubliant les deux êtres qui réconfortaient mon corps après l'expérience survenue à peine une heure plus tôt.

Notre maison était petite et pleine de courants d'air. Ma mère disait que c'était une maison de « Cracker Jack », en faisant allusion aux confiseries faites de maïs soufflé et d'arachides et qui venaient assorties d'une prime dans chaque petite boîte rectangulaire. La maison avait son style à elle, située au centre d'un parc de maisons mobiles qui avaient poussé autour d'elle à Raytown, une banlieue de Kansas City, dans le Missouri. Une piscine était mise à la disposition des locataires et des invités du parc de maisons mobiles, et parce que nous habitions dans le parc, nous pouvions aussi l'utiliser. Durant l'été, lorsque la température avoisinait les 35 °C et que le taux d'humidité atteignait presque 90 %, la piscine était un endroit très fréquenté par les adultes autant que par les enfants. Une fois de plus, la mémoire est une chose curieuse. Je ne me rappelle pas grand-chose des premières brèves semaines qui se sont déroulées entre l'expérience du fil de cuivre et les événements qui ont précédé cette journée. Ma mère était avec « les dames », d'autres femmes de son âge, autour de la piscine, du côté peu profond. Un grand nombre parmi elles avait des enfants qui, comme moi, appréciaient l'eau fraîche et peu profonde de la piscine lorsque leurs parents relaxaient au bord.

Je ne me rappelle pas m'être dit que ça allait être une autre journée d'aventure. J'étais un enfant trapu, que mes parents disaient « costaud », et c'était pour moi pénible. À cause de ce degré d'obésité, mon corps ressentait une bizarre flottabilité dans l'eau. Mes petits bras dodus ont tiré mon corps de l'extrémité peu profonde de la piscine sur le rebord de béton chaud. Sans qu'on me remarque, j'ai marché jusqu'à l'extrémité profonde de la piscine, qui était interdite, et j'ai fixé le fond. L'eau paraissait turquoise, même si elle était claire puisque je voyais le fond. J'ai remarqué les épaisses lignes noires de profondeur qui convergeaient jusqu'au drain, à l'extrémité creuse de la piscine. Doucement, je me suis glissé dans l'eau, sans une éclaboussure, et à mesure que je lâchais prise, l'élan du poids de mon corps en mouvement me fit rapidement descendre sous la surface.

Je ne me souviens pas d'avoir pensé à retenir mon souffle, du fait que l'eau avait trois mètres de trop, en profondeur, pour que je puisse m'y tenir debout en touchant le fond, ou du fait que je ne savais même pas nager ! Je me suis tout simplement laissé glisser dans l'eau, j'ai lâché le rebord et j'ai continué, les pieds les premiers, à descendre dans le creux de la piscine. J'ai ouvert les yeux et observé mon corps couler lentement. Mes pieds ont commencé à s'élever derrière moi, jusqu'à ce qu'ils atteignent presque la hauteur de ma tête. Mes bras étendus à mes côtés, je flottais à quelques pieds seulement au-dessus du fond de la piscine lorsque, sans changer de position, je me mis à m'élever, lentement, vers la surface. Jusque-là, toute l'expérience n'avait duré que quelques secondes. J'étais ébloui par ce sentiment. Je n'avais jamais ressenti une telle liberté physique. Lentement, mon corps a cessé de dériver vers le haut. Ma flottabilité m'avait amené à un endroit de repos, juste au-dessous de la surface, et je planais au-dessus du fond. Alors que j'étais étendu là, immobile, bras et jambes écartés, fixant les lignes noires du fond, je me suis mis à éprouver un sentiment familier. C'était le sentiment que j'avais ressenti, juste quelques semaines plus tôt, quand j'avais enfoncé le fil de cuivre dans la prise de courant et commencé à rêver.

Étrangement, même si je n'avais pas respiré depuis que mon corps avait glissé sous la surface, je n'avais aucune envie de le faire. Je ne sentais ni le froid qui m'enveloppait ni l'eau chlorée qui remplissait mon nez et mes poumons. Je ne sentais rien. Glissant dans la sensation que mon corps rétrécissait, j'ai fermé les yeux et me suis abandonné au pressant besoin de rêver. En toute confiance, j'ai cédé à l'expérience et éprouvé de la somnolence.

Dans l'obscurité, il n'y avait rien, aucun sentiment de devoir être quelque part ou de faire quoi que ce soit. Il n'y avait aucune pensée concernant ce que les gens faisaient dans la piscine ou ce qu'ils diraient ou penseraient en me voyant ainsi. Je n'avais aucun sentiment de « moi » en tant qu'individu. Pour la première fois de ma jeune vie, je me suis contenté de lâcher prise. Alors que je dérivais dans cet état de suspension, le temps perdait son sens. Les secondes devenaient des minutes. Plus tard, on me dira qu'il s'était écoulé une dizaine de minutes : pour moi, c'était une éternité.

L'obscurité de mes yeux fermés s'est dissipée peu à peu. Soudain, il y eut un éclair brillant et il n'est plus resté que la lumière que j'avais vue quelques semaines plus tôt. De quelque part dans cette lumière, dans le néant, j'ai entendu une voix à présent familière. C'était la voix qui m'avait accompagné sur le balcon gris de la maison. Elle a dit, tout simplement :

« Rappelle-toi ce sentiment. »

En entendant cette voix, je me suis mis à crier, en mon for intérieur :

La vie !

Je choisis la vie !

Et soudain, j'ai senti des mains s'emparer de moi, me tirer par les jambes et les bras. Abruptement, j'ai été secoué de la paix du rêve et projeté dans le monde ensoleillé d'une chaude journée d'août dans le Missouri. Des bras m'enlaçaient, des gens criaient. J'avais la poitrine et le nez qui brûlaient à cause du chlore et de l'eau. Quelqu'un m'avait fait rouler sur le côté pour forcer l'eau à sortir de ma bouche et de mon nez. Au milieu des larmes et du choc de ce qui s'était passé, je toussais et éternuais en même temps. La force de l'eau qui circulait dans la mauvaise direction augmentait l'effet abrasif de l'eau et du chlore dans mes sinus. En ouvrant les yeux, le premier visage que j'ai vu était celui de maman, qui était là comme toujours. Tout le monde posait des questions : « Ça va ? », « Qu'est-ce que tu faisais là ? », « À quoi pensais-tu ? », « Comment te sens-tu ? ». Maman ne disait rien. Elle se contentait de me regarder fixement, les larmes aux yeux, d'un regard mêlé de perplexité et de soulagement, heureuse de voir que je n'avais rien.

Comment peut-on expliquer une expérience pareille à quelqu'un qui n'en a jamais eu de semblable ? Comment cette personne pourrait-elle se figurer une voix qu'elle n'a jamais entendue ? Sachant que je serais incapable de partager ce qui venait d'arriver et que je n'avais moi-même aucune certitude complète à cet égard, j'ai essuyé les larmes de mes yeux et me suis excusé. On n'était qu'en août. Je me suis demandé combien d'autres aventures maman et moi allions vivre avant la fin de l'été.

SENTIR : NOTRE VOIE OUBLIÉE

Ce n'est que l'année suivante que j'ai réalisé l'interrelation et la signification véritable des deux expériences de 1959. En quelques courtes semaines, cet été-là, je m'étais fait la démonstration de deux clés qui devaient jouer un rôle crucial dans ma capacité de vivre et de transmettre le corps d'information qui allait devenir ma vie et ce texte. Chacune des deux expériences me fournissait un rappel, un point de référence, disponible et accessible en tout temps.

- L'expérience avec l'électricité m'avait littéralement projeté en état de choc dans une autre réalité, dans un monde de clarté qui me permettait de « voir » ce qui n'est pas toujours apparent dans la vie quotidienne. L'expérience m'avait fourni un sentiment. Dans ce sentiment, je pouvais voir ceux qui étaient devenus présents pour prendre soin de moi. Dans ce sentiment, je pouvais dépasser la douleur physique du courant électrique qui parcourait mon corps et brûlait mes mains et mes bras.
- L'expérience dans l'eau m'avait clairement montré comment on se sent lorsqu'on « lâche prise ». Elle m'avait à nouveau donné un sentiment. Ce sentiment était celui d'un abandon profond et total à l'expérience, en toute confiance, sans penser à « quand je vais m'en retourner » ou à « ce qu'il va maintenant m'arriver ».

Grâce à chaque expérience, je m'étais démontré qu'il me suffisait de ressentir, de façon intentionnelle, pour pouvoir déplacer ma conscience vers un espace très familier qui procurait une clarté, un confort et un éclairage étonnants. De cet espace, je savais que je pouvais me fier à ce que j'entendais, à ce que je sentais, et que cette information viendrait rapidement ; l'information qui allait me guider sur une voie qui était souvent troublée par ma propre émotion et par la peur de mon entourage.

VEUILLEZ NOTER CECI : Je ne suggère aucunement de faire l'expérience de l'électrocution et de la noyade pour découvrir ces sentiments en vous. Tout au contraire, mon intention, en présentant ces expériences très personnelles, est de démontrer que c'est par le don de l'émotion, la science de l'émotion, qu'on peut déplacer son point de mire dans ce monde. Grâce à l'émotion, on peut brancher sa conscience sur ce monde intérieur, tout autant que sur le monde extérieur du quotidien. Comme vous le découvrirez dans les chapitres suivants, l'émotion est le commutateur qui déclenche des codes d'ADN précis dans votre corps. Ce sont les mêmes codes qui vous donnent la liberté de vivre sans maladie ni détérioration en avançant dans le temps linéaire de votre vie. La vie qu'on vous a donnée comprend le pouvoir que vous avez de réguler votre corps et votre manière d'exprimer votre vie. Ce pouvoir est tout simplement le pouvoir de l'émotion.

En me remémorant juillet 1959, je crois que les événements de cet été-là étaient moins un enseignement qu'un réveil, qu'un rappel. Mon expérience m'a montré que la plupart des individus ont un semblable souvenir de sentiments qui les propulsent dans des états de conscience plus clairs. Ils peuvent se rappeler des sentiments compromis dans le passé, afin d'être alors acceptés par la famille ou pour une raison de survie émotionnelle. C'est l'expérience de la vie même qui nous appelle et nous demande de nous rappeler.

CHAPITRE DEUX

LE PLUS BRILLANT DE TOUS

LES DEUX NE FONT PLUS QU'UN

FIGURE 3 : *Montagnes*
L'hexagramme du Yi-king symbolise l'obscurcissement de la lumière.

« *L'obscurité et la lumière*

sont toutes deux de la même nature ;

leur différence n'est qu'apparente,

car chacune est née

de la source du Tout. »

EXTRAIT DES TABLES D'ÉMERAUDE DE THOT[1]

Pendant des années, durant mon enfance, j'ai remis en question mon conditionnement concernant les concepts d'obscurité et de lumière, et la signification de chacune de ces forces dans ma vie. Je savais ce qu'on m'avait enseigné à l'école, à l'église et dans ma famille sur la polarité entre les deux forces. On m'avait appris à reconnaître les forces de lumière et d'obscurité dans l'issue d'un événement et les effets de celui-ci sur ma vie et celle de mon entourage. Les choses qui faisaient mal venaient de l'obscurité, et la joie de me sentir bien naissait de la lumière. Je trouvais cet enseignement nul, car il ne s'appliquait pas à la vie telle que je l'avais observée. Ces enseignements ne collaient pas à mon expérience.

Le conditionnement vis-à-vis de l'obscurité, par exemple, avait toujours impliqué la peur de *quelque chose d'extérieur*, quelque chose d'horrible représentant un exemple extrême de notre souvenir le plus polarisé. Ce « quelque chose » était si puissant que sa nature même rivalisait avec celle de l'extrême opposée, la lumière. Si tout cela était vrai, cela signifiait qu'il y avait là, à l'extérieur, quelque chose, une force, qui avait un pouvoir sur nous, et sur moi.

Selon les enseignements, cette force était tapie, attendant le bon moment où, dans un instant de faiblesse, tout le bien que j'avais jamais atteint pouvait être enlevé, nié de ma vie. Je savais qu'à un moment donné de ma vie, je devrais me réconcilier avec le contexte de cette force.

LE VOYAGE À LOST LAKE

Ma vie avait atteint un point de convergence. C'était l'une de ces périodes magiques où tout ce qu'on a jamais su ou tenu pour vrai semble s'écrouler en même temps. Souvent, j'appelle ces moments de changement focalisés le « bulldozer du changement ». Le bulldozer trace une route à même la vie, écrasant tout sur son passage, puis recule et repasse, de telle sorte qu'il ne reste rien. Sans grâce ni finesse, le bulldozer du changement a détruit mes diversions – école, idylles, argent et amitié –, les écrasant en quelques semaines. Cela semblait l'un des passages les plus sombres que j'aie connus à cette époque de ma vie. Je soupçonnais tous ces événements d'être inséparables de mon choix de savoir, de connaître la relation entre le bien et le mal. Tout ce qui se produisait dans ma vie, je le voyais à travers mon interprétation de ces forces. C'est ainsi que...

À l'époque, je fréquentais l'université et travaillais à Fort Collins, au Colorado, me débrouillant pour maintenir un équilibre délicat entre une surcharge de dix-neuf cours et trois emplois pour couvrir les frais de scolarité de cet établissement éloigné de chez moi. Mes résultats sur le plan des études diminuaient, les emplois étaient épuisants, les amitiés s'estompaient peu à peu et ma relation amoureuse – la plus stable jusqu'alors – se termina. J'avais expliqué à tous mes professeurs et à chacun de mes employeurs qu'il me faudrait un certain temps pour mettre de l'ordre dans ma vie. Comme je m'y attendais, aucun d'eux ne partageait mon sentiment d'urgence. J'ai alors envoyé un avis officiel à l'université et à chacun de mes employeurs, avec un accord pour mon départ au cours des quelques semaines suivantes.

Rassemblant ce qui me semblait nécessaire pour passer l'automne dans les Rocheuses, j'ai pris la route vers l'Ouest en passant par l'un des endroits les plus beaux et les plus méconnus du nord du Colorado, le canyon Cache la Poudre. Nommée d'après un avant-poste d'explorateurs français, l'embouchure de ce canyon avait servi de dépôt de marchandises comprenant de la poudre à canon pour ceux qui, deux siècles plus tôt, s'aventuraient vers l'Ouest par-delà les Rocheuses. Grimpant de plus en plus haut, j'ai fini par me retrouver dans une petite ville à cent quarante kilomètres de Fort Collins : Walden, au Colorado. Après avoir parlé à des gens de la place au marché local et à la station-service, je me suis dirigé vers un embranchement de terre et de gravier qui menait à une région sauvage de lacs glaciaux et de pinèdes. C'était un lieu de retraite parfait pour les événements des quelques jours suivants.

Au moment où le soleil avait déjà commencé à descendre entre les pics enneigés à l'ouest, je me suis retrouvé près d'un lac d'une grande beauté, le Lost Lake. J'ai monté ma tente dans la pénombre du doux tapis d'aiguilles de pins, à quelques mètres à peine des rives du lac. C'était l'un de mes moments préférés de l'année, alors que le ciel est d'un bleu foncé et intense. À l'occasion, des nuages massifs et bien définis glissaient devant le soleil, jetant tout le lac dans l'ombre une bonne partie du temps. J'avais choisi cette région en particulier pour l'isolement et l'intimité qu'elle offrait. À trois mille mètres d'altitude, j'avais une tente, un minimum de nourriture et de l'eau pour au moins une semaine. J'avais envisagé de compléter mes vivres par la nourriture sauvage de la région. J'allais bientôt découvrir que ce n'était pas le meilleur des plans.

Je savais que pour réconcilier les forces de la lumière, de la peur et de l'obscurité, je devrais d'abord connaître par l'expérience personnelle chacune de ces forces plutôt que de me fier à ce qu'on m'avait rapporté. Quand la nuit est tombée sur la première journée, j'ai allumé un feu pour la chaleur et la cuisson. C'était l'automne, et les températures du soir descendaient bel et bien sous zéro. Je ne savais pas que le feu que je venais d'allumer pour me tenir au chaud allait devenir une fenêtre sur les expériences qui devaient suivre. J'ai passé les deux premiers jours à m'installer. Je priais, méditais, pensais et me préparais. Je n'avais aucune idée de l'issue de l'expérience. En même temps, j'étais certain que quelque chose devait changer. Je ne pouvais pas poursuivre ma vie en sentant une force obscure et destructrice planer au-dessus de chaque choix et de chaque expérience.

LE RÊVE DE FEU

Le troisième soir, le soleil s'était couché et la température s'était mise à baisser. Le vent s'était apaisé et un calme inhabituel régnait sur ma section du lac et du camp. Assis sur une bûche que j'avais placée à côté du feu, j'ai commencé à prier. Les soirs précédents, j'avais fermé les yeux, médité et prié comme je l'avais appris dans ma famille et dans les arts martiaux. Ce troisième soir, pour une raison quelconque, j'ai fait quelque chose de différent. Les yeux grands ouverts, j'ai fixé directement le feu devant moi. Le bout de chaque flamme s'effilait en pointe. Faite de jaunes et d'orange, de bleus et de violets, chaque flamme fondait dans l'air et les couleurs se perdaient dans l'obscurité de la nuit en s'éloignant du feu. Les braises mêmes tournoyaient dans la chaleur en dessinant des taches luisantes qui traversaient la masse sombre en dessous. Je ne le savais pas à ce moment-là, mais j'ai appris plus tard que les peuples indigènes du monde utilisent souvent le feu pour provoquer un état de conscience modifié, un rêve éveillé, car les braises fournissent un point de mire.

Alors que je regardais fixement les braises, quelque chose s'est passé dans mon corps. Des vagues d'émotions ont commencé à déferler en moi, de l'intérieur de moi. Elles pulsaient vers l'extérieur, vers mes extrémités, et j'ai rapidement reconnu ce qui se passait. Chacune portait avec elle un sentiment familier que j'avais connu bien des fois dans ma vie. C'étaient les sentiments qui provenaient du « lâcher-prise », les sentiments mêmes qu'on m'avait décrits, plus tôt dans ma vie, comme une expérience de mort imminente. Grâce à cette familiarité, j'étais capable de suivre ces sentiments sans questionner, dans un état de confiance totale et de profond abandon. Je savais que ce moment était pour moi une occasion à saisir. Nanti de cette certitude, j'ai posé la question qui résumait le mieux l'objectif de ma quête à Lost Lake. Comme dans les traditions anciennes et oubliées, j'avais souvent demandé un signe ou un conseil aux forces de la terre mère et du père céleste. Ce soir-là, j'ai tout simplement débuté par cette demande :

Père, je demande la sagesse de comprendre la relation entre la lumière et l'obscurité, et le rôle que chacune joue dans ma vie. Puis, j'ai regardé fixement les flammes et attendu. Rien ne semblait se passer. J'ai à nouveau réitéré ma requête. Soudain, inopinément, une voix m'est venue de l'intérieur, une voix familière qui me posait une question.

« Comment peux-tu comprendre la *relation* entre ces deux forces sans connaître leur *nature* ? »

En formulant une demande de cette sorte, je m'étais attendu à une réponse et non à une question. Alors que les mots réverbéraient dans mon corps, il m'est venu l'idée – probablement pour la première fois – que je n'avais en réalité aucune connaissance directe de la force que j'avais appris à appeler « obscurité ». L'idée que je me faisais de cette force élusive, c'était l'image composite de tout ce qu'on m'avait enseigné, dit, montré et conditionné à avoir.

En regardant fixement les flammes du feu, j'ai tiré parti de ce conditionnement, invoquant vers moi, en cet instant, chaque forme que je pouvais imaginer représenter le pouvoir de l'obscurité. Dans ma vision intérieure, je voyais des corps hideux, grotesques et défigurés. J'ai vu la Bible de mon enfance dépeindre des couches de réalité, définir la frontière entre le domaine de l'obscurité, en dessous, et le monde d'au-dessus, et tout ce qu'on appelle la lumière dans notre monde. Je voyais des églises, des musées et des galeries où des tableaux craquelés et ternis montraient le mal consumant tout dans sa poigne et en cherchant davantage. J'ai continué jusqu'à ce que j'aie conjuré ce qui, pour moi à cet instant, représentait le sommet de l'obscurité incarnée sous l'apparence unique d'un seul individu. On m'avait enseigné que la forme que je voyais, l'incarnation de tous ces concepts, ne pouvait exister que sous l'aspect d'un dénommé Lucifer, connu sous une myriade d'autres noms associés au pôle obscur.

Soyons clairs : je ne dis pas que cette image était une réalité qu'il faut intégrer à votre vie. Je vous décris tout simplement une facette de mon expérience à partir d'une lentille qui a eu de l'importance pour moi à un moment de ma vie. Le choix que j'ai fait de regarder par cette loupe m'a amené à me rappeler une grande vérité qui, je crois, vit en nous tous.

Même si les souvenirs se formaient dans ma vision intérieure, quelque chose commençait à se produire dans le feu aussi. Alors que je le fixais sans le focaliser dans mon rêve éveillé, une forme est peu à peu apparue, suspendue, flottant au bout des flammes. Nébuleuse au départ, elle a commencé à se solidifier, à se cristalliser devant moi. Incrédule, j'ai détourné le visage. Clignant des yeux, j'ai à nouveau regardé le feu. L'image est restée, en devenant plus claire. Là, flottant à l'extrémité des flammes, se trouvait la manifestation du personnage qui s'était formé dans mon esprit, résultat de ma demande de connaître la nature de l'obscurité ! Le visage flottait et, heureusement, ne me regardait pas en face. Son regard fixe était plutôt tourné vers ma droite, comme s'il ne me voyait pas ou ne reconnaissait pas ma présence. Tout de même, je n'arrivais pas à regarder directement cette image et j'ai alors envisagé de m'éloigner rapidement du feu. Mais je ne suis pas parti et, comme je m'habituais au personnage, je l'ai finalement dévisagé. La tête et la poitrine d'un être se sont attardées dans les flammes, ce qui m'a permis d'étudier les replis et la texture de la chair lâche qui couvrait son visage. J'étais fasciné par l'opacité de l'image, et en même temps, terrifié par l'expérience. Pendant tout ce temps, mes sentiments se rapprochaient davantage de la curiosité que de la peur. Je ne sentais aucune menace.

Soudain, la tête s'est mise à bouger, se tournant jusqu'à ce que le visage me fixe directement. Pour la première fois, nos regards se sont rencontrés. Ce qui planait dans les flammes devant moi, c'était une présence très réelle, consciente et intentionnelle. Elle était nettement là et se concentrait véritablement sur moi. Alors que je toisais les yeux de cet être, le summum de tout le mal que je pouvais alors invoquer, quelque chose d'encore plus inattendu s'est passé. L'expression du visage s'est mise à se transformer. Le changement, d'abord subtil, est devenu de plus en plus prononcé. Les replis hideux et la texture grossière s'adoucissaient devant mes yeux. Le visage s'arrondissait et rajeunissait à mesure que les replis disparaissaient. L'image entière passait de la chair décolorée, plissée et lâche de ce qui était, pour moi, l'image de Lucifer, à quelque chose de très différent. En l'espace de quelques secondes, planant devant moi dans les flammes, se trouvait un autre visage, celui d'un très jeune enfant. Ni masculin ni féminin, ce visage innocent trahissait une force de sagesse, une force qui ne peut venir que de la « connaissance ». J'ai senti le désir, presque suppliant, de comprendre.

L'enfant m'a regardé dans les yeux. Je l'ai regardé fixement, observant, immobile et incrédule, quelque chose de magique qui se profilait, quelque chose que je ressens encore chaque fois que je raconte cette histoire.

L'enfant dans les flammes s'est mis à pleurer.

D'immenses larmes ont roulé de ses yeux, le long de la courbe de ses joues, et je me suis trouvé en larmes moi aussi. Balayé par une tristesse inexpliquée, j'éprouvais un étrange sentiment de parenté avec l'enfant dans les flammes. Sans paroles pour justifier mes émotions, je savais que cette expérience et cet être avaient touché un souvenir ancien d'un espace profond en moi. Je sentais également qu'en quelque sorte, cette expérience serait essentielle dans mon choix de guérir la séparation que j'avais connue, que je ressentais depuis si longtemps. Puis, l'image s'est peu à peu évanouie et j'ai su que je m'éveillais du rêve éveillé. Du regard, j'ai parcouru mon campement, l'obscurité du lac devant moi, et le ciel sans nuages au-dessus. D'après ma montre, près de trente minutes s'étaient écoulées. Tout, autour de moi, semblait être demeuré tel quel. Mais j'ai su, à partir de ce soir-là, que ma vie ne serait jamais plus la même. Je me rappelle souvent cette nuit-là et je la nomme la nuit où j'ai vu pleurer Lucifer.

RÉVÉLATION AU PÉROU

Ce n'est que dix-huit ans plus tard que la portion finale de cette expérience s'est produite et que j'ai pleinement compris le cadeau que m'avait procuré cette nuit à Lost Lake. Enfin, près de trente-cinq ans après mes expériences de mort imminente, le message serait complet. Apparemment, pour moi-même et pour le développement de ma vie, les années et les expériences de 1959 à 1994 étaient nécessaires pour structurer de manière significative les éléments que l'on m'avait présentés. Après chaque initiation à la vie, l'acte même de résolution a signalé à la création que j'étais disponible pour l'expérience suivante. Dans la profondeur de celle-ci, piégé dans l'émotion, on ne voit pas toujours facilement comment chaque relation, chaque sentiment et chaque pensée mènent à une situation précise. Je crois que nos vies fonctionnent ainsi si nous avons la sagesse de voir la continuité de l'expérience sur de longues périodes de temps. Pour ma part, il m'a fallu cinq ans avant de pouvoir reconnaître ce qui suit, et une autre année avant de pouvoir même l'exprimer.

C'est au printemps 1994 que mon expérience de Lost Lake s'est complétée. Le mois de juin signalait le commencement de ce que les gens de l'endroit appellent la « saison sèche », dans les hautes Andes péruviennes. Au cours de la troisième journée d'une expédition de quatre jours, mon groupe de vingt-deux marcheurs, cinq guides péruviens également cuisiniers, et vingt-deux porteurs, avait parcouru approximativement douze kilomètres de montagnes péruviennes. Traversant trois cimes de montagnes de plus de quatre mille mètres, nous allions descendre de chaque col dans les vertes et abondantes forêts, mille trois cents mètres plus bas, en préparation de l'ascension du col suivant. Le soir, l'air était bien au-dessous du point de congélation, et mon but était de ramener chacun des randonneurs au camp où les attendaient des vêtements chauds et secs, avant que la température ne descende à un point dangereusement bas. Nous venions d'apprendre que, durant la même période un an plus tôt, deux des porteurs dans une randonnée semblable étaient morts après le deuxième jour, ayant gelé au cours de la nuit. Des vêtements humides et des températures inférieures au point de congélation favorisent forcément l'hypothermie, un état dans lequel le corps perd de sa chaleur plus vite qu'il n'est capable d'en générer.

Même si nous nous étions acclimatés en cinq jours, la maladie et l'altitude avaient affaibli certains des randonneurs. Notre groupe s'était essentiellement séparé en deux groupes, éloignés de plusieurs kilomètres, chacun mené par des guides et des porteurs péruviens soigneusement préparés, se dirigeant vers un camp où les attendaient des tentes confortables, des repas chauds et du thé. Marchant au cours des heures matinales avec le groupe de tête, nous sommes arrivés à un camp provisoire où on vous offrit des repas fraîchement préparés : pain frais, avocats et tomates. Après un repas léger, j'ai choisi de revenir sur mes pas pour vérifier la distance et les conditions du second groupe. Un saint homme péruvien, qui s'était joint à eux, allait les accompagner, avec nos guides, vers le campement. Content qu'ils soient ensemble et entre bonnes mains, je suis revenu vers le premier groupe, déjà en route vers le campement du soir.

Alors que je grimpais le sentier escarpé et rocheux, j'ai regardé en direction du sommet du col au-dessus de moi, puis vers le bas, soit vers la pente du talus derrière moi. Soudain, j'ai réalisé que, pour la première fois depuis mon départ de Miami six jours plus tôt, j'étais seul ; absolument et complètement seul. En m'approchant du col, j'ai fait une brève pause pour m'immerger dans la beauté pure de ce territoire. Même s'il restait plusieurs heures avant le crépuscule, le soleil plongeait déjà derrière les pics qui surplombaient la vallée. Bientôt, nous allions tous marcher dans la pénombre. Directement au-dessous de moi se trouvait un lac glacial que je n'avais jamais remarqué, comme un parfait miroir cristallin reflétant les pics élevés. Les couleurs riches et intenses m'entouraient de partout. Des jungles d'un vert émeraude foncé soutenaient les pics enneigés qui faisaient saillie dans ce ciel intense, bleu et clair comme du cristal – on a toujours l'impression que les photographes truquent ces images pour les magazines. Une douce brise a frôlé mon visage, me soulageant heureusement des vents violents qui avaient déchiré les vallées quelques heures auparavant.

En silence, alors que je complétais la courte distance vers le fond du col, j'ai rendu grâces pour la chance de faire l'expérience d'une telle beauté. À seulement quelques pieds du sommet, je me suis assis un moment sur un rocher lisse qui semblait avoir été fait exprès pour cet instant. J'avais apporté une flûte en bois amérindienne du Nouveau-Mexique pour accompagner nos prières et nos méditations de groupe. Ce col semblait offrir une occasion parfaite de présenter une mélodie en guise de remerciement. J'ai retiré la flûte de son étui et j'ai envoyé des notes longues et lentes. Bientôt, chacune s'est coulée dans la mélodie grave et résonante qui venait de quelque part en moi. C'était une mélodie que je n'avais jamais entendue. Les notes trouvaient écho dans les roches devant moi à mesure que le vent les portait. Je me rappelle m'être demandé si les autres pouvaient entendre ma chanson. Plus tard, ils diront que non. J'ai commencé à respirer profondément, inhalant les sensations de l'un des plus purs endroits de la terre.

Soudain, de façon inattendue, j'ai senti d'immenses vagues d'émotions monter dans mon corps, pulsant à partir de ma poitrine. Les pulsations ont pris la force et les vagues de l'intensité. Des larmes ont jailli de mes yeux et je me suis mis à pleurer sans pouvoir m'arrêter, poussant de longs et profonds sanglots d'appréciation pour cet instant de pure beauté. Alors que je pleurais au beau milieu de l'expérience, j'ai remarqué un changement dans mon corps. Une fois de plus, le *sentiment* m'entourait, m'engouffrait dans la chaleur de l'abandon et du lâcher-prise. C'était le sentiment familier de Lost Lake, dix-sept ans plus tôt. Bien que je l'aie souvent recréé à volonté, il se produisait tout simplement, tout spontanément.

L'une des raisons d'offrir cette randonnée de quatre jours dans le cadre d'un voyage sacré au Pérou, c'est le pur caractère physique de l'expérience. L'effort exercé pour achever cette randonnée exige tellement d'énergie qu'il n'en reste plus pour faire obstacle entre les participants et leurs émotions.

Il ne reste plus rien pour maintenir les « murailles » de la distance, de la distraction et de l'indifférence. Les randonneurs sont censés arriver en contact avec eux-mêmes à travers une expérience directe et intime avec la création. À présent, l'expérience même que j'avais prévue pour les autres randonneurs m'arrivait à moi, là, dans un col de quatre mille mètres, sans tambours ni trompettes.

Alors que le sentiment familier montait en moi, j'ai fermé les yeux et ressenti le contact, la résonance absolue et complète avec les forces créatives qui ont toujours été là pour moi. Au cours des jours qui avaient précédé notre départ pour le Pérou, et tout au long du voyage, j'avais choisi de résoudre une question. Cette question résumait un sujet de fond, essentiel au processus même de ma vie. Dans l'espace de cette acceptation et de la résonance d'amour, j'ai une fois de plus formulé une demande :

Père, je te demande la sagesse de connaître la relation entre les forces de lumière et d'obscurité. S'il te plaît, *guide-moi pour que je comprenne le rôle de ces forces dans ma vie, afin de pouvoir connaître leur résolution.*

Le vent a repris de la force et commencé à sécher les larmes qui avaient glissé dans ma barbe. En essuyant le sel de mes yeux, j'ai perçu une voix familière déjà entendue bien des fois. À nouveau, cette voix n'était ni masculine ni féminine, ne provenait de nulle part précisément et émanait de partout en même temps. Elle s'est d'abord adressée à moi par une simple question :

« Crois-tu en moi ? »

Sans penser, mon corps a répondu intérieurement par un « oui ». À nouveau, la voix m'a demandé :

« Crois-tu que je sois la source de tout ce que tu connais et de toute ton expérience ? »

Il n'était pas nécessaire de penser ou de réfléchir à la question. Bien des fois, j'avais affirmé, en priant, ma croyance en la seule source de création, en cette vibration fondamentale, le son-semence de l'onde verticale qui permet l'hologramme des patterns de la vie. Sans penser, une fois de plus, mon corps a répondu intérieurement par un « oui ». La voix a poursuivi en écho :

« Si tu crois en moi et si tu crois que je suis la source de tout ce qui est, alors comment peux-tu croire, en même temps, pouvoir faire l'expérience d'autre chose que moi ? »

Sur ces paroles, un immense sentiment de résolution envahit mon corps. Bien qu'une partie de moi ait toujours su ce que les mots venaient de présenter, je sentais pour la première fois la sagesse de cette vérité. Mon corps ressentait véritablement cette connaissance. Bien sûr, mon vocabulaire comprenait encore les mots lumière et obscurité. Ces mots n'allaient jamais plus avoir le même sens pour moi. Précisément, je n'entretenais plus cette croyance conditionnée selon laquelle l'obscurité est une force en soi, un pouvoir fondamental, opposé et séparé de tout ce qui est bon.

Chacun de nous a pour mission de réconcilier la force obscure, chaque jour de sa vie, par l'expérience directe de l'un des nombreux dérivés de l'obscurité. La peur, la colère, la rage, la haine, la jalousie, la dépression, les questions de contrôle et la violence sont toutes des expressions de l'obscurité qui se joue dans notre vie moderne. À ce moment-là, par l'outil de ma propre logique, on m'offrait l'occasion de reconnaître l'obscurité pour ce qu'elle était plutôt que pour ce que m'avait enseigné mon conditionnement. J'étais à même de voir l'obscurité comme une portion du tout ou une partie de la source de tout ce qui est au lieu d'une force fondamentale à combattre.

« Si tu crois en moi et si tu crois que je suis la source de tout ce qui est, alors comment peux-tu croire, en même temps, pouvoir faire l'expérience d'autre chose que moi – y compris l'obscurité ? »

Notre polarité faite d'obscurité et de lumière nous donne l'occasion de nous voir dans une perspective différente, une perspective nécessaire pour nous connaître et nous maîtriser de toutes les façons possibles.

L'événement complet s'était déroulé en quinze minutes environ. En moins de temps qu'il n'en faut normalement pour prendre un repas, à une altitude de quatre mille mètres dans les Andes péruviennes, j'avais vécu une expérience qui allait changer à jamais ma façon d'approcher les perceptions collectives de la lumière et de l'obscurité. Cette expérience du sommet de la montagne ma démontré, par ma propre logique, que l'obscurité et la lumière ne sont pas deux forces distinctes et séparées en lutte l'une contre l'autre. Chacune représente plutôt une portion d'*exactement le même tout*, la même source de tout ce qui est. Il faut embrasser l'obscurité autant que la lumière, sans la juger, comme une partie de la création et non comme une force rivale et renégate à l'extérieur du Un de tout ce qui est.

Cette prise de conscience subtile mais forte me propulsa dans une étourdissante chaîne de suppositions et de déductions. Je me suis rappelé toutes les fois où l'on m'avait enseigné, demandé de haïr l'obscurité. Je me rappelais avoir écouté avec ferveur, quelques mois auparavant, un pasteur californien demander à sa communauté de détester les forces de l'obscurité et Lucifer. Je vais vous poser la question que je me suis alors posée à moi-même.

SI
l'obscurité et la famille de l'obscurité font partie du Un,
ALORS
comment un être de compassion peut-il haïr une partie du Un ?

Debout sur le rocher, je ne voyais encore personne derrière moi. En m'élevant au-dessus du col, j'ai entrepris la longue randonnée vers la vallée au bas. Je ne voyais personne devant moi. J'étais encore seul. Même dans la pénombre, les températures étaient anormalement élevées. Elles n'avaient pas encore commencé à baisser. Je me suis immergé dans la solitude en suivant les pierres lâches du sentier qui me mèneraient au campement. Cette nuit-là, nous allions tous marcher dans l'obscurité.

LE GESTE DE COMPASSION OUBLIÉ

Ce qui suit a déjà été présenté dans l'intimité d'un atelier ou d'un séminaire, dans un contexte où je peux regarder chaque participant dans les yeux et trouver les paroles adéquates dans cette salle-là, à ce moment précis. Je peux alors sentir si les participants ont vraiment entendu ce que je leur ai présenté et non les mots que, possiblement, leur passé les a conditionnés à entendre. Ces pages ne me permettent pas de vous regarder dans les yeux. Je ne peux pas vous sentir pendant que vous lisez les mots que je suis sur le point de présenter. Quant à ce qui suit, je fais confiance au processus de mémoire du groupe, à notre mémoire, telle qu'elle se déroule entre nous. Je vous demande d'être patient si mes paroles ne sont pas les vôtres. De par leur nature même, les mots de notre langage nous limitent ; ils ne sont que des approximations du message caché derrière. Veuillez chercher en vous-même le message et l'intention sous-jacents aux mots qui suivent.

Vous trouverez peut-être que ce que je présente se trouve en opposition directe avec votre conditionnement ayant trait à la lumière et à l'obscurité dans la tradition occidentale. Vous trouverez peut-être que ces paroles remuent quelque chose de profond en vous, une sagesse ancienne qui semble vraie, sûre et bonne à se rappeler. Il se peut très bien que chaque expérience de chaque vie, que les leçons de tous vos prédécesseurs spirituels aient pavé la voie à cet instant de compréhension. C'est peut-être pour vous l'occasion de vous guérir de votre sentiment de séparation !

Je débuterai en vous posant une question. Dans toutes vos années et tous vos modes d'éducation, que vous a-t-on dit sur la nature de Lucifer, ce détenteur de tout le mal ?

Lorsque je pose cette question dans les séminaires, bien que la formulation de la réponse varie, chacun expose habituellement un thème courant. On nous enseigne, surtout dans les textes bibliques, qu'à l'origine, Lucifer était un ange. Les réponses deviennent ensuite encore plus précises. Il n'était pas seulement n'importe quel ange. Il était un *archange*, le plus brillant et le plus élevé de tous. Un être si intelligent, si sage, si aimant et si puissant qu'il était assis « à la droite de Dieu », inégalé, sans pareil. Ma question suivante démontre où s'ébauche la confusion.

Qu'est-il arrivé à Lucifer ? Qu'est-ce qui a fait en sorte que cet être, le plus puissant et le plus intelligent, le plus brillant d'entre tous, passe de la position la plus élevée à la plus basse ?

Répondre à cette question, c'est comprendre le pouvoir et le rôle de la peur dans chacune de nos vies tout au long du cycle d'évolution de l'expérience. Dans nombre de traditions occidentales actuelles, Lucifer est synonyme de diable ou de Satan. Le texte biblique moderne utilise ces noms de façon quasi interchangeable dans les exposés sur les êtres de pouvoir qui se sont « perdus », tombant des grâces du ciel aux yeux de notre créateur. Mais dans la tradition ancienne, Lucifer, du nom latin qui signifie « donneur de lumière », n'est pas du tout associé au concept des « anges déchus » ou de Satan !

Étonnamment, ce rapport ne date que du XIIᵉ siècle de l'ère chrétienne. C'est alors que, à mon avis, à cause d'une erreur de traduction, Lucifer et Satan furent pris pour un seul et même être. Exposée en détail par Andrew Collins dans son livre *The Templar Legacy & The Masonic Inheritance Within Rosslyn Chapel*, cette erreur découle peut-être d'une interprétation du livre d'Isaïe dans la Bible.

« Comment es-tu tombé du ciel, O Lucifer, fils du matin[2] ? »

Selon Collins, les exégètes de la Bible s'accordent pour dire qu'il s'agit d'une référence au roi de Babylone de l'époque, Nabuchodonosor, appelé « étoile du matin ». Collins ajoute que le terme Lucifer aurait été accordé à la fois au roi et à l'étoile du matin, Vénus. Avant cette époque, il y avait une distinction importante entre les deux quant à leur origine, à leur but et à leur mode d'expression terrestre. Selon des textes antérieurs au XIIᵉ siècle, Satan avait également été un ange, mais pas un ange de l'ordre le plus élevé. Tout au long d'une obscure série d'événements, Satan et une bande de disciples se sont perdus dans l'expérience physique de la chair et de la densité, quittant la position de « détenteurs de la lumière » pour adopter celle de renégats. Ils furent bannis des « endroits les plus élevés » et allèrent passer le reste de leurs jours dans les expériences qu'ils faussaient par leurs gestes mal inspirés.

Ce n'est pas le cas de Lucifer. Voilà une distinction importante.

Dans le contexte d'un monde de polarité, les textes anciens affirment que le drame de notre cycle d'existence est venu implanter deux extrêmes, deux pôles d'exactement le même ensemble. Ces oppositions sont représentées sous la forme du plus lumineux et du plus obscur, deux aspects du Un. Historiquement, on s'accorde sur celui dont la force ancrait la lumière. Les textes disent qu'un puissant représentant de la lumière, également assis à « la droite du Un », l'archange Michaël, a offert de tenir les patterns de lumière pour la durée de ce cycle d'expérience humaine. Il a choisi cette tâche pour démontrer de manière visible son amour envers la terre, envers ceux qui, courageusement, viendraient sur cette terre. Avec ses légions, il reste avec nous, à ce jour, en tant que force d'ancrage du plus brillant de tous, comme un miroir nous reflétant toute la lumière que nous choisissons d'offrir à ce monde par nos vies. Il enracine les possibilités les plus grandes de la lumière afin que nous puissions nous connaître nous-mêmes dans cette lumière et, dans cette connaissance, nous voir de toutes les façons.

La « lumière » est un pôle, l'une des deux possibilités binaires de cette expérience terrestre. Qui insère l'extrême opposé ? Il faudrait peut-être plutôt demander : « Qui voudrait le faire ? » Quel être serait assez puissant pour introduire solidement le plus obscur de tous à l'autre extrémité du spectre polaire ? Quel être a le pouvoir, tempéré par la sagesse, l'amour et la compassion, de tenir cette ancre sans les légions des autres, s'offrant à cette tâche de « l'amour rendu visible », pour presque 200 000 ans ? Quel être de force pourrait espérer survivre dans le pôle obscur pour la durée de ce cycle terrestre ? Coupé de tous ceux qu'il avait choisis, aimés et chéris, quel être aurait une prière de survie sans se perdre dans l'expérience ?

Avec ces questions à l'esprit, retournons à mes expériences de Lost Lake et du col péruvien. Qu'est-il arrivé alors ? Pourquoi ont-elles autant d'importance aujourd'hui ? Voici ce qui, selon moi, m'a été présenté comme une seule et même expérience étirée sur une période de dix-sept ans. Je crois qu'en posant la question, je me suis vu offrir une vérité ancienne sur les mondes de la lumière, de l'obscurité, du bien, du mal et de la vie.

J'ai vu que la force de l'obscurité, Lucifer, est ici à la suite d'un choix involontaire, plutôt qu'après une « chute » accidentelle d'un état de grâce antérieur. Que l'archange Lucifer vit parmi nous depuis presque 200 000 ans dans le seul but d'« ancrer » le pôle extrême de l'obscurité, parce que vous et moi avons demandé cette polarité pour trouver notre force.

Utilisant la puissance atteinte en devenant le plus élevé et le plus brillant d'entre tous, Lucifer tient pour nous le miroir de l'expérience obscure afin que vous et moi puissions nous connaître dans l'obscurité autant que dans la lumière. Grâce à cette connaissance, nous trouvons le pouvoir en nous-mêmes : c'est là notre nature véritable de compassion. Où est le défi de vivre avec compassion dans la lumière, quand tout ce qui existe est lumière ? C'est la lumière, mise en opposition avec l'obscurité, qui tire de nous notre nature la plus vraie, pour notre survie même.

Est-il possible que l'archange Lucifer, posant peut-être l'un des plus grands gestes de compassion de notre mémoire ancienne, se soit volontairement donné (et continue de le faire) pour mission de refléter notre pôle obscur *parce qu'il nous aime à ce point* ? Pour découvrir notre équilibre, nous devons connaître nos extrêmes. Qui tient ces extrêmes ? Est-il possible que, dans son amour inconditionnel envers nous, Lucifer se soit immergé dans le contraire même de toute la lumière qu'il avait atteinte, afin de nous réserver la possibilité de nous connaître sous toutes nos facettes ? L'archange Lucifer nous aimerait-il à ce point ?

C'est précisément ce scénario que, selon moi, nous sommes en train de vivre. Quelque part dans les profondeurs boueuses de notre ancienne mémoire collective, nous nous rappelons l'amour d'un être, d'un ami nanti d'un pouvoir qui dépasse notre connaissance. Nous nous rappelons un être d'une telle compassion qu'il nous a volontairement et intentionnellement laissé la forme sous laquelle nous l'avions toujours connu. Dans ce choix de nous servir, avec un amour qui ne nous avait jamais été démontré aupara- vant, il s'est immergé parmi nous comme cette part de notre conscience que nous dédaignerions, jugerions, haïrions et détesterions. Il fallait qu'une force quelconque le fasse. Il fallait qu'une puissance ancre le contraire de tout ce que nous appellerions la lumière, afin que vous et moi puissions trouver notre pouvoir dans un monde où le choix de nos gestes nous est laissé à chaque instant. C'est dans ces choix que nous trouvons notre plus grande force. Dans ces moments de choix, vous et moi nous rappelons notre nature la plus véritable.

Ce que je vais maintenant dire, je le sens avec des portions égales de certitude et de clarté. Dans ma vision de Lost Lake en 1977, j'ai vu le visage de Lucifer se transformer en celui d'un très jeune enfant. Alors que je regar- dais dans les yeux de cet enfant, je l'ai vu pleurer et j'ai ressenti une immense tristesse envahir mon corps. Je crois que cette tristesse était le reste d'un souvenir de Lucifer autant que de moi-même. Je crois que mon souvenir est une portion d'une plus grande mémoire collective. Lucifer m'a fait voir sa nature la plus vraie, la pureté et l'innocence dans laquelle lui, autant que vous et moi, a entamé son expérience sur la terre il y a plus de 200 000 ans. Dans la nature véritable de l'expérience même, chacun de nous a innocemment donné d'immenses portions de lui-même, se perdant dans l'insensibilité et la dureté qui ont résulté de ses « blessures » sur terre. Maintenant, notre vie nous demande de nous rappeler ces fragments afin de pouvoir une fois de plus nous connaître entièrement.

Lucifer s'est montré lui-même à moi, certain que j'allais voir et me rap- peler son innocence. Lorsque je l'ai vu pleurer, j'ai éprouvé sa solitude. J'ai senti sa perte et la séparation qu'il endure depuis plus de 200 000 ans. Je crois qu'il est heureux de voir que notre cycle est presque achevé. Je crois qu'il est fatigué et qu'il veut rentrer chez lui. Je crois que nous reconnais- sons tous son désir dans une certaine mesure. Chez nous et chez Lucifer, c'est du pareil au même ! C'est notre quête en vue de trouver notre chez-soi qui nous demande de combler le vide apparent de la séparation. Remplir ce vide nous pousse à chercher l'entièreté les uns par rapport aux autres à mesure que nous percevons des reflets de nous-mêmes dans nos relations. Chaque fois que nous sommes « laissés » ou abandonnés dans une relation, que nous subissons la perte d'un emploi ou de quelque chose qui nous est cher, notre vieille tristesse reliée à la séparation est reflétée à nouveau.

Lucifer et l'obscurité ne vous courent pas après, en épiant vos choix de vie à chaque tournant. Lucifer est plutôt engagé à votre service, tout au long de votre croissance, à mesure que vous vivez les conséquences des choix qui vous écartent de l'expérience du don de la vie et de la lumière.

L'obscurité fait partie de nous autant que la lumière. Lucifer fait tout autant partie de nous que Michaël, et nous faisons tous partie du même

Marcher entre les mondes

créateur qui nous a amenés ici il y a des millénaires, pour nous permettre de connaître notre force en tant qu'êtres compatissants qui préfèrent ne pas juger. L'archange Lucifer, l'archange Michaël, notre créateur et vous et moi faisons tous partie du Un ; rien n'est séparé. Ils comptent tous sur nous pour nous en souvenir.

De ce point de vue, Lucifer en tant qu'archange est un pouvoir bienveillant à votre service en tant que grand miroir de votre propre obscurité, tout comme Michaël reflète votre quête personnelle dans votre propre lumière. Il se peut bien que Lucifer, comme Michaël, dans l'acte même de s'offrir à nous pendant 200 000 ans, ait démontré les premiers gestes de compassion qui deviendraient le pont vivant de chaque être qui choisirait de le suivre.

Qu'en pensez-vous ?

Qu'en pensez-vous lorsque vous lisez que le maître de l'obscurité, l'archange Lucifer, *vous aime* ?

Vous permettrez-vous de croire que l'obscurité est un aspect de l'amour ? Une alliée de votre croissance ? Certains trouvent ces paroles si étrangères à leur cadre de référence qu'ils remettent immédiatement en question ce que je présente, citant tous les maux, guerres, maladies et horreurs du monde, qu'ils attribuent à l'obscurité de Lucifer. Il est certain que ces choses existent. Les ignorer, c'est fuir une réalité que chacun de nous affronte à chaque instant. Voilà précisément l'essentiel. L'obscurité, et chacun de ses dérivatifs, fait partie de notre expérience. La peur, la colère, la haine, l'inceste, la jalousie, la dépression, le contrôle, le jugement, la suspicion, le déni, la douleur, la mort, la maladie, le malaise et la myriade de noms qui désignent les choses mêmes que la plupart d'entre nous choisirions le moins de vivre sont enracinés dans notre perception de l'obscurité. Est-il possible que cette perception et ses expressions nombreuses et variées soient enracinées dans des a priori dépassés fondés sur de mauvaises traductions d'un ancien texte datant de sept cents ans ?

C'est le scénario que, selon moi, nous vivons à présent, ces jours-ci, en cette vie. Il peut certainement y avoir eu un moment de notre histoire où il nous a été utile de considérer le mal comme un diable grotesque à la peau lâche, ayant des bras et des jambes couverts d'écailles et un appétit pour la chair humaine de ceux qui se sont écartés du chemin. Ce point de vue, dans sa simplicité, nous a peut-être servi pendant ces centaines d'années, fournissant une aune à laquelle mesurer les qualités, gestes et actions des autres. En les mesurant, on pouvait savoir comment se situer par rapport à eux.

Cela nous a peut-être si bien servi que nous sommes à présent au point où nous nous demandons de dépasser le conditionnement même qui nous a amenés ici.

Je crois que nous avons dépassé notre conditionnement. Nous avons créé une société de technologie externe ; des machines qui imitent les processus mêmes de la vie. Grâce à ce reflet externe, nous nous rappelons notre nature physique. La société nous demande de réconcilier cette vision de la vie immensément sophistiquée avec un scénario « léger » et « obscur » qui a pris origine il y a des siècles à partir de ce qui était probablement une supposition inexacte au départ. Est-il si étonnant que les mondes de la technologie interne et externe semblent s'exclure mutuellement ? À présent, nous cherchons à développer une technologie interne fondée sur la spiritualité et qui reflète la réalité de la lumière et de l'obscurité. On nous demande, par la vertu de notre vie, de redéfinir ce que veulent dire pour nous le « clair » et l' « obscur », et de vivre cette nouvelle vérité.

PERMETTRE LA POSSIBILITÉ

Nous avons passé d'innombrables vies, et des années de celle-ci, à chasser l'obscurité de notre existence, à tuer l'obscurité environnante, avec peu de succès. Une loi énergétique de la création explique pourquoi.

L'énergie suit l'attention.

Ceux qui détestent l'obscurité concentrent leur attention sur la guerre, le malaise et la maladie, par exemple, et voient partout l'énergie du conflit, du malaise et de la maladie. Est-ce étonnant ?

La question est plutôt : « D'où viennent ces choses ? » D'où origine la technologie qui permet de créer des outils de guerre, des virus de contrôle et les méthodes de torture du contrôle fondé sur la peur ?

La réponse provoque souvent un silence irritant qui résulte de la vérité d'une profonde sagesse intérieure : nous avons nous-mêmes créé ces choses. Peut-être pas vous et moi personnellement, mais bien la conscience dont nous sommes partie intégrante. Nous faisons partie des horreurs et des joies de ce monde, et nous devons assumer cette responsabilité. Il n'y a personne d'autre « à l'extérieur ». Il n'y a pas d' « eux » !

La façon d'éviter le pouvoir de l'obscurité est d'effectuer des choix de vie qui n'exigent pas le service de l'obscurité. Pour formuler cela de manière positive, nous pourrions dire : « Embrasser une vie de lumière, choisir la lumière, tout en permettant la possibilité de la polarité de la lumière. » Choisir la lumière, tout en donnant lieu avec compassion à l'expression du contraire de la lumière, voilà la clé de notre maîtrise de la compassion. Ce choix comporte une certaine responsabilité : recouver le pouvoir personnel de la confiance tout en vivant dans la polarité. Cette distinction est apparemment subtile, mais forte.

Pour faire l'expérience de la lumière dans votre vie, acceptez l'obscurité autant que la lumière.

C'est par le biais de l'obscurité que nous connaissons la lumière. Nier l'existence de l'obscurité et le rôle des forces obscures au service du Un, c'est perpétuer la pensée même qui nous a enveloppés dans notre mythe de la séparation ! En donnant cette permission, faites des choix qui n'exigeront pas les services des forces obscures. Cela ne veut pas dire que vous ne serez pas témoin des expressions d'obscurité des autres. Leur obscurité ne doit pas devenir votre expérience. Détester Lucifer et blâmer les autres pour la peur et l'expérience de l'obscurité, cela entraîne le contraire exact de ce qu'on recherchait. Tout au long de l'histoire, nos dieux véritables et nos êtres de référence ne nous ont jamais proposé une façon de vivre qui consisterait à détester quoi que ce soit.

On nous a plutôt donné la possibilité de détester, mais aussi la sagesse de transcender notre haine, de devenir quelque chose de plus grand, dans la réunification, que nous ne le sommes dans la polarité de l'expérience. Cette sagesse est la science de la compassion.

Dans la mesure où vous « cédez » au besoin urgent de polariser une expérience, de la juger bonne ou mauvaise, vous perpétuez l'illusion de la séparation ! Ce choix ne concerne plus le bien ou le mal. À présent, vous choisissez l'unité ou la séparation.

Le miroir holographique vous fera faire l'expérience de ce que vous jugez, de ce que vous haïssez. Nous avons été conditionnés à voir le monde et la vie par le miroir de la dualité : bien, mal, lumineux, obscur, bon et mauvais.

Comment peut-on atteindre l'entièreté dans la séparation ?

Permettre l'obscurité, ce n'est pas approuver ce qu'elle présente. Ce n'est pas accepter les effets des forces obscures ou rester passif devant l'atrocité et l'injustice. Permettre l'obscurité, cela ne veut pas dire que vous avez choisi l'obscurité dans votre vie.

À ce stade de notre discussion, permettre indique tout simplement reconnaître que l'existence de l'obscurité est une force à notre service. L'obscurité, ancrée par l'archange Lucifer, est là au service de ceux qui choisissent, sciemment ou non, de faire cette expérience. Cette permission signale votre volonté de vous élever au-dessus de l'illusion de la séparation, en tant qu'être de compassion.

Que se passe-t-il si nous changeons notre conditionnement périmé ? Si nous nous rappelons de considérer les événements de la vie pour ce qu'ils sont ? Devenons-nous des catalyseurs qui se transportent vers de nouvelles expériences d'eux-mêmes, sans bien ni mal, sans bon ni mauvais ? Que se passe-t-il si l'obscurité est redéfinie en tant que forme forte de l'amour qui nous est accordée avec compassion d'une manière qui n'a pas été claire dans le passé ? Si vous êtes capable de vous asseoir avec vos enfants et avec ceux que vous aimez, afin de regarder les nouvelles du soir en commençant à « voir » d'une façon nouvelle ?

Ce qui se passe, c'est ceci : Il est impossible de haïr et d'avoir peur si on laisse entrer l'amour dans l'obscurité.

Au cours des ateliers *Point zéro*, les discussions sur Lucifer, Michaël, le bien et le mal, finissent généralement le dimanche matin avant le lunch. De nombreux hôtels des grandes villes utilisent une salle de bal ou des salles de conférences pour accueillir les membres d'organisations religieuses locales ou permettre les services religieux des églises, y compris les chœurs et les sermons, suivis d'un brunch. Un dimanche, dans un hôtel de la Californie du Sud, notre atelier partageait un mur mitoyen avec l'un de ces services religieux offerts par une congrégation du centre-ville. Après les récits de mon rêve éveillé à Lost Lake et de la randonnée au Pérou, notre groupe était prêt pour une courte pause. Je venais de demander aux participants d'envisager la possibilité que le pouvoir de Lucifer soit un pouvoir bienveillant au lieu d'un pouvoir vengeur et menaçant.

En quittant notre salle de conférences, je suis passé devant la salle adjacente et j'ai remarqué que la porte était entrouverte. Je me suis arrêté pour entendre le message du pasteur à ses fidèles et j'ai été renversé, bien que sans surprise, par ce que j'ai alors entendu. Le ministre disait à ses fidèles :

« Si quelqu'un vous dit que Lucifer vous aime, fuyez en courant, car c'est l'œuvre du diable, et le diable vous hait ! »

Comme je n'ai pas écouté tout le sermon, la probabilité était forte que j'aie entendu ces propos hors contexte. Malgré tout, j'étais étonné de la synchronicité. Dans cet hôtel, séparés par environ quinze centimètres de placoplâtre, de bois et d'isolation, se trouvaient deux groupes de gens discutant des mêmes concepts de deux points de vue polarisés. Je me rappelle avoir pensé :

Quelque part au ciel, les forces au pouvoir sont assises à la grande table dans les cieux et nous écoutent en se tordant de rire.

Quelques minutes plus tard, je me trouvais debout, dans les toilettes, à côté du pasteur de la congrégation, et j'ai échangé quelques mots avec lui. Si seulement ces urinoirs de porcelaine blanche pouvaient parler ! À partir de cette brève rencontre, je crois honnêtement que les paroles qu'il a offertes à sa congrégation venaient du cœur : des paroles propices, selon lui, à servir le mieux « ses fidèles ». Ces gens venaient de quartiers pauvres, et c'étaient peut-être exactement les paroles qu'il fallait à chacun d'eux, à ce stade de sa vie, afin de lui permettre de survivre suffisamment longtemps pour envisager d'autres points de vue.

Je sais aussi, à partir d'un espace très profond en moi, que ce que j'avais offert dans notre atelier venait du cœur et que ce que je croyais allait le mieux servir la vie de nos participants au cours des jours et des mois suivants. Deux points de vue, ni bons ni mauvais, séparés par un mur de quinze centimètres, et deux pièces remplies de gens très bien intentionnés. Voilà l'époque où nous vivons ; des polarités vacillantes d'un cycle en voie d'achèvement.

Dans notre choix de nous connaître de toutes les façons possibles, nous avons exploré toutes les possibilités des extrêmes, menant notre expérience jusqu'aux profondeurs de l'obscurité autant que dans les hauteurs de la luminosité. Lucifer a tout simplement tendu le miroir et ancré les possibilités extrêmes afin que vous et moi puissions nous connaître en nous approchant de ces extrêmes. Il nous a rendu service en tenant le miroir, en nous reflétant ce que nous choisissions alors d'explorer dans notre vie. Si vous choisissez de n'avoir « aucune obscurité » dans votre vie, alors ne devenez pas obscurité. Sans cette charge énergétique, rien ne peut attirer l'obscurité vers vous.

Vous avez la chance de pouvoir transcender les polarités de la lumière et de l'obscurité en les embrassant comme des expressions égales de la force qui vous a amené ici. On vous demande de transcender la lumière et l'obscurité alors que vous vivez encore dans la lumière et l'obscurité ! La compassion est la clé qui vous a été laissée pour accomplir votre tâche.

Vous rappellerez-vous ? Appellerez-vous vers vous les fragments de votre conscience, peut-être brisés dans votre innocence par la vie même ? Vous permettrez-vous, en tant que somme de tous vos fragments de croyance, de sentiment et d'émotion, d'exprimer à nouveau une part de la compassion qui vous a amené dans ce monde ? Voilà la chance que vous contemplez à ce carrefour de votre vie. Choisissez-vous la voie vivante de la technologie intérieure exprimée sous forme de compassion ?

J'ai vécu mon enfance dans le Midwest, élevé dans ce que je considère comme des valeurs occidentales relativement traditionnelles. Ces valeurs comprenaient de nébuleux concepts de lumière, d'obscurité, de bien et de mal. Je crois que ces valeurs m'étaient offertes comme des lignes directrices soutenues par de bonnes intentions afin d'appuyer ma réaction à tout ce que la vie me réservait. De plus, je sentais alors, et je comprends maintenant, que nombre des concepts traditionnels qui nous ont servi depuis des milliers d'années ne nous sont peut-être plus utiles.

Dans l'expérience directe de la vie, j'ai vu des individus s'accrocher sans relâche à des concepts périmés de lumière et d'obscurité. Ce faisant, ils demeurent enfoncés dans les expériences mêmes qu'ils ont tellement hâte de dépasser. Leur cœur pleure en réclamant l'amour, la nourriture, la compassion et l'unité, tandis que leurs gestes fondés sur leurs croyances naissent du jugement, de la haine et de la séparation. Ces qualités d'émotion sont les marques du pôle de l'obscurité. Étrangement, lorsque ces gens sont confrontés au fait d'appliquer leur vision de la vie à leurs propres expériences, ils vous disent que leurs systèmes de croyances n'ont plus de sens. Peut-être encore plus étrangement, ils ont oublié que leur choix de sentiments et d'actions est leur démonstration vivante de la maîtrise de la vie. Sans savoir précisément pourquoi, ces individus créent des expériences de vie qui leur rappellent que l'énergie suit l'attention.

Dans la redéfinition de l'obscurité et de ses nombreuses formes se trouve l'occasion de retirer la charge des patterns que nous choisissons le moins de vivre. La signification de la compassion et le rôle qu'elle peut jouer à ce stade de notre histoire deviennent clairs. Vous, la dernière génération à arriver à maturité avant l'époque que les Anciens appelaient le Passage des époques, vous qui avez le pouvoir de créer par la pensée et l'émotion – on vous demande d'invoquer votre pouvoir et de faire une chose qui a été jusqu'à maintenant le but de chaque génération de prédécesseurs spirituels.

Je trouve intéressant de voir qu'une chose qui a si bien servi à une époque de la vie puisse ne plus jouer le même rôle à un autre moment de la même vie. Je crois de tout mon cœur que nous vivons précisément ce scénario ; les vieilles croyances polarisées ne nous servent plus. À mesure que j'observe quotidiennement les événements qui se déroulent autour de chacun de nous, je vois des vies en expansion et en exploration qui s'efforcent de se connaître dans les limites d'un vieux système de croyances qui ne leur convient plus. Du point de vue de la conscience, vous et moi étions, il y a 3500 ans, des enfants désireux de se connaître. Les règles et lignes directrices de cette époque nous ont bien servi en nous permettant de vivre assez longtemps pour atteindre ce point actuel de l'histoire où nous pouvons les transcender. Comme nous le savons, nous perdons notre innocence en échange de la sagesse de l'expérience. Notre sagesse collective nous incite à dépasser le vieux conditionnement qui exigeait de nous de haïr et de tuer ce qui n'était pas conforme. Notre sagesse collective nous demande de devenir quelque chose de plus dans la totalité que ce que nous avons été, sous la forme d'éclats et de fragments d'une vérité inférieure. Nous avons dépassé les images, les mythes et les concepts d'un paradigme qui cède la place à quelque chose de vaste, d'intégral et d'englobant. Même si je vous soupçonne de sentir cette vérité quelque part en vous, le fait de la voir écrite est un puissant catalyseur qui valide votre sentiment et vous permet d'avancer dans ce que la vie vous offre.

Dans les ateliers et séminaires, j'ai été témoin de l'impact des histoires précédentes sur la vie de ceux qui ont eu suffisamment confiance pour écouter. Je vous invite à les suivre, en vous autorisant à devenir un pont vivant vers ceux que vous aimez le plus et qui vous sont les plus chers. Si ces histoires ont un sens quelconque pour vous, la peur et ses dérivés – la colère, la haine, la jalousie et le jugement dans votre vie – n'auront plus jamais le même sens pour vous.

Êtes-vous prêt à faire quelque chose de nouveau ?

Vous laisserez-vous changer les vieux cycles, redéfinir le conditionnement périmé et créer, par le fait même, un nouveau paradigme ? Si vous vivez actuellement, non seulement vous le voulez, mais il est fort probable que ce soit votre but quand vous vous rappelez la compassion qui vous permet de gracieusement *Marcher entre les mondes*. S'il vous plaît, joignez-vous à moi dans une expérience de parole écrite lorsque les patterns résonants de cette écriture éveillent en vous l'un de nos plus anciens souvenirs collectifs, le souvenir de la partie de nous que nous appelons le Plus Brillant de Tous.

CHAPITRE TROIS

LA SCIENCE DE LA COMPASSION

NOTRE SECONDE VOIE

FIGURE 4 : *Bambou*
Le symbole en sanskrit représente le joyau du lotus qui descend dans le cœur, sous la forme du mantra de la compassion, *OM Mani Padme Hum*.

« *La [tâche] la plus difficile de toutes*

est de concevoir les pensées des anges,

de prononcer leurs paroles

et de faire comme eux. »

D'APRÈS L'ÉVANGILE ESSÉNIEN DE LA PAIX[1].

On nous a demandé, en tant qu'individus et nations, de réconcilier la violence et la haine dans nos familles et dans nos quartiers avec celles d'autres pays, selon leur définition des limites du respect de la vie humaine. En 1994, par exemple, peut-être au cours du journal télévisé pendant le repas du soir, nous avons pu voir environ dix mille indigènes étendus, morts, le long des routes de campagne du Rwanda, victimes de forces réprimées qui se faisaient entendre. La seule fois que nous avons vu cet événement, c'était par l'intermédiaire biaisé des médias qui nous transmettaient les images. Nous ne saurons peut-être jamais ce qui a vraiment transpiré au Rwanda durant cette période.

PROMESSE ANCIENNE, SCIENCE MODERNE

Plus récemment, nous avons regardé avec horreur la tragédie du vol 800 de la TWA, les épidémies de virus mortels (le VIH et l'antavirus), l'attentat à la bombe contre l'édifice fédéral en Oklahoma, une base de marines américains en Arabie saoudite, et de nombreux cas d'actes individuels ou collectifs de terrorisme sans raison apparente. Au-delà des différences d'expression, un « fil » commun relie tous ces événements. Dans chaque cas, un grand nombre de gens ont perdu leur vie, et on nous demande de trouver un sens à cette perte dans le contexte de notre vie. Comment vous et moi pouvons-nous accepter ces horreurs ? Comment pouvons-nous réconcilier le choc que notre technologie de l'information instantanée apporte directement dans nos salons ? La réponse à cette question comporte de façon intrinsèque l'occasion que nous présente cette vie. En nous faisant voir des événements qui poussent à la limite nos croyances et nos sentiments concernant qui nous croyons être, on nous offre l'occasion de réveiller la force de notre nature véritable, qui nous amène gracieusement au souvenir de nous-mêmes.

Dans le cœur des enfants de l'éternité vit la semence
que chacun a plantée pour lui-même il y a longtemps ;
un don de vérité ;
dormant…

Réveillée, cette semence rallume la promesse ancienne
de ceux qui sont venus avant nous ;
la promesse que chaque âme survit aux moments
les plus « sombres » de la vie ;
de revenir chez elle une fois de plus, intacte et avec grâce.
Cette promesse est la semence de vérité que nous, aujourd'hui,
avons nommé la compassion.
Vous êtes les enfants de l'éternité.

En vous existe un noyau de mémoire, intact, entier et aussi neuf que le jour de votre naissance. Ce noyau est resté vierge de toute expérience, de tout sentiment et de toute émotion, de toute durée de vie. En sécurité, nichée entre des couches protectrices de conscience, votre promesse vous a toujours suivi, attendant patiemment le moment où vous vous la rappelleriez et l'invoqueriez à nouveau à votre service. Votre noyau de mémoire ne vous sera pas révélé sous l'expression physique de muscles et de tissus. Au fond de vous, les coordonnées « X » et « Y » ne révéleront jamais l'emplacement de votre semence à l'examen rigoureux d'un scientifique ou d'un ingénieur.

Au-delà des technologies fondées sur l'espace et le temps, vous considérerez peut-être votre semence comme un lieu de la pensée intemporelle. Vous pouvez accéder à votre semence grâce au pouvoir que vous avez de traverser les portails de la création. Vous saviez que vous trouveriez cette semence en vous un jour. Peut-être l'avez-vous sentie s'attarder, remuer « là-dedans », vous appeler sous forme d'éclairs de pensée dans des moments d'introspection. Cette semence est le cadeau que vous deviez garder pour vous rappeler à vous-même. Vivre dans votre semence, voilà la promesse de tout ce que vous alliez incarner en grandissant dans cette vie. Chaque voyage sacré de relation, chaque expérience, peu importe son résultat, vous ramène à la vérité de votre semence.

La *promesse* qui vous a guidé vers ce monde est devenue la *science* qui vous ramènera chez vous. Vous savez que cette science est la compassion.

LA DÉFINITION DE LA COMPASSION

Dans les temps modernes, la compassion est définie comme « un sentiment de pitié qui pousse quelqu'un à aider, ou à montrer de la miséricorde[2] ». Dans cette perspective, la compassion est considérée comme un verbe décrivant quelque chose que l'on fait, un acte offert aux autres.

Les textes anciens, dans le langage de leur époque, présentent des observations dans une perspective où le résultat d'un événement est moins important que ce que l'on devient par l'expérience même. Par exemple, l'une des caractéristiques de la compassion est la capacité d'observer un événement sans le juger. Cette qualité d'observation ne peut être connue que par les yeux de la compassion, car tout est vu également. La symétrie de l'expérience est clairement illustrée dans les textes esséniens de la biblio-thèque de Nag Hamadi, de même que dans les manuscrits de Qumran.

> *« Si je monte au ciel, tu es là ; si je fais mon lit en enfer, t'y voilà...*
> *car l'obscurité et la lumière sont pareilles pour toi. »*
> D'APRÈS L'ÉVANGILE ESSÉNIEN DE LA PAIX[3].

> *« Lorsque tu uniras les deux et quand tu rendras l'intérieur semblable*
> *à l'extérieur et l'extérieur semblable à l'intérieur, et ce qui est*
> *au-dessus comme ce qui est en dessous, et lorsque tu uniras le mâle*
> *et la femelle... alors tu entreras dans le Royaume de mon Père. »*
> LA BIBLIOTHÈQUE DE NAG HAMADI[4].

Toutes les expressions de la vie étant égales, nous sommes invités à contempler la vie comme les conséquences de certains choix et non comme des obligations, des interdits et des épreuves dans nos cœurs et nos esprits. Les exemples de compassion que nous laissent ces textes décrivent un état d'être qui est bien au-delà de l'expression extérieure d'un simple geste. Quel langage aurait-on pu choisir, il y a 2500 ans, pour exprimer des concepts relatifs à l' « être » plutôt qu'au faire ? Quels mots choisirai-je aujourd'hui ? Du point de vue de notre mémoire ancienne, la compassion est notre droit de naissance, un héritage collectif de notre nature la plus véritable. La com-passion est le rappel vivant de notre promesse de vie.

Régulièrement, nous donnons du sang aux autres, sans faire de chichis à propos du fait de donner. Dans la vie et dans la mort, nous donnons des organes, des liquides et des tissus à d'autres afin qu'ils puissent vivre. Nous donnons de notre temps, offrons notre travail, partageons avec d'autres notre corps, nos pensées les plus intimes et nos émotions les plus profondes. Nous créons même la vie les uns avec les autres, mais la question subsiste.

Au-delà de l'offrande, du partage et du don, aimons-nous suffisamment pour devenir les choses mêmes que nous désirons le plus pour nous-mêmes et les autres ? Aimons-nous assez pour devenir l'affection, la compassion, l'amour et la compréhension que nous désirons le plus quand nous prenons soin des autres ? Nous aimons-nous suffisamment pour devenir la santé, la vitalité et la paix que nous tenons pour sacrées et pour lesquelles nous prions pour d'autres ? Le fait de considérer la compassion comme un devenir exige de la clarté dans la conduite de notre vie quotidienne. Chaque expé-rience et chaque relation, quotidiennement, vous obligent à vous poser cette question :

Est-ce que je m'aime assez pour dépasser le *faire* dans ma vie ? Pour *devenir* ma nature la plus authentique et l'exprimer comme étant ma vie ?

Plus précisément, on peut formuler la question ainsi : Est-ce que je m'aime suffisamment pour me rappeler mes dons les plus précieux et incarner ces dons sous forme de compassion dans ma vie ?

Il ne peut y avoir de définition unique de la compassion. Comme c'est notre nature véritable, la compassion s'exprime en chaque individu, sous la forme de réponses uniques à des choix de vie. Reflétant des souvenirs variés et individuels d'objectifs de vie, chaque personne exprime sa version de la compassion par degrés, tout simplement par son choix de conduite à chaque instant. La compassion peut être la portion la plus pure, la plus intacte de vous-même qui demeure en cette expérience terrestre, dans l'espace et le temps. Il n'y avait peut-être pas beaucoup de sens à accéder à cette relique de vous-même, subtile et tout à fait intacte, à aucun moment dans aucune autre vie. Sa nature subtile renferme un pouvoir effrayant, le mariage alchimique de l'émotion et de l'ADN. Ce mariage se voit dans la science de la pensée, du sentiment et de la lumière. Aux fins de notre travail ici, veuillez considérer la compassion comme un ensemble de qualités précises de la pensée, de l'émotion et du sentiment.

La pensée sans attachement à l'égard du résultat de l'événement. Cette qualité de pensée représente votre capacité et votre volonté de faire confiance au processus même de la vie à mesure qu'il se déroule devant vous. La maîtrise qui permet cette expression de la pensée s'atteint dans la résolution de votre peur universelle de la confiance et de tous ses dérivés, comme le jugement, la critique, la suspicion, la jalousie, la colère, la rage et la haine.

L'émotion sans la charge de la polarité. L'une des caractéristiques de la compassion est l'émotion sans la charge du jugement et des préjugés. La maîtrise qui permet cette expression de l'émotion s'atteint dans la résolution de vos peurs universelles de la confiance, de l'estime de soi, de la séparation, de l'abandon et de toutes les expressions qui leur sont reliées, décrites plus haut de manière détaillée.

Le sentiment sans la distorsion des préjugés et du conditionnement. Vos sentiments sont des indicateurs de votre qualité de pensée et d'émotion. Vos pensées et votre façon de vous émouvoir déterminent, pour vous seulement, comment vous vous sentez. La façon unique dont la vie vous a appris à combiner la pensée et l'émotion détermine votre maîtrise des sentiments. Si vous êtes souvent ou facilement blessé, observez vos pensées sur la vie et vos émotions afin de recouvrer la joie de vivre.

Chaque composante sera pleinement développée comme un fondement de la « science » de la compassion.

VOUS ÊTES UN PONT VIVANT

Vous et moi sommes de nature holographique. Nous sommes des cellules d'un corps qui englobe notre ensemble. Vos parents font partie du corps, tout comme vos amis, votre mari ou votre épouse, vos enfants. Notre vie est à l'image des patterns d'expérience eux-mêmes intégrés dans des patterns d'expérience à leur tour intégrés dans d'autres patterns d'expérience.

Chacun est intégral et complet en soi et fournit une clé essentielle d'un ensemble beaucoup plus grand.

Par exemple, il y a de fortes chances que la tristesse que vous ressentez durant un film en voyant la fin d'une relation forte ait peu de rapport avec ce que vous venez de voir. Il y a des chances qu'en quelques minutes, les images du film aient déclenché en vous des émotions que vous avez ressenties chaque fois que vous avez perdu quelque chose qui vous était cher ou chaque fois que quelque chose vous a été enlevé. Tous ces sentiments, au fil de toutes ces années, ont sans doute moins à voir avec ces relations perdues elles-mêmes qu'avec cette portion de vous que vous avez perdue afin de survivre aux expériences que la vie vous a présentées. Sans connaître ni vous rappeler ces signaux de mémoire, vous réagissez peut-être à des déclencheurs comme des films pour vous rappeler votre nature véritable.

C'est ainsi que fonctionne notre vie : elle est constituée de miroirs holographiques alors que chaque cellule renferme des patterns complets d'elle-même tout en étant une portion essentielle de quelque chose de beaucoup plus vaste. Une loi ancienne de la Science hermétique, précurseur de l'homéopathie moderne, illustre joliment ce concept du code simple « sur la terre comme au ciel ».

On peut voir notre modèle holographique comme un pattern unique qui se répète sans cesse sous la forme de magnitudes variables d'expression, du micro au macro. Par exemple, des particules subatomiques forment des atomes, qui forment des molécules, les molécules forment des cellules, qui forment des corps, et ces derniers forment l'organisme Gaïa, et ainsi de suite. C'est la nature de notre hologramme. Chaque cellule fonctionne dans son propre espace tout en étant, consciemment ou non, au service du corps entier. Il ne faut pas beaucoup d'individus pour ancrer une nouvelle semence de pensée, de sentiment ou d'émotion dans les patterns actuels de notre ensemble. En devenant le résultat désiré, un nombre relativement restreint de gens peuvent introduire un changement, peu importe la durée d'existence des vieux patterns.

De par leur nature, les patterns qui découragent la vie s'effondrent sur eux-mêmes et se consument en se complétant. Les patterns qui donnent la vie se perpétuent en engendrant une nouvelle vie dans leur expression.

Imaginez les implications !

Qu'arrive-t-il par exemple si une personne choisit de répondre à un « abus de confiance » autrement que par la douleur ou la colère ? Qu'arrive-t-il si elle choisit de regarder le journal télévisé sans ressentir le besoin de se venger sur ceux qui ont fait du tort à d'autres ? Qu'advient-il si une autre admet la possibilité que peut-être, seulement peut-être, des maladies comme le cancer et le sida sont de puissants agents de changement que nous avons laissés entrer dans notre monde pour nous inciter doucement à envisager d'une autre façon la vie et notre propre rôle dans cette vie ?

Ce qui arrive, c'est ceci : cette personne qui permet l'avènement d'une nouvelle possibilité devient un pont vivant, à la fois un pionnier et une sage-femme pour tout autre individu qui aura le courage de choisir la même voie. Chaque fois qu'un autre fait le même choix, ce choix devient plus facile, puis encore plus facile pour le prochain et ainsi de suite.

Et si une personne choisit de dépasser la haine envers les oppresseurs, tout en vivant parmi eux ? Cela ne veut pas dire qu'elle approuve, appuie ou opterait pour l'oppression dans sa vie. Cela signifie tout simplement qu'elle a choisi de dépasser les circonstances dans lesquelles elle se trouve immergée, rompant le cycle des réponses passées et devenant un choix supérieur. Dans cet exemple reposent deux patterns clés d'affirmation de la vie :

- Le choix de voir au-delà de la haine produite à l'intérieur du système même qui l'a engendrée, plutôt que d'en subir les effets imposés par une autorité extérieure.
- Les individus qui font un choix supérieur deviennent un pont vivant pour ceux qu'ils aiment le plus. C'est là qu'ils trouveront leur pouvoir en choisissant d'exprimer leur nature véritable dans un monde qui ne soutient peut-être pas cette expression.

Lorsque vous manifestez la vie d'une façon inférieure à votre nature véritable de compassion, vous n'exprimez qu'une fraction de votre possibilité. J'entends souvent dire de ceux qui choisissent la compassion que c'est un travail. Pourquoi choisirions-nous autant de travail ? En réponse à cette question, je me réfère à l'affirmation de Gibran : « Le travail, c'est l'amour rendu visible[5]. » Je crois de tout mon être qu'en ce monde, tout effort accompli avec notre corps est notre occasion de montrer notre amour envers ce monde, notre « amour rendu visible ». De ce point de vue, le travail immense qui consiste à devenir compassion peut être considéré comme une expression immense et visible de votre amour rendu manifeste. Dans les bénéfices du choix, on peut envisager le miroir de la compassion. En tant que compassion, votre corps est accordé au-delà de la gamme de paramètres physiques qui découragent votre plein potentiel. La maladie, le vieillissement et la détérioration, la réponse de votre corps aux virus et aux bactéries, la longévité et la vitalité prennent une nouvelle signification lorsqu'il s'agit de devenir compassion. La recherche récente démontre les bénéfices directs de la compassion sur la santé physique, notamment sur les systèmes cardiovasculaire, respiratoire, immunitaire et reproductif.

En tant que compassion :

- La peur et tous ses dérivés sont redéfinis. La colère, la rage, une blessure, la douleur, la maladie, un malaise et même la mort deviennent des réactions possibles plutôt que des réflexes habituels. Même si vous vivez encore les expériences qui ont peut-être produit ces patterns dans le passé, elles sont adoptées comme des agents de changement puissants créés avec maîtrise, comme des indicateurs d'une précision minutieuse détaillant des occasions de modifier votre expression et votre interprétation de la vie.

* Votre corps n'a pas à se détériorer avec le temps. Même s'il peut faire l'expérience du temps dans un sens linéaire en tant que passage d'événements séquentiels, ses cellules ne se dégradent pas en réponse au passage de ce temps. Dans la cohérence de l'émotion, du sentiment et de la pensée (comme l'amour), le pH de votre corps garde un sain niveau d'alcalinité, le niveau de DHEA demeure constant, et les fréquences cellulaires permettent un accroissement de la réponse immunitaire.

* Vous devenez génétiquement orienté vers l'immunité alors que l'ADN répond à votre compassion. De plus, la recherche indique que les qualités spécifiques de l'émotion programment l'ADN[6]. Votre état émotif détermine vraiment votre état physique !

Dans la compassion, le malaise et la maladie que produisent virus et bactéries n'ont pas la même signification pour votre corps, même s'il les rencontre dans le monde. La compassion élève la réponse cellulaire de base vers une gamme présentant un faible degré de résonance entre la forme ondulatoire de la maladie et celle de vos cellules. Votre corps peut toujours créer sa propre maladie en réponse à un système de croyances. La compassion ne juge pas la maladie. La maladie est plutôt perçue comme une réponse à une croyance donnée ou une indication de la connaissance de la validité due à la croyance et à sa guérison.

En dépit des implications physiologiques évidentes, il ne faut pas considérer la compassion comme un raccourci vers la guérison, la dissipation de la peur ou la jeunesse éternelle. La compassion est une voie par laquelle on peut choisir, à partir de l'amour et du respect du corps qui nous est donné, d'exprimer son appréciation et de dire merci pour le cadeau. La compassion n'est pas quelque chose que l'on fait. Elle est plutôt un état de conscience, une manière d'être, que l'on choisit de devenir.

LES PIONNIERS DE L'ENSEMBLE

Selon le modèle de la conscience holographique, un élément singulier de changement, à un endroit du système, se répercute dans tout le reste. Chaque fois qu'il y a un changement de perception, chaque fois qu'une personne choisit une émotion supérieure face à un défi de la vie, chacun, dans le système, en bénéficie jusqu'à un certain point.

Nous vivons à l'intérieur du même système. La conscience est guidée par l'inertie ou par l'élan. Quand on choisit de penser, de sentir ou d'exprimer l'émotion d'une nouvelle façon, dans une certaine mesure, toutes les autres personnes de notre système en profitent. Votre choix ancre la nouvelle possibilité, la vibration de ce sentiment, qui sème cette possibilité dans les grilles de la conscience. Chaque fois que quelqu'un d'autre s'ouvre suffisamment pour reconnaître qu'il peut définir comment il va répondre à la vie, le fait de choisir la compassion lui donne une autre possibilité de choix. Même si vous faites partie d'une population d'environ six milliards et demi, vous avez un effet ! Voilà ce qui est formidable dans l'hologramme. Tout changement chez un nombre relativement restreint de gens a un immense effet sur l'ensemble. Pour semer les graines du changement, ces quelques personnes doivent tout simplement incarner le changement. Elles doivent devenir dans leur corps le changement qu'elles ont consenti à vivre dans leur monde.

Comme elle représente une technologie en avance de plusieurs centaines d'années sur les coordonnées vectorielles et les circuits supraconducteurs, la compassion est la partie de votre mémoire qui n'a pas à penser pour accomplir. C'est la partie de vous qui reconnaît la vérité de chaque expérience, à chaque instant, et voit l'ensemble au-delà des fragments de douleur et de joie, tout en faisant l'expérience de la douleur et de la joie.

Il faut que quelqu'un le fasse en premier. Quelqu'un doit prendre l'initiative de dépasser le cycle des vieux choix et des vieilles réactions, et reconnaître l'opportunité d'une réponse supérieure devant ce qu'offre la vie. Même si nos choix ne seront peut-être pas soutenus par d'autres, c'est en optant pour ce changement que nous trouverons notre cadeau.

Considérez l'immense pouvoir personnel requis pour accomplir une telle tâche ! Un individu doit avoir un pouvoir assez grand pour voir au-delà du monde qui a été, tout en maintenant son regard sur ce monde sans se perdre dans l'expérience de ce monde. Je ne suis pas surpris si cette description a une résonance familière pour vous. Ce que j'ai décrit dans la phrase précédente, c'est précisément ce que vous vous demandez d'accomplir quotidiennement, à chaque instant de votre vie. Chaque jour de votre vie vous demande de voir quelque chose de plus grand dans ce qu'offre la vie, tout en concentrant votre regard sur votre expérience de la vie. On vous demande de vivre la vie sans vous perdre dans l'expérience de la vie. Sans exception, chaque émotion, sentiment et/ou pensée constitue pour vous une occasion de voir au-delà de l'expérience à portée de la main et de connaître ce que votre vie vient de vous révéler.

LA COMPASSION APPLIQUÉE

Aujourd'hui, je rencontre de plus en plus souvent des individus qui prétendent avoir affronté des événements tragiques tout simplement en évitant tout lien avec ces événements. Ils éteignent le téléviseur, se détournent des discussions publiques et cessent de lire les journaux et les magazines. Ainsi, ils ne s'obligent plus à affronter les événements du monde au fur et à mesure de leur déroulement. Même si l'évitement peut être considéré comme une voie valable, c'est là une voie de survie temporaire et non une voie consciente de maîtrise. Dans l'évitement, les événements qui causent l'inconfort sont tout simplement remis à plus tard. Les expériences que l'on trouve difficiles à maîtriser sont laissées de côté pour une autre fois, peut-être pour toujours. Votre force, votre maîtrise, vient de votre capacité à voir les événements de la vie directement, avec des yeux qui ont choisi de les envisager dans une autre perspective.

Peu après la tragédie du Rwanda, j'ai rencontré des amis qui avaient choisi d'affronter l'horreur de ce qu'ils avaient vu en rationalisant les événements. « C'était leur voie », a dit une femme alors que nous commencions à discuter. Je l'ai regardée dans les yeux et j'ai senti peu d'émotions dans ses paroles. « Sur un certain plan, ils savaient qu'ils allaient mourir ainsi », a lancé un homme alors que la discussion s'orientait vers le karma et l'équilibre. Même si le karma et l'équilibre jouent certainement un rôle très intime dans chaque vie, je sentais clairement que ces voies de discussion étaient des diversions inconscientes qui nous éloignaient du choc de ce à quoi la télévision nous demandait de donner un sens. Je soupçonnais que ce qui se passait chez mes amis était un piège subtil entre la voie du détachement plein d'amour et le mécanisme de défense du déni. Le cas du Rwanda fournit peut-être un éclaircissement sur les différences. Comment savoir quand on est dans le détachement ou dans le piège du déni ? Voici des lignes directrices conçues pour vous aider à reconnaître la compassion et le déni dans votre vie.

LE DÉNI

Si vous voyez dix mille Rwandais étendus le long de la route et que vous ne ressentez rien, il y a une forte chance que vous soyez émotionnellement insensible ou en plein déni. C'est là un mécanisme de défense courant lorsqu'il faut survivre à un événement si pénible dans son horreur que l'on s'écarte de la réalité par le biais de justifications et de raisons. On parle « de » l'événement au lieu de s'y confronter directement. Toute émotion, si elle est présente, peut être déplacée sous forme de colère à la défense de votre logique ou de votre justification. Devant une perte de vie, de toute vie, vous sentirez quelque chose. Ce qui est mort est une partie de vous que vous ne connaîtrez plus ou que vous ne vivrez plus. Mes amis venaient de voir une partie d'eux-mêmes étendue sans vie sur le bord d'une route de campagne du Rwanda ; ils ressentaient de la douleur.

LA POLARITÉ

Si vous voyez les images du Rwanda et que vous choisissez les sentiments de colère, d'outrage et des pensées de vengeance, de réplique et de nivellement, il y a une forte possibilité que vous viviez dans la polarité de la logique non tempérée. Exprimée sous la forme de pensées – bien, mal, bon, mauvais, lumineux et obscur –, cette polarité vous fera rester dans la séparation. Même si la colère peut être une façon socialement acceptable de répondre à un événement horrible, demandez-vous : « Ma colère me sert-elle en ce moment ? » La situation justifie-t-elle votre réponse de contraction émotionnelle, de dépression physiologique et de compromission de votre système immunitaire, chacune étant une expression de la colère ?

LA COMPASSION

Si vous êtes capable de voir la scène et d'avoir des sentiments pour les gens qui en ont fait l'expérience et pour les survivants sans ressentir ni colère, ni revanche, ni besoin de « répliquer » à ceux qui sont responsables de la douleur, vous avez choisi une forme d'émotion supérieure. Dans la mesure où vous serez capable de considérer les événements au moyen des pensées suivantes, vous envisagerez la vie dans le sentiment de ce qui a transpiré, à l'écart de la polarité du bien ou du mal.

« J'ai de la peine pour leur souffrance et leur douleur. »

« Ces gens vont me manquer, ainsi que leurs coutumes et le caractère unique que chacun avait à offrir à notre monde. »

« Cela n'avait pas à arriver. »

Ce sont des choix de sentiment puissants qui vous placent dans une position très forte dans votre vie. Vos choix vous laissent l'occasion de faire l'expérience de votre pouvoir au lieu de laisser l'expérience vous faire sentir le sien. Vous vous rappelez la science de la compassion sans colère, ni peur, ni rage, ni sentiment de vengeance. Ce type de maîtrise est un exemple de transcendance de la polarité tout en vivant dans la polarité.

Ces deux exemples vous aideront peut-être à clarifier ces concepts nébuleux et parfois abstraits. Je vous offrirai ces exemples comme ils m'ont été offerts dans la vie. D'abord, on m'a présenté l'expérience, puis l'occasion d'explorer ce qu'elle signifiait pour moi. En suivant ces exemples, j'offrirai les outils et la science de la compassion afin qu'ils puissent être appliqués à l'expérience en cours.

Au cours de cette vie-ci, certaines de mes relations les plus frappantes et certains de mes enseignants les plus forts sont venus du royaume animal. Durant l'été 1992, je menais un atelier combiné à une retraite dans une petite auberge sise près du mont Shasta, dans le nord de la Californie. C'est durant cette période qu'un minuscule chaton noir s'est égaré dans les corridors qui lui étaient interdits, a trouvé ma chambre et a entamé une forte relation qui vit encore en moi. Ce chaton était né environ cinq semaines plus tôt d'une jeune femelle qui en était à sa première portée. Pour des raisons inconnues, la mère était incapable d'allaiter. Les employés de l'auberge croyaient que toute la portée était morte. Quelques jours plus tard, cependant, la mère est sortie en portant un petit paquet d'os et de fourrure qui avait survécu à ces journées sans nourriture. Immédiatement, le personnel de l'auberge a commencé à nourrir le chaton pour le ramener à la santé. Reconnaissant la magie de sa pure volonté de survivre, le personnel a donné à ce chaton « tout noir, sans une seule tache » le nom de Merlin. Tout au long de sa convalescence, Merlin allait où bon lui semblait, à l'exception des chambres mêmes, censées être un territoire interdit. Trouvant ma chambre ce soir-là, Merlin a ronronné et miaulé jusqu'à ce que je cède à mon désir de m'occuper de tout animal de la planète et le laisse entrer. Durant la semaine de l'atelier, Merlin dormait tous les soirs avec moi et s'assoyait sur moi pendant mes petits déjeuners dans ma chambre. Posé sur le rebord du lavabo, il me regardait me raser et marchait sur mes diapos quand je les préparais le soir. Chaque matin, il était debout sur le rebord de la baignoire pendant que je prenais ma douche, attrapant de minuscules gouttelettes d'eau dans la bouche alors qu'elles rebondissaient avec le jet sur tout mon corps. Avant la fin de la semaine, je me suis trouvé fort attaché à cette douce créature nantie d'une forte volonté de survie. Après notre retraite, j'ai laissé Merlin au mont Shasta et voyagé pendant un mois de plus pour mener des ateliers et des contrats, pensant à l'amitié que j'avais développée avec lui, certain qu'un animal aussi beau trouverait rapidement un foyer chez des résidents de l'auberge ou des pensionnaires de passage.

Un mois plus tard, je me suis retrouvé au mont Shasta pour un second stage intensif d'une semaine. À ma surprise, Merlin était encore là et se souvenait de moi. Une fois de plus, nous avons dormi ensemble chaque soir et il m' « aidait » chaque jour à accomplir mes tâches routinières. L'auberge était incapable de lui donner asile en raison de son quota d'animaux sur la propriété. À la fin du séminaire, j'ai accepté d'adopter Merlin et, ce jour-là, commença une relation forte qui devait durer deux ans, presque jour pour jour. Lui et moi sommes allés du mont Shasta à Los Angeles, puis vers l'Ouest, jusqu'au Nouveau-Mexique. Il était avec moi chaque soir pendant que je préparais le repas. Il s'assoyait sur mes genoux pendant que je lisais ou il faisait la sieste à côté du minuscule ordinateur Apple pendant que j'écrivais *L'Éveil au point zéro*. Merlin est devenu ma famille au Nouveau-Mexique, et sa présence comptait beaucoup chaque jour.

Un soir de juillet 1994, durant la semaine où la comète a rencontré Jupiter, Merlin est sorti et je ne l'ai plus revu. Au départ, je croyais qu'il était sorti pour une promenade, même si ce n'était pas dans ses habitudes, et j'espérais qu'il revienne les deux premiers jours. Après deux jours, la recherche a commencé. J'ai cessé de prendre mes appels, je ne retournais pas ma correspondance, j'ai absolument cessé toute occupation professionnelle pendant une semaine pour parcourir la vallée du haut désert près de Questa, au Nouveau-Mexique, à la recherche de Merlin. Était-il pris au piège ou coincé dans un vieil édifice, cherchant à sortir ? Était-il accroché dans l'un des pièges que les gardes forestiers installaient pour attraper les prédateurs sauvages qui mettaient les moutons en danger ? J'ai regardé dans chaque nid de coyotes que je pouvais trouver. J'ai fouillé les nids de hiboux et examiné des terriers de blaireaux près de la propriété, tentant avant tout de secourir Merlin. Après trois jours de recherches sans résultat, ma stratégie a changé.

Au lieu de le chercher, je me suis mis en quête d'une trace, peut-être de la fourrure ou son collier, mais je ne trouvais rien, absolument rien.

Un matin, alors que j'étais étendu au lit, juste avant le lever du soleil, j'ai fermé les yeux dans un demi-rêve et tout simplement demandé un signe, une indication de l'état de santé de Merlin. Ma prière commençait ainsi :

Père, je te demande la sagesse de savoir ce qui est arrivé à mon ami Merlin. Est-il vivant ? Est-il pris au piège, attendant que je le trouve et le délivre ? Est-il encore avec nous ? S'il te plaît, demandais-je, montre-moi un signe quelconque.

Avant la fin de la prière, il s'est immédiatement produit quelque chose que je n'ai plus jamais revu ni entendu. Du grenier de ma maison, j'ai entendu un son provenant de l'extérieur, puis un autre et un autre encore. En quelques secondes, émanant de chaque direction, encerclant complètement la propriété, j'ai entendu des cris de coyotes. À ce moment-là, j'ai entendu plus de coyotes que tout le temps que j'avais vécu sur ma propriété. Ils ont jappé, crié et hurlé pendant ce qui m'a semblé être plusieurs minutes, jusqu'à ce qu'ils s'arrêtent, tout aussi soudainement qu'ils avaient commencé. J'avais des larmes aux yeux quand j'ai dit :

Je ne crois pas que Merlin soit encore avec moi.

À ce moment, on m'avait montré ce qui était arrivé à mon petit ami. Je savais que je ne le reverrais plus jamais.

Plus tard, le même jour, j'ai remarqué des coyotes partout sur la propriété. Bien sûr, j'en avais vu beaucoup au fil des ans, habituellement juste après le coucher du soleil ou avant l'aube. Aujourd'hui, ils étaient partout, et il faisait encore grand jour ! Seuls, par deux ou par trois, des jeunes et des familles, marchant d'un air dégagé dans les champs.

Voici comment j'explique l'histoire. Chaque fois que j'apercevais un coyote, j'avais une occasion. Chaque fois que j'en voyais un me venait l'occasion de haïr. La perte de mon ami me faisait mal. Dans ma peine se trouvait ma chance. Je savais que j'avais un choix et que la colère était une voie. J'aurais pu tuer chacun des coyotes que je voyais, sans savoir si c'était « celui » qui avait emporté mon ami. J'aurais pu être en colère au point de vouloir tuer chaque coyote de la vallée pour m'assurer de ne jamais perdre à nouveau un autre animal de la famille à cause de ces chiens sauvages. J'aurais pu rester à surveiller, perché sur un édifice de la ferme, avec une carabine, tirant sur chacun d'eux, prenant les vies une à une pour venger la perte de mon ami.

J'aurais pu, mais je ne l'ai pas fait.

À ce moment de ma vie, haïr n'était pas dans ma nature. Même si j'avais mal, je ne ressentais tout simplement aucune colère. Mon ami me manquait. Je m'ennuyais de sa personnalité, des petites manières qui lui étaient uniques, de sa compagnie et des sons amusants qu'il faisait lorsqu'il chassait du « gros gibier », comme les papillons de nuit sur la porte à moustiquaire. Je m'ennuyais de la façon dont il me regardait, étendu sur le dos sur le frais carrelage du plancher, l'été, et de ses tentatives de couvrir les restes de chaque repas avec tout ce qui se trouvait sur le plancher dans un rayon d'un mètre ou deux. Il me manquait ! Mais je m'ennuyais de lui sans ressentir de colère et sans chercher revanche sur les forces qui l'avaient emmené. L'émotion de s'ennuyer sans la colère de la vindicte rend possible la voie de la compassion.

C'est peut-être un exemple insignifiant. À la lumière de l'injustice et des iniquités dont nous avons été témoins les uns envers les autres, seuls et à l'échelle de la culture, la perte d'un petit animal peut sembler mince. J'offre cet exemple en raison du principe qui s'y applique et qui peut, à mon avis, s'étendre universellement à toute situation qui s'offre à vous de vous réconcilier dans votre vie. Que nous discutions du massacre d'environ dix mille Rwandais dans leur propre pays par leur propre peuple, de la tentative de s'en prendre à la vie de populations d'origine religieuse, raciale ou ethnique, ou de la perte d'une seule vie qui nous est chère, le principe demeure. On nous demande de réconcilier en nous l'émotion de l'expérience.

Par ailleurs, je crois honnêtement qu'un accord existe dans le royaume animal concernant le chasseur et la proie. Je crois qu'aucun animal ne choisit nécessairement d'être tué pour être mangé. Cependant, s'il est coincé ou pris au piège, je crois aussi qu'il se plie à la situation et quitte aisément son corps. Je l'ai vu arriver trop souvent pour en douter. Voilà pourquoi les lapins, les souris, les oiseaux et, oui, même les chats, meurent si rapidement. Ils ne semblent pas lutter pour le dernier souffle de vie devant une mort inévitable. Ils lâchent prise, tout simplement.

LA COMPASSION INTENTIONNELLE

Les textes anciens décrivent en détail la voie de la compassion comme une science. Décrite comme les lignes directrices de la parabole et de l'histoire illustrant l'égalité de toute vie, la science est inhérente à notre propre expérience de vie. Notre culture fondée sur la technologie nous demande d'accéder à la même sagesse par les yeux de la logique. Notre culture cherche une équation, une séquence logique de pensées et de concepts permettant la démonstration et la définition de la compassion dans notre vie. Même s'il est exact dans son offrande, l'usage de la logique seule est, fort probablement, incomplet. Ici peut se trouver le mystère de la raison pour laquelle l'idée de compassion dans notre culture a été si nébuleuse dans le passé. Les peuples indigènes du monde ont présenté une idée similaire de compassion fondée sur la logique, mais avec un degré plus élevé de complétude. Dans leur perspective, la logique de l'esprit seul ne suffit pas. La logique mentale doit être tempérée par une plus grande sagesse, celle du cœur. Considérée comme le programme conscient de la vie, la pensée devient le navigateur de l'énergie émotionnelle provenant de l'intérieur du corps. La pensée dirige le pouvoir de l'émotion. La qualité de cette énergie est déterminée par la nature de l'émotion. Dans une perspective d'ingénierie, nous disons que les oscillations de la matrice de cristal liquide aux sept couches du cœur sont dirigées par des ondes de formes de pensée consciente et intentionnelle. Aux fins de ces discussions, je présente ce qui suit :

On peut définir la compassion comme des qualités précises de pensée, de sentiment et d'émotion. La pensée sans attachement au résultat de l'événement. Le sentiment sans la distorsion du préjugé et du conditionnement. L'émotion sans la charge de la polarité.

On peut définir la compassion comme le fait de permettre à un autre individu des possibilités de pensée, de sentiment et d'émotion qu'on ne se permettra peut-être pas soi-même. En même temps, on entreprend toute action sans attachement envers le résultat, le sentiment défiguré ou l'émotion chargée.

La question :

Comment vous et moi allons-nous consciemment réconcilier les événements de notre monde avec les sentiments et les émotions que ceux-ci créent dans nos corps ? Ici se trouve la semence même du concept de maîtrise qui concerne moins le fait d'imposer le changement au monde autour de vous et davantage le fait de redéfinir ce que votre monde veut dire pour vous.

Par la maîtrise de la compassion intentionnelle, vous déterminez comment vous vous sentez, quelles émotions vous percevez et la qualité de vos pensées dans une situation donnée. Les textes anciens relatent en détail la signification de la pensée, du sentiment et de l'émotion corporelle, de même que le rôle de chacun dans nos vies. Une référence ancienne aux textes esséniens nous rappelle que l'homme vit dans les royaumes du corps, de la pensée et du sentiment. Pour connaître la paix dans notre monde, nous devons trouver « l'ange de la paix » dans chacun de ces trois royaumes. Dans les textes gnostiques, l' « ange » ou énergie de la Paix est davantage décrit comme une clé dans l'alignement du corps avec le sentiment.

« [...] si les deux (pensée et sentiment) font la paix dans cette maison
(le corps), ils diront à la montagne : " Bouge ", et elle se déplacera. »
(Les parenthèses sont de l'auteur.)

D'APRÈS LA BIBLIOTHÈQUE DE NAG HAMADI[7].

Pourquoi une chose entendue ou dont vous avez été témoin a-t-elle suscité tel sentiment en vous ? Pourquoi vous êtes vous permis quelque chose au-delà de vous pour déterminer l'expression de l'être qui est vous, à un moment donné ? Autrement dit : Pourquoi avez-vous cédé votre pouvoir à une expérience extérieure à votre corps ? On vous rappelle, dans quelques textes anciens, que la paix et la compassion constituent votre nature la plus vraie.

D'expérience, vous savez que l'offrande de la vie peut vous fournir une occasion de devenir autre chose que votre nature véritable. Votre plus grand défi est peut-être de vous immerger pleinement dans l'expérience de la vie, sans perdre l'intégrité de votre nature véritable.

Dans les traditions du peuple Tewa, Joseph Rael décrit ce défi même comme une partie intégrale du voyage de la vie. Dans la perspective Tewa, nous venons en ce monde à la suite d'un son ou d'une combinaison de cinq sons, chacun ayant sa qualité unique de résonance et d'expérience de vie. Les qualités de ceux-ci sont la pureté, l'orientation, la conscience, l'innocence et la réalisation. Comme le raconte si joliment Joseph dans ses enseignements, la clé de la maîtrise de la vie est alors de « nous éloigner de la pureté, de l'orientation, de la conscience, de l'innocence et de la réalisation tout en étant présents dans l'expérience du non-attachement. D'être dans le monde sans appartenir à celui-ci[8] ».

En tant qu'individus et groupes familiaux, culturels et sociaux, nous avons consenti entre nous à dévier de notre nature véritable pour survivre aux extrêmes de l'offrande de la vie. Sans le savoir, dans notre innocence, peu à peu et au fil du temps, nous avons accepté de répondre aux défis de la vie par des gestes qui ne reflètent pas véritablement notre expression d'être la plus élevée. Des patterns que nous avons nommés colère, haine, rage, jalousie et avidité sont devenus des mécanismes socialement acceptables destinés à donner notre pouvoir à l'expérience. Nous nous sommes même accordés entre nous pour céder massivement notre pouvoir à des états tels que la dépression, les virus et le cancer.

Comment répondre aux défis de la vie ? C'est là un choix très personnel que vous et vous seul pouvez effectuer. Si vous êtes autre chose que la compassion, c'est que vous exprimez autre chose que votre nature véritable. Répondre dans la peur, ou dans l'un des dérivés de la peur, perpétue les cycles mêmes de la polarité que vous êtes venu transcender en ce monde. Si vous êtes autre chose que votre nature véritable, vous êtes un fragment de la promesse que vous vous êtes faite en vertu du fait d'être en ce monde.

Imaginez le pouvoir inhérent à la capacité de déterminer si vous répondez à la vie par la colère, la permission ou la joie ! Plus que jamais dans l'histoire humaine, voici une époque de responsabilité, de responsabilité personnelle. Le fait de définir votre réaction au monde est peut-être l'expression la plus grande de la maîtrise personnelle.

En tant qu'être de compassion :
* Vous avez une occasion de voir au-delà du bien et du mal, du bon et du mauvais d'un événement. Par le biais de la compassion, les actions des autres et les événements de la vie seront envisagés du

point de vue de la pureté de ce qu'ils ont à offrir plutôt qu'à travers les jugements de votre expérience et de votre conditionnement.

- Ce que vous « faites » a moins d'importance que ce que vous « devenez » en le faisant. La compassion est votre choix de réponse né de l'action et non de la ré-action.

- Vous seul pouvez établir la réponse la plus élevée, la plus appropriée pour vous-même, dans une situation donnée à un moment précis. La compassion s'exprime d'une façon unique à travers vous, en tant que vous. Dans la compassion, il n'y a ni obligations, ni interdits, ni comparaisons. Comment peut-on dire qu'une chose n'est pas de la compassion si on la compare à une autre ? Dans notre unicité, qu'est-ce qui peut servir de norme de référence ?

VEUILLEZ NOTER CECI : La compassion n'est pas une invitation à la non-action ou à la complaisance. Elle n'est pas une permission de rester à ne rien faire en considérant les événements de la vie dans une perspective de non-engagement, d'insensibilité ou de déni. Devenir compassion, c'est une invitation à vous immerger pleinement dans l'expérience de la vie, quelle que soit l'offrande, à partir d'un endroit de non-jugement. Servant à la fois de voie que l'on peut devenir et de don que l'on peut offrir aux autres, la compassion n'est possible que dans la guérison de la polarité. Votre plus grande tâche en cette vie et le plus grand cadeau que vous puissiez vous offrir ainsi qu'aux autres est peut-être de transcender votre polarité personnelle tout en demeurant dans ce monde de polarité.

Il est souvent facile de permettre un degré d'injustice afin de déterminer le degré de réaction. Par exemple, nous pouvons trouver le meurtre et la mort instantanée d'un jeune à un comptoir-auto de bouffe-minute dans une ville trépidante plus facile à réconcilier qu'un assaut projeté sur un autre jeune et qui entraîne une lente agonie. Le résultat de chacune des expériences est identique. Dans chaque cas, une vie précieuse est perdue. Seule la voie vers le résultat diffère, mais la mort avec une longue agonie a suscité plus de colère dans le passé. Pourquoi ? Dans quelle mesure devons-nous chercher à connaître nos extrêmes ? À quel point devons-nous pousser les limites individuelles et collectives de qui nous croyons être avant de nous rappeler que le résultat est le même ?

La vie est précieuse !

Que ce soit une vie ou des centaines de vies, que chacun meure rapidement ou souffre, le résultat n'est qu'une question de degrés. La vie est un cadeau pour chacun de nous. On nous demande d'agir en conséquence, au nom de toute la vie, peu importe le degré d'injustice ou de violence démontré envers cette vie.

LA VOIE DE LA COMPASSION

Avec ces lignes directrices, retournons à notre exemple précédent, le massacre au Rwanda, en examinant comment les concepts de compassion sont reliés à ce que vous et moi étions tenus de réconcilier pour nous-mêmes dans l'offrande. De toutes les horreurs qu'on nous a montrées pendant ces jours de 1994, notre logique et notre émotion devaient trouver une résolution entre elles afin de devenir l'union qu'est la compassion. En vous considérant dans la perspective d'un logiciel transportant des patterns d'information à travers les circuits bioélectriques de votre corps, alors la compassion peut être vue comme un sous-programme d'instruction introduit dans votre système d'exploitation de la vie. L'élément clé de cette analogie, c'est que vous et moi utilisons des sous-programmes, des codes d'instruction, chaque fois que nous choisissons notre réponse à l'offrande de la vie. Continuerons-nous de recourir à des programmes qui nous ont servi dans le passé, même s'ils ne peuvent pas le faire dans le présent ?

La Seconde Voie est une solution. Par notre souvenir de la Seconde Voie, un nouveau sous-programme permettant un autre résultat est introduit dans notre processeur logiciel. Dans la perspective de cette analogie, le décodage d'un nouveau sous-programme représente une opportunité pour vous chaque fois que vous faites un nouveau choix dans la vie. Vous avez accès à votre logiciel de conscience en tant que combinaison d'instructions venant du cerveau droit et du cerveau gauche. Ces instructions sont des séquences de votre pensée et de votre émotion ! Voici un exemple de la façon dont les séquences peuvent être appliquées dans votre vie. Lorsque la vie vous demande de réconcilier un événement ayant provoqué commotion, horreur ou tragédie :

> **Étape 1.** Déterminez votre mode d'expression.
> Cette option identifie l'objectif à travers lequel vous verrez ce que la vie vous a montré. Ayant été témoin ou ayant fait l'expérience d'un événement, évaluez honnêtement votre réponse pour vous-même. Choisissez à partir des trois points exposés précédemment, soit :
> * l'insensibilité, ou le déni, exprimée sous forme de rationalisation logique de ce qui vient d'arriver ;
> * la polarité exprimée sous forme de colère, de rage ou d'un désir de vengeance ;
> * la compassion exprimée sous forme de tristesse et de peine pour la perte sans juger l'expérience comme bonne ou mauvaise.

Après avoir reconnu votre réponse, l'étape suivante de la création de votre nouveau code est de consentir à la possibilité de tout ce que vous avez ressenti même si, d'après votre conditionnement passé, cela semble inconvenant. Vous-même honorez votre passé. Si vous *sentez*, alors vous sentez.

Comment vos sentiments peuvent-ils être bons ou mauvais ? En consentant à la possibilité de vos sentiments, de *n'importe quels sentiments*, vous ouvrez la porte à l'exploration de modes supérieurs d'expression de vos sentiments.

Si votre réponse plus haut n'était pas de la compassion, alors pourquoi ? Êtes-vous insensible à l'horreur de votre expérience ? Êtes-vous scandalisé par les conditions de ce dont vous avez été témoin ? Quels codes de votre système de croyances vous ont gardé dans l'insensibilité ou la polarité ? Après vous avoir bien servi dans le passé, vous servent-ils encore à présent, à cet instant ?

Étape 2. Par l'utilisation de vos cerveaux droit et gauche, de la logique et de l'émotion, construisez des programmes de sentiment inédits. Puisque la compassion est un programme de circuits émotionnels et logiques dans votre corps, les codes suivants sont offerts comme des voies d'accès à votre programme. Voici l'équation de la « science » dans la science de la compassion.

SI
vous devenez ces choses,
ALORS
vous devenez compassion.

Selon les textes anciens, nous devons affronter chaque code afin de trouver la paix dans notre vie. L'équation codée afin d'accéder à votre programme de compassion se résume à réconcilier, pour vous-même, les affirmations suivantes :

Si vous :
reconnaissez

qu'il y a une seule source de ce qui est ou de ce qui sera jamais, reconnaissez-vous que chaque événement de la vie, sans exception, fait partie du Un ?

faites confiance

au processus de la vie tel qu'il vous est montré, faites aussi confiance au choix divin du moment dépourvu d'accidents.

croyez

que chaque expérience qui est attirée vers vous, sans exception, est une occasion pour vous de démontrer votre maîtrise de la vie,

que votre vie reflète votre quête afin de vous connaître sous tous les aspects possibles, qu'en connaissant vos extrêmes, vous trouverez votre équilibre, que votre essence de vie est éternelle et que votre corps peut goûter la même expérience de l'éternité,

alors :

comment pouvez-vous en même temps vous juger, juger un événement de la vie, le choix ou l'action d'une autre personne comme étant bien, mal, bon, mauvais ou comme autre chose qu'une expression du Un ?

Ces simples énoncés sont de puissants agents de changement qui fournissent un code et déterminent, pour le reste de votre corps, la réponse à une situation donnée.

VEUILLEZ NOTER CECI : L'emploi du mot « croire » au lieu de « savoir » est intentionnel et choisi à des fins de clarté. « Savoir » ne peut résulter que de l'expérience directe. Croire admet la possibilité de quelque chose dans votre vie, bien que vous puissiez ne pas encore avoir fait l'expérience directe que confère le fait de savoir. À moins d'avoir fait consciemment l'expérience de la vie sans sa constance et son éternité, par exemple, vous devez probablement le croire. À moins d'avoir dépassé la vie, vous croirez peut-être que la vie est éternelle. Des méditations précises et l'expérience du seuil de la mort sont des exemples de la connaissance de la nature éternelle de l'essence de la vie.

Utiliser les pensées (système directionnel)
de vos cerveaux gauche et droit
par le biais de votre émotion (système de pouvoir)
et de votre capacité à résoudre votre monde
de sentiments (union de la pensée et de l'émotion)
envers chaque énoncé constitue votre manière
de reconfigurer le code
qui détermine votre façon de voir le monde.

Les mots de chacun des énoncés précédents servent de déclencheurs en vous. Chaque énoncé vous demande d'être clair quant à votre sentiment à son propos. Êtes-vous en accord ou en désaccord ? L'énoncé déclenche-t-il une réaction en vous ? Et dans l'affirmative, pourquoi ?

SI
vous remettez en question ou doutez de l'essentiel d'un seul de ces énoncés,

ALORS
vous venez de définir l'étape suivante de votre cheminement vers l'équilibre et la maîtrise.

Cela semble subtil et peut-être même simple, mais répondre à chacun de ces énoncés, c'est faire le point sur les fondements de votre façon de sentir et de percevoir la vie et votre place en ce monde. Examinons chacun d'eux en détail.

Êtes-vous capable de reconnaître qu'il y a une source unique de tout ce qui est ou sera peut-être jamais ? Y a-t-il un espace en vous qui admet la possibilité que chaque événement qui vous est montré par la vie, peu importe son expression, fait et a toujours fait partie du Un qui a créé la vie, peu importe ce que le Un veut dire pour vous ? Pouvez-vous admettre la possibilité que les moments les plus sombres de l'histoire humaine et de votre vie, de même que les plus grandes joies, font partie de la source de toute vie en notre monde au lieu d'en être séparés ?

Si votre réponse est « non », alors vous venez d'avouer une séparation entre votre perception du Un et tout ce qui n'est pas le Un. La vie vous permettra de percevoir la séparation en vous démontrant vos attentes dans les relations et dans l'expérience. Lorsque vous serez guidé vers un point de la vie où la séparation n'a plus de sens pour vous, la vie concédera votre perception de la guérison en vous reflétant le fait que vous admettez l'Unité dans les relations et l'expérience.

Faites-vous confiance au processus de la vie tel qu'il vous est montré ? Faites-vous confiance au fait que l'intelligence qui a amené chaque âme à l'expérience de ce monde demeure avec elle alors qu'elle voyage en ce monde ? Faites-vous confiance au fait qu'il n'y a pas d'accidents, bien que les raisons et les causes des événements de la vie puissent ne pas être claires dans l'instant ? Pouvez-vous admettre la possibilité que vous êtes venu en un monde sécuritaire, où il n'y a pas de forces extérieures antagonistes à votre plan de vie ?

Si votre réponse est « non », alors vous venez de reconnaître une charge contre la confiance. La vie vous laissera votre perception de non-confiance en vous démontrant vos attentes concernant la confiance dans les relations et l'expérience. Lorsque vous serez amené à un moment de la vie où la non-confiance n'aura plus de sens pour vous, la vie vous permettra de percevoir la guérison en vous reflétant le fait que vous admettez la confiance dans les relations et l'expérience.

Qu'est-ce que votre vie est en train de vous dire ? Qu'est-elle en train de vous demander de reconnaître ? Croyez-vous que chaque expérience de la vie, sans exception, soit pour vous une occasion de démontrer votre maîtrise de cette expérience ? Pouvez-vous admettre la possibilité qu'avec des façons qui ne sont peut-être pas connues présentement, chaque expérience, joyeuse ou tragique, qui a jamais rencontré votre chemin a répondu à une occasion énergétique de montrer votre nature véritable ?

Si votre réponse est « non », vous verrez la vie comme un adversaire, et les événements de la vie comme des tests afin de déterminer votre force ou votre capacité de prendre ce que la vie vous a offert et d'endurer la souffrance. Voilà l'illusion. La souffrance n'est que le mécanisme de feed-back des choix de vie. Elle n'est pas le but de la vie en soi. Reconnaître l'indicateur, c'est vous rappeler votre nature véritable de compassion et de joie. Accepter la souffrance comme une manière de vivre devient une voie dans laquelle vous vous sentirez toujours mis à l'épreuve. La vie permettra que votre perception d'être testé vous soit démontrée ; elle autorisera aussi votre attente de tests dans les relations, les amitiés, les partenariats et l'expérience. Lorsque vous serez amené à un point, dans la vie, où votre perception des épreuves n'aura plus de sens pour vous, la vie vous permettra de percevoir la guérison. En reflétant le fait que vous allouez ces occasions, les épreuves de la vie deviennent des expériences bienvenues. Selon mon expérience de la vie, je n'ai jamais vu quiconque être soumis à une épreuve. Par contre, j'ai souvent vu des occasions de démontrer sa maîtrise.

Croyez-vous que la vie exprime votre quête de connaissance de vous-même de toutes les façons ? Croyez-vous devoir connaître et accepter la rage, la colère et l'obscurité en vous pour les accepter chez les autres ? Comment, autrement, pourriez-vous vous connaître dans la solitude avant que ceux que vous aimez ne vous aient laissé seul ? Croyez-vous, pour chercher l'équilibre dans la vie et trouver votre point d'équilibre, devoir connaître vos extrêmes ?

Si votre réponse à ces questions est « non », alors vous verrez la vie comme une chaîne d'événements imprévisibles et aléatoires se produisant « sans raison » ni avertissement. Vous croyez peut-être qu' « il arrive des malheurs aux braves gens ». Accepter les miroirs de la vie et reconnaître ce qu'ils nous montrent, c'est se souvenir de notre promesse de se rappeler les uns aux autres que nous agissons par amour et que l'amour a bien des masques. Si vous voyez la vie comme une série d'expériences sans relation, douteuses et inattendues, cela permettra à votre perception de vous être montrée dans les relations, les amitiés, les partenariats et l'expérience. Lorsque vous serez amené à un point de la vie où vous verrez la continuité, l'ordre, la raison et l'occasion dans chaque expérience de vie, la vie permettra à votre perception de la guérison de se réaliser. Reflétant le fait que vous donnez cette permission dans les relations et l'expérience, les événements sont considérés comme des portions du tout, même lorsqu'ils sont scandaleux. Chacun est une partie intégrante du reflet d'une réalité.

Vous croyez-vous vraiment éternel ? Croyez-vous franchement qu'il y a une part de vous qui ne peut avoir été créée et ne peut être détruite ? Pouvez-vous trouver un espace en vous qui permet la possibilité que vous soyez aussi neuf et intact que le jour où vous avez surgi du cœur-pensée-esprit de votre créateur ? Croyez-vous qu'aucune expérience terrestre n'a jamais souillé la brillance de votre âme ? Dans la mesure où vous honorez le cadeau de votre corps et l'expérience de la vie, pouvez-vous admettre la possibilité que la charge de douleur et de mort soit l'aimant même qui vous attire ces expériences afin qu'elles soient résolues ?

Si vous répondez à ces questions par un « non », la vie vous apparaîtra comme une série d'occasions dangereuses de perdre cette qualité de vie. Chaque choix qui traverse votre chemin sera considéré comme un risque de perdre tout ce que vous avez jamais aimé, plutôt qu'une occasion de vous connaître vous-même et, dans la connaissance, de vivre votre gain le plus élevé. La vie vous démontrera les attentes que vous avez face aux risques, à la finalité et à la perte, jusqu'à ce que, dans la contradiction, il ne reste plus rien. Ce n'est que là, d'un espace où vous avez perdu tout ce qui vous était cher, que vous trouverez votre nature éternelle ! Cela n'a pas à se produire ainsi. La voie de la perte est un choix. Je vous invite à reconnaître les dons que vous avez déjà. Vous ne vous êtes jamais perdu, au départ. La vie vous a tout simplement rappelé que « vous » êtes « vous », peu importe où vous vous trouvez, peu importe l'expérience et la longueur de temps ; vous êtes toujours vous, intact, entier et brillant. Lorsque vous serez amené vers un lieu dans la vie où vous reconnaîtrez votre nature éternelle et l'imperma-nence du monde que vous avez créé, où vous verrez chaque expérience comme une occasion plutôt qu'un risque, alors la vie vous permettra de per-cevoir la guérison. Vous refléterez vos attentes envers la vie dans les rela-tions qui donnent vie et dans l'expérience qui l'affirme.

Se confronter réellement à ces énoncés de programme, c'est maîtriser les codes dans votre corps qui déterminent votre expérience de la vie. Ce sont les codes responsables de votre vitalité, de votre réaction immunitaire, de votre capacité de former des relations proches et intimes, du fait que vous êtes présent aux autres et que vous vivez consciemment, avec intention. Le sentiment que vous avez en résolvant ces présuppositions dans votre corps, c'est l'union de vos cerveaux gauche et droit et de vos corps émotionnels trouvant leur équilibre.

Ce que vous percevez comme étant votre *sentiment*, c'est l'expression physique d'équilibres de pH qui changent dans vos cellules, des séquences d'acides aminés repérant d'autres sites de codage le long de la double échelle de votre ADN, et votre chimie corporelle modifiée en réaction à de nouveaux ordres. Vous écrivez les programmes comme des pensées logiques dirigeant des ondes de formes d'émotions. C'est vous en train de transformer le code sacré de votre système d'exploitation de l'intérieur de vous-même.

S'il vous plaît, ne vous laissez pas tromper par la simplicité de ce pro-cessus. Là se trouve son élégance. Le fait de répondre à ces lignes directrices vous poussera à réconcilier en vous l'essence même de la force de vie qui pulse en tant que votre corps. Le fait de vous pencher sur chacune de ces questions incite votre « programme intérieur » à rectifier et à ajuster les patterns d'énergie qui sont votre corps, à ajuster ceux que vous avez ouverts en posant les questions. Si votre réponse à l'une ou l'autre de ces questions est incertaine, alors votre voie vous aura été montrée. Vous devez réconcilier pour vous-même, dans vos propres mots, par l'expérience de votre propre vie, le sens de cette vie et la chance que vous avez à saisir dans cette vie-ci.

LE DON DE BÉNÉDICTION

Une bénédiction vous est laissée, sous forme de codes historiques et de paraboles dans les registres vieux de 2500 ans des Esséniens et autres textes de sagesse supérieure. La clé de ces registres est un fil commun qui traverse les traditions tibétaines, bouddhistes et orales des peuples indigènes du monde entier. On nous demande de nous rappeler que ces codes sont le mystère de la bénédiction, démontré à travers des relations qui donnent la vie. Tout comme la compassion est votre programme de réconciliation, la bénédiction est votre code de chance qui rend cette réconciliation possible.

Profondément enracinée dans la science de la compassion, la chance de désamorcer la charge créée sous la forme d'un événement est considérée, jugée et étiquetée par les yeux de la polarité. Lorsque vous voyez l'offrande de la vie sans les charges anciennes, les valeurs de votre jugement reflètent votre charge neutre.

VEUILLEZ NOTER CECI : Tout comme la compassion n'est pas une invitation à la complaisance ou à l'inaction, la bénédiction n'est pas une excuse ni l'approbation d'une tragédie ou d'une injustice.

Les événements de la vie que l'on nous demande de réconcilier en nous-mêmes ont déjà transpiré. On n'exige pas de vous d'inverser le temps et le changement qui s'est produit. Plutôt, vous vous demandez de *guérir votre perception* d'événements qui se sont produits dans le temps. Cette guérison vous permet de donner un sens à l'insensé et de trouver une raison au tragique.

En tant qu'être de compassion et de bénédiction, vous avez l'occasion de transcender la polarité tout en vivant en elle. Les semences de la compassion et de la bénédiction sont incorporées dans votre nature et dorment jusqu'au moment où leur valeur pourra être reconnue ; leur mémoire, réveillée. Ce temps est peut-être venu.

LA DÉFINITION DE LA BÉNÉDICTION

Votre don de bénédiction est une expression moderne de la promesse qui vous a été accordée il y a longtemps. La promesse ancienne donnée à ceux qui sont déjà venus nous rappelle que chaque âme survit aux moments les plus sombres de la vie pour retourner chez elle une fois de plus, intacte et avec grâce.

On peut définir la bénédiction comme la qualité de pensée, d'émotion et de sentiment qui vous permet de reconnaître la nature sainte et divine d'une action, de libérer toute charge émotionnelle entourant cette action et de passer à autre chose.

Le don de bénédiction repose dans le pouvoir de la pensée et de la parole. En reflétant les pensées, les sentiments et les émotions qui sous-tendent la parole, la bénédiction produit un changement biochimique dans votre corps. C'est vous qui vous guérissez de votre peur, de votre colère et de votre jugement, et qui passez à autre chose.

Sous l'angle du réalignement corporel, des paramètres clés comme le pH cellulaire et la formation d'acides aminés essentiels servent de mécanismes de feed-back biologique qui nous démontrent qu'en effet, un changement a eu lieu. Les mots de code permettent la libération de la charge électrique retenue par le corps sous forme de patterns de mémoire attachés à une émotion ou à un événement. Ces dernières années, la recherche a éclairé des phrases clés anciennes telles que :

« Par tes mots nous guérirons et serons guéris. »

Les mots sont l'équivalent audible et vibratoire du pattern qui les sous-tend. Dans la grâce d'un événement, il y a la reconnaissance de la nature sainte et sacrée de l'événement. Bénir une action n'est pas une façon d'y consentir ou de signaler son accord avec un événement qui a transpiré. Bénir un événement ne veut même pas dire que nous aimons ce qui s'est déroulé. Exercer votre don, votre droit de bénir, c'est tout simplement reconnaître la nature divine de l'événement et vous accorder la permission de passer à autre chose.

Bénir une action indique tout simplement que vous admettez la possibilité de l'événement dans l'expression générale du Un. État d'être qui dépasse largement l'expression extérieure du « faire », le don de bénédiction s'accomplit par le consentement intentionnel et conscient à la compassion. Une fois de plus, la question que vous vous posez, dans la chaleur de l'émotion chargée, est celle-ci : « Vais-je me permettre de me rappeler mon don de bénédiction et de faire l'expérience de ce souvenir dans ma vie ? »

L'APPLICATION DE LA BÉNÉDICTION

Avec ces idées à l'esprit, comment devons-nous appliquer la bénédiction dans le contexte quotidien de la vie ? Retournons à notre exemple précédent du Rwanda. Quel message est offert lorsqu'on voit cette tragédie par les yeux de la compassion et de la bénédiction ? Lorsque j'ai vu pour la première fois les images montrées par nos médias, j'ai réagi avec horreur, outrage et colère. Ces réactions, c'était moi répondant à la douleur de la façon dont je m'étais connu moi-même dans le passé. Avec de nouveaux yeux, ceux de la compassion et de la bénédiction, qu'aurait été un choix de réponse plus élevé ?

Comment aurais-je pu, à l'époque, affronter autrement mes sentiments et mes pensées ?

Récemment, j'ai eu l'occasion d'appliquer ces codes à une série d'événements qui se sont déroulés au cours des dernières semaines de juillet et des premières d'août, en 1996. Peut-être rejeté dans l'ombre par les manchettes du vol TWA 800 dans l'Atlantique, l'attentat à la bombe aux Olympiques et contre une base de marines américains en Arabie saoudite, un incident très semblable à celui du Rwanda, à une échelle plus réduite, s'était produit. Le 20 juillet 1996, environ trois cent trente civils ont été massacrés dans la campagne du Burundi, juste au sud du Rwanda. Voici ce qu'en disait le magazine *Time* en date du 5 août 1996 :

« Le spectacle de femmes et d'hommes, la tête fendue, de bébés entassés et de cadavres flasques étendus en travers des portes est presque devenu routinier dans cette partie du monde au cours des deux dernières années. »

En lisant les articles, ma première pensée a été *Pas encore ! Comment cela peut-il arriver à nouveau, dans la même partie du monde, aux mêmes gens* ? Comment devrions-nous affronter cette tragédie ? Quel rôle les vies de ces gens que nous n'avons jamais connus, de l'autre côté du monde, jouent-elles dans le contexte de nos vies, ici et maintenant ? Alors que je concevais cette portion du livre, je me suis demandé : *Est-ce vous rendre service que de présenter le processus à travers lequel je suis sur le point de vous mener* ? Ce qui est devenu clair pour moi, c'est que c'était un mauvais service que de ne pas le faire. C'est un mauvais service de ne pas offrir ces clés anciennes d'un mécanisme de libération d'une charge, qui permet à l'étape suivante, quelle qu'elle soit, de venir d'un espace de paix dans votre corps.

Voici une description du processus personnel dont j'ai fait l'expérience, tel qu'il s'appliquait au Burundi. J'ai utilisé le même pour affronter d'autres « injustices » passées et récentes. En voici quelques exemples : l'invasion de l'Amérique du Nord il y a presque cinq cents ans, l'invasion de l'Europe par Hitler il y a presque soixante ans, et la perte de vies humaines en Bosnie, en Irlande et en Angleterre. En outre, la violence collective qui plane aujourd'hui dans nos rues et les récentes pertes de vies lors d'une série d' « incidents » aériens entre autres. Dans chaque cas, bien que l'échelle et la magnitude puissent varier, le résultat net est le même : la perte de vies humaines.

En retour du don de ma vie et du rôle que ma vie doit jouer chaque jour à mesure que ce monde se déploie, mon engagement consiste à accepter tout ce que la vie me montre. Mais je pourrais aussi me perdre dans la blessure provenant d'une perte dans ma propre vie, en m'abandonnant à l'insensibilité, à la colère, à la vengeance et à l'amertume. Aucune de ces solutions n'est dans ma nature véritable. Mon choix est d'accepter ces événements à partir d'un espace de paix personnel, en devenant changement, en avançant selon une action concise et définitive plutôt que selon les schémas paralysants de la colère et de la haine. Voici un compte rendu de mon processus avec le Burundi.

J'ai commençai par reconnaître le sentiment initial, la réaction des tripes :

Oh non, pas encore !

Rapidement, j'ai remarqué que la colère familière qui entoure les massacres du Rwanda qui eurent lieu quelques années plus tôt a été remplacée par une onde de tristesse et de peine. Étrangement, la colère vis-à-vis des responsables de ces atrocités et envers ces atrocités mêmes semblait moins importante pour moi cette fois-ci. Ce qu'il y avait d'important, c'était que des vies avaient inutilement disparu à jamais. Dans quel but ? Pourquoi cela ?

Mon processus commençait.

Étape 1. Quel était mon mode d'expression ?

Alors que je voyais les informations sur le Burundi sans colère, ni outrage, ni désir de « vengeance », je savais que je n'étais pas dans une réaction de polarité. Je savais aussi que je n'étais pas insensible ni en déni devant ces atrocités. Si j'avais éprouvé les sentiments jadis familiers de colère ou d'outrage devant les images que je venais de voir, alors ma voie aurait été de me poser la question.

Cette voie de la colère, qui m'a si bien servi dans le passé, me sert-elle à présent, en ce moment ?

Je sentais, et je sens encore, un profond sentiment de peine et de tristesse du fait même que ces événements s'étaient passés, au cours de ma vie, de cette façon. Le manque de polarités, telles que la colère ou la haine, en plus de l'absence d'insensibilité, signalait une ouverture à la compassion.

Étape 2. Pouvais-je réconcilier, pour moi-même, les codes du programme de compassion de mon corps ? Je me suis posé les questions suivantes :

Est-ce que je reconnais une source unique à tout ce qui est ou sera jamais ? Est-ce que je reconnais que chaque événement de la vie, y compris ce qui est arrivé au Burundi, fait partie du Un ?

Est-ce que j'ai confiance dans le processus de la vie tel qu'il m'a été montré au Burundi ?

Est-ce que je crois que toute occasion offerte à chaque individu dans cette ville africaine, sans exception, est pour chacun une opportunité de démontrer sa maîtrise de la vie ?

Est-ce que je crois que la vie reflète notre quête en vue de nous connaître de toutes les manières possibles ?

Est-ce que je crois vraiment que notre essence vitale, celle de chacun des villageois du Burundi, est éternelle et que chacun peut faire la même expérience de l'éternité ?

Répondre « non » à l'une ou l'autre de ces questions, en toute probabilité, découragerait ma capacité de trouver en moi ce point de convergence où chaque réponse témoigne d'un but universel.

Répondant à chaque question, au meilleur de ma capacité, par un « oui » sonore, je continuai.

À l'égard du Burundi,

Comment puis-je répondre « oui » aux questions ci-dessus tout en jugeant cet événement comme étant bien, mal, bon, mauvais ou autre que l'expression du Un ?

Comment notre créateur peut-il se tromper ?

Comment puis-je croire que les événements du Burundi sont à l'extérieur du Un ou ailleurs que dans le Un ? Il ne peut y avoir d'extérieur. Ces événements au Burundi font partie de nous. C'est une partie de moi qui est étendue au bord d'une route au Burundi !

Si je crois en ce à quoi je viens de consentir, alors je dois reconnaître que tout a fait partie de quelque chose de beaucoup plus grand que le fait de prendre une vie au bord d'une route de campagne africaine… et… tout de même, des vies ont été perdues ! Mais ça n'avait pas à arriver ! Malgré tout, je ressens une tristesse pour tous ceux qui ont fait don d'eux-mêmes afin que nous puissions nous connaître.

Qu'est-ce que je fais de ces sentiments ? Comment vais-je dépasser le nœud que j'ai dans l'âme pour la partie de moi qui vient de mourir ?

Étape 3. Le don de la bénédiction est qu'il ne prend pas parti et ne voit ni bien ni mal. Sans approuver, être en accord avec ou encourager une action, le fait de bénir un événement ou un individu constitue tout simplement une reconnaissance de la nature divine de l'action qui est survenue. La question s'adresse alors à moi-même. *Puis-je dépasser ma réaction viscérale, à partir d'un vieux paradigme fondé sur la polarité, pour passer à un espace en moi qui reconnaît la nature sacrée de ce qui s'est passé au Burundi ? Suis-je arrivé à un point de ma vie où je peux dépasser la polarité qui permet une telle tragédie ?*

Si la réponse à ces questions est « oui », alors il est temps d'accepter le cadeau ancien de la bénédiction. Si je crois vraiment ce que j'ai offert aux autres, alors le pouvoir de la bénédiction est là pour moi aussi, telle ma clé personnelle pour libérer la charge de ce dont j'ai été témoin. Alors, j'ai prononcé ces paroles :

Je bénis ces actes choisis par lesquels j'ai permis aux gens du Burundi de se connaître eux-mêmes.

Je bénis les soldats qui ont enlevé chaque vie au Burundi, afin qu'ils puissent se connaître eux-mêmes en enlevant la vie.

Je bénis ceux qui sont morts dans ce village. Je bénis ceux qui ont aimé suffisamment pour donner leur vie afin de pouvoir se connaître eux-mêmes en donnant leur vie.

Je me bénis moi-même qui témoigne de cet événement, afin de pouvoir me connaître à travers ce témoignage.

Je poursuivis longuement. Je continuai jusqu'à ce que j'aie le « sentiment » dans mon corps, le sentiment familier de la paix qui ne peut être présent que lorsqu'il y a une véritable équilibration de la charge. Parfois accompagné par des larmes et parfois non, ce sentiment est désigné dans des textes anciens comme un « état d'être » que l'on atteint après avoir accepté l'expérience de la vie. Dans les textes égyptiens, par exemple, le maître appelé Thot fait vraiment référence au sentiment en tant qu' « onde vibratoire » qui commence dans le cerveau.

> « [...] lorsque sur toi vient un « sentiment » qui t'attire plus près de la Porte obscure (peur, colère, haine, etc.), examine ton cœur afin de savoir si ce sentiment est venu de l'intérieur [...] envoie dans le corps une onde vibratoire, irrégulière au départ, puis régulière, qui se répète à maintes reprises jusqu'à ce qu'elle soit libre. Fais commencer la force de l'onde au centre de ton cerveau, dirige les ondes de ta tête à tes pieds. » (Les parenthèses sont de l'auteur.)
> D'APRÈS LES TABLES D'ÉMERAUDE DE THOT[9].

La « vibration » de Thot est le sentiment de compassion. Dans cet étrange espace de paix, je sais que tout est, d'une certaine façon, correct. C'est à partir de cet espace que je me rappelle la vie et ses formes d'expression, nombreuses et variées, n'ayant jamais trahi ma confiance en elle. C'est dans cet espace que je « sais » véritablement que ce scénario n'avait pas à arriver. Et il est pourtant survenu. C'est de cet espace que JE SUIS.

JE SUIS mon pouvoir. Toute action que j'entreprends maintenant, par rapport à cette expérience, résulte d'un choix clair, intentionnel et conscient. Je sais ce que je sens, pourquoi je le sens et ce que les sentiments expriment.

JE SUIS la paix. Je ne ressens dans mon corps ni tension ni contraction à propos des événements en question. Je reconnais chaque individu en cause comme un être d'expérience puissant et magistral.

JE SUIS compassion. De mon espace de compassion, je peux affronter cette tragédie, et d'autres, n'importe où dans le monde, de n'importe quel moment de l'histoire, en prenant les mesures que je choisis pour éviter ou empêcher qu'une semblable perte de vie se répète.

JE SUIS parce que j'ai réconcilié l'événement de l'intérieur de mon corps et de mon esprit. Personne d'autre ne peut le faire pour moi. Personne d'autre ne peut le faire pour vous ! Vous devez accepter tout ce que la vie a offert et trouver cet espace de paix dans votre propre corps afin de passer sans encombre et entièrement à votre guérison. Voilà la chance qu'offre le cadeau de la bénédiction.

Peut-être au-delà de la capacité des mots sur cette page, peut-être pour refléter mon incapacité de transmettre des sentiments par la parole écrite, je vous demande à présent de voir plus loin que ces limites, vers la paix qui vous attend dans le don de la bénédiction. Les ateliers et séminaires m'ont permis de voir cet espace dans les yeux des participants, à maintes reprises. Je montre parfois un bref extrait du film *Il danse avec les loups*[10], une scène dans laquelle Kevin Costner regarde, impuissant, des soldats tuer son cher compagnon, le loup qu'il a appelé « Two Socks ». Pendant que nous visionnons les images ensemble, une charge tangible s'établit dans notre groupe. La pièce se remplit d'émotion devant l'injustice de ce que nous venons de voir. Lorsque je demande des réactions, elles sont variées. Certains aimeraient « liquider » les soldats qui ont non seulement tué le loup, mais aussi battu Kevin Costner. Quelques-uns sont d'avis qu'il est trop facile de tuer les soldats. Ils aimeraient en fait que le loup tue ces derniers. D'autres « souhaitent » tout simplement que le loup soit encore vivant, sans se venger des soldats. Peu importe l'impression, presque tous ceux qui observent les images sont « chargés » d'une émotion puissante et perturbée.

En faisant traverser le même processus au groupe entier, cette fois avec le Burundi, quelque chose se produit peu à peu. La charge provient de ceux qui n'ont pas encore un (ou plusieurs) des codes de programme déjà présentés. Bien que je ne sois pas surpris, je suis toujours étonné de ce qui arrive par la suite. Même si les cinq codes n'ont pas encore été résolus complètement en chaque individu, la volonté de résoudre crée une ouverture énergétique. Et c'est cette ouverture, la volonté de permettre les possibilités, qui pave la voie à de nouvelles possibilités, à d'autres gestes et à une réponse supérieure devant ce qu'offre la vie. La volonté d'avancer permet la possibilité du don de bénédiction.

Alors que tout le groupe bénit les images, chaque homme, femme et enfant découvre en lui la paix qui est le Don. Le fait de prononcer la bénédiction à haute voix augmente son effet et la rend plus réelle pour l'individu. Doucement au départ, puis plus fort, le groupe entier commence en disant :

Je bénis ces actes choisis qui nous ont permis de nous connaître ainsi.

Je bénis les soldats qui ont enlevé la vie à ce loup, afin qu'ils puissent se connaître eux-mêmes en enlevant cette vie.

Je bénis ce loup qui a suffisamment aimé pour donner sa vie, afin qu'il puisse se connaître lui-même en donnant sa vie.

Je me bénis en tant que témoin de cet acte, afin de pouvoir me connaître ainsi.

Les mots peuvent varier chaque fois, le résultat sera le même. Peu après le début de la bénédiction commencent les reniflements, les toussotements, les déplacements de posture et les yeux rougis. Peu après, entre deux sanglots ici et là, je vois des larmes jaillir dans les yeux d'avocats, de professionnels des soins de santé, de militaires de carrière, d'ingénieurs, de techniciens et de policiers. Même si chaque personne a une expérience unique du don de bénédiction, tous, à leur façon, ressentent la familiarité de la paix qui vient avec la résolution ; le soulagement de faire l'expérience d'une autre réponse. À sa manière, chaque personne a :

- reconnu la présence de toute pensée, de tout sentiment ou de toute émotion, sachant d'où ils proviennent et pourquoi elle se sent ainsi.
- accepté la possibilité que ce qu'elle ressent lui a suffisamment servi dans le passé pour l'amener à ce moment même de sa vie où elle peut choisir une voie qui lui sert davantage.
- résolu pour elle-même les équations du code de la compassion. Ce fait a amélioré la chimie de son corps en lui permettant de se pencher sur l'émotion du moment.
- invité le don de bénédiction dans sa vie en reconnaissant la nature divine de l'offrande de la vie, sans approuver l'expression de l'événement.

Soudain, pour certains individus, la pièce devient inopinément « légère », et on éprouve en général un sentiment de joie qui ne peut se présenter que dans la sagesse de la paix personnelle. Le rire éclate, alors que certains regardent les yeux larmoyants des autres assis tout près, reconnaissant ce qu'ils viennent de se rappeler. Le sentiment de légèreté et de soulagement représente le changement de chimie corporelle en réponse à un choix supérieur d'émotion. Le choix est celui de chaque personne exerçant son pouvoir inhérent de « devenir » plutôt que de « faire ». On a choisi un code supérieur. Chacun s'est souvenu de sa nature véritable. C'est le don ancien de la bénédiction en tant que compassion et Seconde Voie.

CHAPITRE QUATRE

LE LIEN OUBLIÉ

LA RÉSONANCE ET NOTRE SEPTIÈME SENS

FIGURE 5 : *Nénuphar*
Le symbole tibétain représente le Tout.

« Donne de l'amour à toutes choses,

aux plantes, rochers et montagnes ;

car l'Esprit est un,

même si les katchinas sont nombreux. »

TIRÉ DES MÉDITATIONS AVEC LES HOPIS[1]

Depuis des millénaires, les indigènes de ce monde nous demandent d'aimer notre demeure. Leurs chansons, leurs cérémonies et leurs prières nous rappellent notre relation avec notre maison, la terre. À travers l'histoire, ceux qui nous ont précédés ont désigné des jours particuliers pour que soit célébrée leur relation sacrée avec la terre. Ils savaient que leur corps, leur vie et tout ce qu'ils voyaient et appelaient leur monde étaient intimement reliés. Ce « lien » était maintenu en place par des forces qu'ils décrivaient en rappelant la beauté des anges, ou une gamme d'esprits mystérieux et invisibles. Parfois dans l'intimité tranquille de la maison, parfois dans des cérémonies élaborées rassemblant des centaines de personnes, le caractère sacré de la terre, et notre relation à celui-ci, a longtemps servi à établir des systèmes de croyances destinés à honorer notre demeure planétaire. Collectivement et individuellement, nos observances et nos cérémonies nous rappellent un principe intégré à la culture et à la vie de nos ancêtres il y a des milliers d'années.

Selon ce principe, vous et moi, sans exception, faisons partie intégrante, de façon intime, de tout ce que nous voyons, et que nous appelons notre monde.

D'une manière ou d'une autre, par des « fils » invisibles et des « cordons » incommensurables, nous sommes partie intégrante de chaque expression de la vie. Chaque rocher, arbre, montagne, rivière et océan fait partie de chacun de nous. Mieux, peut-être : vous et moi, nous nous rappelons que nous faisons partie l'un de l'autre.

Les anciennes écoles esséniennes de mystères présentaient un rappel semblable il y a 2500 ans. Du point de vue des maîtres esséniens, notre corps est un être vivant, complet et distinct de la conscience qui l'habite. Selon cette approche, votre corps est en accord d'union sacrée entre les forces intégrantes de ce monde. En unissant volontairement, comme en un mariage angélique, notre père céleste et notre mère terrestre, ces forces nous accordent, à vous et à moi, la chance de vivre en ce monde.

« *Je vous le dis en vérité, l'Homme vient de la Terre Mère, et d'elle le Fils de l'homme a reçu son corps entier, même si le corps d'un nouveau-né vient du ventre de sa mère. Je vous le dis en vérité, vous ne faites qu'un avec la Terre Mère, elle est en vous et vous en elle.* »

D'APRÈS L'ÉVANGILE ESSÉNIEN DE LA PAIX[2].

« *Car l'esprit du Fils de l'Homme a été créé de l'esprit du Père céleste, et son corps du corps de la Mère Terre. [...] les Anges de la Terre Mère sont au nombre de sept. [...] l'Ange du Soleil... l'Ange de l'Eau... l'Ange de l'Air... l'Ange de la Terre... l'Ange de la Vie... l'Ange de la Joie... l'Ange de notre Mère Terre, Celle qui envoie ses Anges...* »

D'APRÈS L'ÉVANGILE ESSÉNIEN DE LA PAIX[3].

En langage moderne, ces anges sont nos forces électriques et magnétiques, l'énergie masculine et féminine, une « lumière lente » qui parcourt notre conscience en tant que patterns d'énergie. Les anges de ce monde nous aiment tellement qu'ils ont accepté de s'offrir à nous, respectant leur promesse d'union aussi longtemps que notre volonté consentira à maintenir cette vibration en place. Nous vivons le privilège d'occuper la forme vivante de notre corps, partageant symboliquement notre expérience jusqu'à ce que l'accord s'achève ou soit bloqué.

Votre corps ne pourrait exister s'il ne rassemblait les éléments mêmes qui composent le monde dans lequel vous en faites l'expérience. Tout au long du processus que nous appelons la vie, vous avez projeté la conscience de celui que vous croyez être, sous la forme d'une enveloppe composée des matériaux qui forment le monde environnant. À travers la sagesse ancienne du circuit sacré, la connexion, tout comme le mystère, est encore plus profonde. Une croyance universelle et ancienne souligne cette perspective avec clarté. En termes simples, ce principe nous rappelle que notre corps est le miroir qui reflète notre qualité de pensée, de sentiment et d'émotion.

LES LARMES DE LA TERRE

Le fait de grandir dans le Midwest, durant les années 50 et 60, m'a fourni l'occasion d'observer de visu l'attitude d'amis et de voisins par rapport à leur demeure la terre. Je me souviens d'avoir regardé la télévision en famille, durant les années de la guerre froide, cette guerre verbale entre les idéaux de l'Est communiste et de l'Ouest démocratique. Souvent, dans le cadre de publicités et d'annonces payées, des images horribles passaient en vitesse à l'écran et me hantaient toute la soirée, même le lendemain. Ces flashes étaient souvent les images trop familières d'une explosion nucléaire. Même si les films étaient en noir et blanc, la furie des explosions était nette. Les structures de bois éclataient et des vents incroyables balayaient la campagne. De tout ce qui, par malheur, se trouvait à une distance critique du

« point zéro », il ne restait rien : les humains, les objets et autres se pulvérisaient dans la chaleur intense. Vu les conséquences d'un tel événement, une menace très réelle qu'impliquait la guerre froide à l'époque, je me rappelle m'être dit, en regardant l'explosion :

Comment ont-ils pu ?

Comment ont-ils pu faire une telle chose à la terre ?

Une corrélation étrange et méconnue existe entre les explosions nucléaires de l'après-guerre et les patterns climatiques de la même époque. Immédiatement après une explosion atomique, un orage immense est souvent observé par les scientifiques. Ces orages apportent avec eux des vents forts et une averse de pluie attirée vers la région de l'explosion. Alors que je regardais attentivement l'image du nuage-champignon qui striait l'atmosphère au-dessus de la terre, je me rappelle avoir ressenti dans mon corps une impression de douleur, un sentiment de nausée. La Terre venait d'être blessée. Quand j'ai appris que des pluies allaient suivre les explosions, une voix familière en moi a dit tout simplement :

Pluie, larmes de la terre.

Je me souviens de ces moments et j'y pense souvent.

Je me rappelle aussi avoir parcouru avec ma famille de vastes étendues de routes pavées, le nouveau système d'autoroutes du nord du Missouri. Conçues à l'origine pour la mobilisation rapide de ressources militaires partout dans le pays, les autoroutes sont rapidement devenues une industrie en soi. En quelques courtes années, elles furent bordées d'ateliers de mécanique et de garages. Bientôt, les hôtels devinrent des motels et, bien sûr, il y eut l'arrivée des repas-minute. Une nouvelle sorte de restaurants naquit durant ces années-là, ceux de la bouffe-minute avec commandes à l'auto, tels que McDonald's et Smack's. Il devint possible pour toute la famille de lire un menu, de commander un repas, de payer à la caisse et de revenir sur la route en quelques minutes, sans même quitter l'auto.

Je me souviens bien clairement d'avoir conduit le long des autoroutes et d'avoir regardé par la vitre du siège arrière de notre Plymouth familiale, les voies médianes et les terre-pleins le long de la route. Sur des kilomètres, les accotements et les voies médianes étaient encombrés de déchets, de toutes les sortes de déchets imaginables. Des voitures abandonnées, de vieilles machines à laver et des pièces d'autos, des matériaux de plomberie et de construction, des pneus, des bouteilles de Coke, des paquets de cigarettes et de gomme à mâcher et, bien sûr, les emballages alimentaires étaient monnaie courante. Lorsqu'à pleines voitures, les gens apportaient leurs repas dans des sacs, ils jetaient des cellophanes à sandwichs, des sacs de frites vides, des contenants à boisson, des pailles de plastique, des serviettes de papier, des sachets de ketchup, de moutarde, de sel et de poivre à l'endroit qui semblait tout désigné à l'époque : par la fenêtre. Où allaient toutes ces ordures ? À quoi pouvions-nous penser ?

Notre pays entretenait une conviction non verbale selon laquelle la terre était si vaste qu'elle pouvait absorber tous ces déchets. L'idée était celle-ci : par un processus de décomposition qui n'était pas encore documenté, les ordures allaient, comme par magie, « s'arranger ». Cette certitude s'appliquait non seulement aux masses terrestres mais également aux océans. Pendant des décennies, les déchets industriels provenant d'usines de toutes sortes : papeteries, aciéries, usines textiles, de cuivre, de teinture, usines chimiques et pétrolières, de même que les déchets domestiques, étaient envoyés dans les sites les plus grands et les moins chers disponibles à l'époque : nos océans.

Malgré les avertissements de scientifiques et de ceux qu'on appelait les « environnementalistes », notre déversement se poursuivit jusqu'à la fin des années 70, alors que l'impensable commença à apparaître. Un jour, les déchets se mirent à refluer sur les plages et les zones de villégiature les plus fréquentées le long des côtes américaines. Ce n'étaient pas des déchets ordinaires. Des matériaux toxiques provenant de laboratoires médicaux, d'hôpitaux et de compagnies pharmaceutiques réapparurent sur les plages publiques. De grandes zones de côtes dans le nord-est étaient soudainement recouvertes de seringues hypodermiques, de fournitures chirurgicales, de paquets d'organes et de tissus. Le problème ne pouvait plus être ignoré. Depuis lors, en ce pays, des mesures ont été prises pour réglementer l'élimination des déchets. Que dire des autres pays ?

Lorsque j'organise des groupes de voyages sacrés au Pérou, nous atterrissons habituellement à Lima et passons au moins une nuit dans un quartier chic de cette immense ville, le Miraflores District. Ici, les jolies haciendas et les somptueux domaines de certaines des familles les plus prospères sont situés à quelques rues de l'océan et des plages de Lima. Les participants de nos groupes sont renversés par un spectacle devenu ordinaire aux yeux des résidants de ces belles régions. Chaque jour, tôt le matin et juste avant le coucher du soleil, il n'est pas rare de voir des centaines de mouettes tournoyer au-dessus des côtes, alors que les camions font la file le long des falaises qui surplombent l'océan et les places à des centaines de mètres plus bas. Les camions déversent des ordures fraîches. Des déchets cueillis dans la ville sont jetés directement dans l'océan! Apparemment, cette pratique est sanctionnée, car la ville est si grande (environ six millions et demi d'habitants) et génère tellement de détritus qu'on ne peut les stocker nulle part. C'est souvent là un défi pour les membres des groupes que de regarder sans juger le processus de nos voisins qui apprennent les mêmes leçons que nous, vingt-cinq ans plus tard.

Le propos de cet exposé, c'est que presque universellement, pour des raisons qui vont de l'ignorance à la négligence totale, il y a eu un manque de respect quant au rôle que joue notre planète dans nos vies et dans notre survie même. Ce manque de respect n'est pas soulevé ici dans le but de juger ces gestes comme étant bons ou mauvais. Dans le passé, le déchargement aveugle a été notre voie, notre Première Voie, et celle-ci nous a bien servis. Chaque voie entraîne une conséquence. C'est la conséquence du déchet récursif, de nos ordures qui « ressuscitent » devant nous, qui nous a amenés à apprendre d'autres manières d'agir. Nous avons choisi une option supérieure : honorer notre demeure en remplaçant le déchargement aveugle. En tant qu'espèce, nous nous rappelons une fois de plus une leçon que les peuples anciens et oubliés de la terre présentent depuis des siècles. À maintes reprises, ils nous demandent avec insistance : aimez votre maison, aimez votre terre, et votre terre vous nourrira. Pourquoi maintenant ?

Pourquoi ressentons-nous maintenant ce sentiment de soigner, de nourrir et de garder la terre ? Quel est le lien mystérieux qui est pour nous, depuis l'Antiquité, le fait d'honorer cet endroit ?

NOTRE SEPTIÈME SENS

La plupart d'entre nous considérons, ou du moins soupçonnons, que notre planète est importante pour nous, qu'elle joue un certain rôle dans notre façon de vivre. Dans le passé, ce rôle a souvent été embrouillé ou du moins nébuleux. Quel rôle précis la terre joue-t-elle dans nos vies ? Comprendre ce rôle, c'est saisir l'un des mystères les plus anciens. Ce mystère vous permet non seulement de faire partie de votre monde, mais d'intercéder en votre propre nom pour arriver au résultat désiré de la qualité de votre monde.

Le souvenir de votre relation avec la terre est celui de l'un des grands mystères des Anciens. C'est le mystère du circuit sacré.

Les études modernes des sciences de la vie nous ont enseigné que le cerveau est l'organe maître qui règle la fonction et la performance de chaque cellule de notre corps. En dirigeant de minuscules impulsions électriques le long de circuits biologiques de fibres nerveuses, notre cerveau transmet de l'information vitale à nos muscles et à nos glandes, qui servent de sous-station électrique dans notre corps. De plus, selon ce raisonnement, le cerveau contrôle en fait chaque fonction, à l'intérieur de chaque cellule, du corps humain. La capacité de chaque cellule de se régénérer et les processus du vieillissement et de la détérioration déclenchent une sécrétion chimique et hormonale ; même le système immunitaire est dirigé par des signaux du cerveau. Ce concept est le raisonnement premier qui sous-tend nombre de nos modèles actuels de santé physique autant que mentale.

Tandis que ces fonctions de notre cerveau ont été démontrées avec certitude, des textes anciens nous rappellent – et les scientifiques modernes le soupçonnent – que ce modèle est peut-être incomplet. Jusqu'à tout récemment, un mystère entourant notre fonction cérébrale a mystifié les spécialistes des sciences de la vie.

Voici ce mystère. En reconnaissant que les impulsions rythmiques du cerveau régulent les systèmes du corps humain, d'où le cerveau reçoit-il l'information nécessaire pour accomplir ces fonctions ? D'où proviennent les signaux du cerveau ?

Les recherches récentes ont confirmé ce que les peuples indigènes du monde proposent depuis des milliers d'années au moyen de leur science. Des données de chercheurs occidentaux ont scientifiquement démontré un lien que les textes anciens présentent depuis longtemps à travers la tradition et le folklore. Notre cerveau est directement relié à un autre organe vital de notre corps. *Notre cerveau est branché sur notre cœur.* Même si les études en cours peuvent éventuellement indiquer d'autres connexions, le lien dont on parle ici est une connexion non physique, bien que numériquement mesurable. On peut considérer celle-ci comme un circuit en phase et résonant. C'est la connexion vibratoire entre notre cœur et notre cerveau qui fournit la voie pulsée, neuronale, qui baigne notre cerveau dans des champs d'information.

En générant des signaux de référence, notre cœur fournit à notre cerveau la chance de fonctionner de manière optimale. Pour décrire cette relation, on parle de l' « effet d'entraînement ». Alors que nous élaborons notre concept du circuit sacré, nous pouvons affirmer que notre cœur a un effet d'entraînement sur le cerveau et qu'à son tour, notre cerveau entraîne chaque cellule de notre corps. J'insiste pour dire que les signaux de référence de l'effet d'entraînement ne représentent qu'une *occasion* d'entraînement. Les choix de style de vie et de système de croyances jouent un rôle important dans notre circuit terre-cœur.

Presque immédiatement, les chercheurs ont posé la question suivante : « Si notre cœur a un effet d'entraînement sur notre cerveau et que notre cerveau a un effet d'entraînement sur chacune des cellules de notre corps, alors d'où notre cœur reçoit-il ses signaux ? Avec quoi notre cœur se met-il en phase, précisément ? »

En examinant les enseignements de nos aînés planétaires, nous trouvons un indice subtil mais puissant. Depuis d'innombrables générations, on nous demande d'aimer notre monde. On nous a dit que ceux qui le font peuvent s'attendre à vivre longtemps, d'une façon saine et fructueuse, ayant appris à accepter avec grâce les changements de cette vie. Cet amour de la terre n'est pas nécessairement une invitation à des cérémonies de vénération et à des rituels, même si certains ont choisi de symboliser ainsi leur amour. Cette demande, qui est parfois presque un plaidoyer en vue d'honorer le monde qui nous donne la chance même de la vie, est plutôt une reconnaissance littérale d'une autre composante de notre circuit sacré. Est-il possible que cette exhortation ancienne ait un aspect méconnu ?

En cherchant la nature de l'indice, des chercheurs ont reconnu une similitude entre les gammes de basses fréquences auxquelles le cœur semble répondre et une série connue de fréquences mesurées pour la première fois il y a moins de cent ans, soit les fréquences harmoniques de la résonance terrestre. Historiquement situées aux alentours de 7,83 cycles par seconde, ou 7,83 hertz, elles semblent offrir au moins la possibilité d'une relation, d'un « lien de résonance » entre la pulsation de base de la terre, les chants magnétiques terrestres et les signaux de fonction optimale pour le cœur humain. Dans un article de 1992 intitulé « Testing the Effects of Heart Coherence on DNA, and Immune Function[4] » [Tests menés sur les effets de la cohérence cardiaque sur l'ADN et la fonction immunitaire], le chercheur Dan Winter a commenté les premières recherches effectuées au HeartMath Institute, en Californie du Nord. Dans ce rapport, des électrodes placées de façon stratégique sur des individus choisis, de même que dans la terre, ont enregistré la pulsation électromagnétique, la réponse vibratoire, à des changements au sein du système humain terrestre, des deux côtés de ce système. Alors que les moniteurs traçaient les rythmes électromagnétiques de la terre et du participant humain, un ensemble étonnant de patterns devenait clair. Une corrélation directe existait entre les pics et les vallées du cœur humain et les pics et vallées de la terre, à cet endroit, à ce moment.

Dans un second article intitulé « Can The Human Heart Directly Affect The Coherence of The Earth's Magnetic Field ? » [Le cœur humain peut-il affecter directement la cohérence du champ magnétique terrestre ?], Winter commente d'autres données du HeartMath concernant les mesures d'EKG du cœur humain et la résonance des FEB (fréquences extrêmement basses) de la terre.

« Nos données montrent que là où la grille terrestre est verrouillée, le cœur humain est particulièrement à l'extrémité ondulatoire la plus longue de la fréquence la plus basse du résonateur le plus intense de la biologie[5]. » En tant que résonance, l'échange bidirectionnel d'information électrique a été établi entre la terre et le cœur du sujet, chacun commençant à entraîner l'autre. Cet effet d'entraînement reflétait le degré d'harmonie entre le participant et la terre. Ces résultats, bien qu'ils ne soient pas étonnants à la lumière des textes anciens, constituent une validation fabuleuse du message de bien des textes, qui nous rappellent notre relation avec notre monde. Pour la première fois peut-être, notre circuit sacré a été identifié de même que mesuré numériquement. Les études ont démontré que non seulement le cœur humain est « en phase » avec ce signal de la terre, mais que la terre semble répondre à des changements du cœur humain ! À présent, une vision renversante de notre relation avec la terre se déploie petit à petit. En plus d'être une forme de vie parcourant ce monde avec de la chair, des os, des cheveux et des organes, nous avons une connaissance directe d'un lien de résonance, d'une relation fondée sur notre capacité d'être en phase avec des patterns qui nous sont offerts par notre signal de référence le plus proche, notre demeure terrestre.

Lorsque nous considérons notre cœur comme un résonateur de cristal liquide stratifié, il devient notre organe maître et adapte sa résonance à celle de la terre. En tant que résonateur secondaire, notre cerveau vit en résonance harmonique avec le signal de référence présenté par le cœur, peu importe la qualité ou l'état complet du signal. En tant qu'organe maître régulant la fonction d'autres organes et des fonctions métaboliques, c'est notre cerveau qui distribue cette vibration sacrée dans tous les systèmes de notre corps. Ce concept, en soi, fournit un contexte plus grand et plus complet aux références anciennes du « chant de la terre ». Il démontre l'importance d' « apprendre » ce chant en tant qu'étape intégrante de notre bien-être physique et émotionnel.

Comme si ces corrélations n'étaient pas d'un intérêt suffisant, ces études ont une composante supplémentaire. Sous les yeux des chercheurs, les graphes dessinaient des pics et des vallées bien définis indiquant des périodes de résonance supérieure ou moindre. Quand les sujets se sentaient « en harmonie » avec la terre, le pic dans la ligne du cœur correspondait à celui de la ligne terrestre. Lorsque les sujets s'écartaient des sentiments d'harmonie, les pics ne correspondaient plus et se déplaçaient de part et d'autre, à mesure que l'effet d'entraînement diminuait.

Les participants humains découvrirent qu'ils pouvaient modifier la corrélation, lorsqu'ils avaient des pics et des vallées moins nombreux et moins prononcés avec la terre, tout simplement en changeant leurs émotions. Les volontaires qui se prêtaient à l'expérience se rendirent compte qu'ils pouvaient améliorer ou désamorcer l'effet d'entraînement entre leur cœur et la terre : il leur suffisait d'éprouver un sentiment.

Serait-ce possible ?

Serait-ce qu'en altérant notre façon de sentir, non seulement nous affectons mais déterminons aussi notre manière d'être en phase avec le circuit de résonance de la création ? Ce circuit est responsable de la qualité du signal qui nourrit chaque cellule de notre corps. Ce circuit détermine la vitalité et le bien-être de chaque cellule, et les organes que créent ces cellules. Est-il possible qu'un sentiment puisse définir la qualité de ce signal ?

La réponse à cette question est peut-être « oui ». Pour la première fois, peut-être, voici une validation numérique du conseil qu'offrent depuis si longtemps les peuples indigènes sur la relation entre notre cœur, notre terre et nos corps. Ils nous ont demandé, tout simplement, d'aimer notre terre et d'aimer nos corps. Lorsque nous sentons ce signal, cela devient notre *septième sens*, soit le fait de savoir quand nous sommes en synchronie avec la terre et quand nous ne le sommes pas. C'est ce septième sens de l'harmonie avec notre circuit sacré qui fournit l'objectif par lequel nous voyons les événements de la vie lorsque nous les qualifions de désirables ou d'indésirables.

Les occasions qui ont permis la plus grande harmonie entre la terre et les participants se sont produites dans des moments de résonance vibratoire sympathique, avec un sentiment que nous appelons « amour ». En créant un sentiment négatif ou dysharmonique, les participants ont été déphasés et en harmonie moins grande avec la terre. On se demande pourquoi.

La réponse est la suivante : quand nous exprimons la peur et tous ses dérivés, notre circuit sacré est incomplet.

L'AMOUR, LA PEUR, LA DOULEUR ET L'ÉMOTION INTENTIONNELLE

Se peut-il que notre façon de sentir, la qualité de nos sentiments et le degré auquel nous nous permettons des émotions aient un impact sur la qualité de l' « information » qui circule dans notre connexion terre-cœur-cerveau-cellule ? De nombreux individus ont le sentiment intuitif que la réponse à cette question est « oui ». Manquant de validation numérique pour justifier leur sentiment, ils disent tout simplement que ça leur semble bon, comme s'il y avait un lien. Il doit y en avoir un. Je crois qu'en chacun de nous, il y a un espace qui se rappelle ce sens, cette technologie intérieure en tant qu'état d'être.

La recherche récente accorde à présent de la crédibilité à cette croyance, offrant pour la première fois à ceux qui sont plus à l'aise avec la validation, une base graphique et numérique à ce que notre intuition nous dit. *The American Journal of Cardiology* a récemment publié les résultats d'études sur la relation entre l'émotion humaine et le cœur humain. Cet article, intitulé « The Effects of Emotions on Short-Term Power Spectrum Analysis of Heart Rate Variability » [Les effets des émotions sur l'analyse spectrale forte à court terme de la variabilité du rythme cardiaque], se résume ainsi pour ce qui est de la conclusion :

« Les résultats (de l'étude) suggèrent que les émotions entraînent des modifications de la VRC (variabilité du rythme cardiaque) qui peuvent être bénéfiques dans le traitement de l'hypertension et réduire les risques de mort soudaine chez des patients atteints de défaillance cardiaque congestive et de maladie coronarienne[6]. »

La recherche originale menée par William Tiller de la Stangford University et par Rollin McCraty et Mike Atkinson du HeartMath Institute, a été publiée dans le *Journal of Alternative Therapies* en janvier 1996. L'article intitulé « Head-Heart Entrainment : A Preliminary Survey » [Effet d'entraînement tête-cœur : enquête préliminaire] rapportait les découvertes d'une étude du rôle de « l'autogestion mentale et émotionnelle et la variabilité du rythme cardiaque ». Le rapport concluait ainsi :

« Les résultats de ce travail démontrent que des sentiments sincères d'appréciation produisent un changement spectral puissant vers l'activité de MF [moyenne fréquence] et de HF [haute fréquence], et soutiennent d'autres études indiquant que : 1. les centres majeurs du corps renfermant des oscillateurs biologiques peuvent agir en tant qu'oscillateurs électriques couplés, 2. ces oscillateurs peuvent être synchronisés à un contrôle de soi mental et émotionnel, et 3. les effets du corps d'une telle synchronisation sont en corrélation avec des changements importants de la perception et de la fonction cardiovasculaire »[7].

Il apparaît clairement qu'il y a un rapport, peut-être un lien direct, entre notre qualité d'émotion et la qualité de notre fonction cardiaque et de notre réponse à la vie. Est-il étonnant que l'on accorde autant d'attention au rôle du cœur dans nos relations avec les autres ? C'est dans le cœur que nous sentons la joie de l'amour ou la douleur de la peur que nous reflètent nos relations. Notre joie et notre douleur peuvent être envisagées du point de vue de la qualité de l'information, du signal de résonance de notre circuit sacré, qui palpite à travers les résonateurs de cristal liquide de notre cœur et de notre cerveau. À partir du cerveau, le signal continue, régulant les systèmes interconnectés de nos corps. La recherche démontre à présent ce que nous soupçonnons depuis longtemps par intuition.

Nos sentiments et nos émotions influencent en fait la qualité, la vitalité et la vie de notre cœur.

Dans ce circuit sacré terre-cœur-cerveau-cellule, il est clair que tout changement introduit n'importe où dans le système doit trouver sa place dans tout le reste du système. Notre propre science a démontré que la terre est en train de changer. Un nouveau magnétisme et une nouvelle fréquence sont en train de redéfinir l'expression de la terre en tant que systèmes d'énergie reliés.

SI
la terre est en train de se transformer
ET
que chaque cellule de chaque humain est « en phase » avec la terre,
ALORS
nous devons changer dans notre corps pour faire place au changement
dans notre monde.

Nous visons le circuit sacré. Dans la recherche à laquelle nous avons fait référence auparavant, un phénomène intéressant est apparu. Bien qu'il semble y avoir un lien direct de résonance entre le cœur humain, le cerveau et la terre, le degré de phase varie d'un individu à un autre. Autrement dit, la qualité de cette phase n'est pas constante chez chaque sujet et fluctue en fonction des individus, même durant la période de tests. La question est « Pourquoi ? ».

Quel changement venant de l'individu pourrait affecter un circuit aussi universel ? La réponse à cette question est la chance que nous offre le circuit sacré. Notre connexion terre-cœur-cerveau-cellule est régulée, du moins en partie, par le sentiment et l'émotion. Pour les sujets, c'est la qualité de pensée et d'émotion qui détermine la qualité de la phase !

Notre monde de sentiments pourrait-il influencer directement le degré de cette connexion ?

Si tel était le cas, nous nous attendrions à voir l'impact du sentiment reflété dans les systèmes du corps, régulé en tant que circuit sacré. À l'été 1995, Glen Rein, Ph.D., Mike Atkinson et Rollin McCraty, M.A., ont publié un article dans le *Journal of Advancement in Medicine*. Intitulé « The Physiological and Psychological Effects of Compassion and Anger » [Les effets physiologiques et psychologiques de la compassion et de la colère], l'article se concentrait sur l'étude de l'immunoglobuline salivaire A (S-IgA), un anticorps que l'on trouve dans le mucus et qui est la clé de la défense contre l'infection pour le système respiratoire supérieur, le système gastro-intestinal et le système urinaire. En général, on peut dire que « les taux supérieurs de S-IgA sont associés à une diminution de l'incidence des maladies du système respiratoire supérieur ». Selon un résumé de l'article, « la colère produit une augmentation importante de la perturbation de l'humeur générale et du rythme cardiaque, mais pas au niveau du S-IgA. Les émotions positives, par contre, entraînent une augmentation importante des taux de S-IgA. Le fait d'examiner les effets sur une période de six heures, par opposition aux soins, a donné lieu à une inhibition significative de S-IgA d'une durée de une à cinq heures après l'expérience émotionnelle[8] ».

Des études additionnelles ont impliqué l'émotion dans des occurrences d'hypertension, de congestion cardiaque congestive et de maladie coronarienne. Pourquoi nous attendrions-nous à moins ? Si, en fait, nous sommes en phase et en résonance avec tout ce que nous considérons être notre monde, pourquoi nous attendrions-nous à être moins qu'intimement reliés aux fonctions de notre monde ? Plus précisément, les questions suivantes viennent à l'esprit :

- Si, comme l'indiquent les preuves, ce circuit nous met tous en phase avec ce que nous considérons être notre monde, pourquoi la mise en phase varie-t-elle d'un individu à l'autre ?
- Pourquoi le lien entre nous et notre monde n'est-il pas le meilleur possible ?
- Quelle source d'interférence empêche la résonance complète terre-cœur-cerveau-cellule ?

La réponse à chacune de ces très bonnes questions semble simple et complexe à la fois. Incroyablement simple, la réponse est l'émotion que nous appelons « la peur ». La peur est actuellement le seul pattern d'interférence connu pouvant empêcher la résonance terre-cœur-cerveau-cellule. Autrement dit, la peur est l'émotion qui vous tient séparé de votre monde, de ceux que vous aimez, de votre bien-être, de la création et, en définitive, de votre créateur.

Voyez votre corps comme un point de mire, un lieu dans l'espace et le temps qui permet la fusion des multiples aspects de la création en un seul lieu. L'enveloppe de votre corps peut n'être rien de plus que les matériaux qui vous sont disponibles en ce monde et à partir desquels vous pouvez construire votre enveloppe. Si vous viviez dans un autre monde, avec d'autres éléments, ceux-ci deviendraient alors les constituantes de votre corps. C'est dans le modèle de votre corps que vous avez habilement fusionné votre conscience. Tout au long des années de formation de votre vie, vous apprenez à manœuvrer votre conscience insérée dans l'enveloppe de votre corps. Même si vous faites l'expérience du monde du « temps », vous n'existez pas exclusivement en tant que temps. Même si vous faites l'expérience du monde de l' « espace », vous ne vivez pas exclusivement en tant qu'espace. Même si vous faites l'expérience des mondes matériel et immatériel, vous vivez dans les deux et n'êtes dans aucun exclusivement.

Vous êtes les résonateurs, le lieu de rencontre des mondes du temps, de l'espace, de la matière et de la non-matière. Vous déterminez la qualité et la durée de chaque composante alors que vous dirigez de main de maître les proportions de temps, d'espace et de matière dans la forme que vous appelez votre vie. Vos outils, les codes qui permettent le maillage de ces puissants états de création, se trouvent dans le pouvoir subtil de la pensée, de l'émotion et du sentiment. C'est par le biais de ces éléments de la technologie intérieure que nous définissons les patterns qui améliorent ou découragent notre lien oublié avec toute la création. À présent, nous nous rappelons notre « lien perdu », notre circuit sacré.

Utilisés avec souplesse, avec des définitions variables dans bien des cercles aujourd'hui, nos concepts de mémoire, de pensée, de sentiment et d'émotion jouent un rôle clé dans l'acceptation de notre circuit sacré.

LA MÉMOIRE

Alors que nous redéfinissons la nature de la terre afin qu'elle reflète de nouvelles notions des systèmes terrestres, nous devons aussi redéfinir notre propre nature afin d'accommoder ces notions. L'un des premiers concepts, peut-être, que l'on nous demande d'exposer est celui d'une expérience que nous appelons « mémoire ». Notre technologie actuelle considère la mémoire comme un phénomène biochimique qui provient de l'intérieur même du cerveau. D'après une explication simpliste de notre vision actuelle, c'est dans les cellules de notre cerveau que réside l'équivalent bio-électrique de nos expériences.

La recherche sur le partage de la mémoire décrit une expérience collective à laquelle font référence des textes anciens. De part et d'autre, il est dit que ce n'est pas notre cerveau qui se rappelle ! Les expériences de nos vies ne vivent pas en tant que circuits encodés à l'intérieur de notre cerveau. Notre cerveau serait plutôt un *résonateur*, l'oscillateur de cristal liquide qui nous permet d'être en phase avec le lieu, dans la création, où vit l'équivalent vibratoire de notre expérience.

Tout au long de votre expérience de vie, vous construisez de nouvelles voies, des circuits neuronaux de résonance, qui créent les liens vibratoires entre vous et le lieu où votre expérience est emmagasinée. Votre mémoire devient un équivalent vibratoire de l'expérience qui l'a fournie. Comme vous vous le rappelez, c'est le filtre à travers lequel vous percevez votre expérience qui détermine de quelle façon votre souvenir vous apparaît. Quelqu'un d'autre accédant à la même mémoire vibratoire peut avoir une expérience très différente, telle qu'elle est interprétée d'après les filtres uniques de son expérience personnelle. Vous pouvez concevoir ce lieu de mémoire comme votre créneau particulier dans les patterns d'onde verticaux de notre mémoire collective. Ce déploiement de la mémoire humaine est souvent appelé « akasha » ou « archives akashiques ».

Notre fonction cérébrale est semblable à des rayons de bibliothèque. Dans cette analogie, les étagères représentent les patterns ondulatoires originaux qui fournissent le modèle de notre conscience. Sur les étagères, notre expérience individuelle tombe en place, la nature de chaque expérience déterminant sur quelle étagère celle-ci est placée. Vos codes neuronaux créent vos voies vibratoires, vous menant au lieu de repos de votre expérience. La mémoire, alors, peut être définie comme la mise en phase de vos voies neuronales avec l'équivalent vibratoire d'une expérience passée.

Je me rappelle avoir lu un article de recherche exposant les qualités de tissu cérébral que l'on soupçonne d'être à l'origine des cas de mémoire extraordinaire. L'article exposait en détail une procédure accomplie sur le cerveau d'Albert Einstein après sa mort. Pendant toutes ces années, ses tissus neuronaux ont été conservés, testés et étudiés par divers groupes de recherche. On espérait découvrir un indice, une indication de quelque anormalité qui expliquerait pourquoi le Dr Einstein avait pu voir le monde comme il l'avait fait. À la grande surprise des scientifiques, aucune différence n'avait apparemment permis au cerveau d'Einstein de fonctionner d'une meilleure façon que quiconque. C'est précisément ce que je m'attendrais à trouver dans le cerveau d'Albert Einstein ou de n'importe qui d'autre. Selon notre nouveau modèle de mémoire, notre cerveau est tout simplement le résonateur qui accède de manière vibratoire à l'information de notre vie, plutôt qu'un immense réservoir détenant vraiment l'information.

LA PENSÉE

La pensée fournit le système de guidage, la direction de l'endroit où l'énergie de votre attention peut être dirigée. Dans sa forme la plus pure, la pensée peut être considérée comme un potentiel sans énergie qui la mène à sa réalisation. Les scientifiques appellent ce potentiel une quantité « scalaire ». En l'absence du pouvoir de l'émotion, votre pensée peut être vue comme un modèle ou une simulation d'une expérience qui ne s'est pas encore produite. L'idée de la pensée est étroitement associée à l'« imagination ».

L'ÉMOTION

L'émotion est le pouvoir que vous injectez dans vos pensées pour les rendre réelles. En soi, l'émotion peut être perçue comme un potentiel, une quantité scalaire, sans énergie qui la mène à sa réalisation. Ce n'est pas avant que le pouvoir de l'émotion soit uni à la direction de la pensée que se manifeste une forme d'énergie réelle ou un vecteur. Vous éprouvez l'émotion sous la forme d'une sensation qui circule, dirigée ou logée dans la forme cristalline liquide de votre corps. On peut faire l'expérience de l'émotion directement ou par le choix d' « être ». Étroitement alignée avec le désir, l'émotion fournit la « volonté » de laisser une chose devenir telle.

LE SENTIMENT

Lorsque vous ressentez de l'amour, de la haine ou de la compassion, vous faites l'expérience du sentiment. Le sentiment peut être envisagé comme l'union de la pensée et de l'émotion, une quantité vectorielle de quelque chose de « réel » résultant de l'union de quantités « scalaires » de potentiel. Le sentiment est la sensation de l'émotion liée à la direction de la pensée rattachée à l'expérience dans l'instant. Le résonateur de cristal liquide du muscle cardiaque est le point de mire du sentiment. Voilà pourquoi le cœur répond si bien à l'amour et à la compassion. Cela est clair à présent. Par l'amour et la compassion, votre cœur est mis en phase de manière optimale et ouverte avec la terre et permet au circuit de s'exprimer pleinement et complètement.

À partir de ces définitions peut-être simplistes apparaît la raison pour laquelle il est impossible d' « éliminer par la pensée » la peur et la douleur. La pensée donne une direction à votre attention, l'émotion lui fournit le carburant. Encore une fois, on nous rappelle l'axiome ancien selon lequel l'énergie suit l'attention.

Lorsque vous « éliminez par la pensée » ce que vous ne voulez pas dans votre vie, en réalité, la qualité de votre pensée accorde une attention considérable à l'expérience même que vous choisissez d'éviter. En ne la voulant pas, vous créez une charge qui vous donne l'occasion de faire l'expérience de la même charge à un moment donné de votre vie, afin de trouver son équilibre. Plutôt que d'accorder votre attention au négatif que vous croyez ne *pas vouloir*, vous pouvez faire un choix supérieur en identifiant ce que vous « choisissez » d'avoir dans votre vie.

Le moment où cette occasion est reconnue représente votre choix de redéfinir la charge à travers la compassion. Des textes anciens vous parlent directement, par le biais du puissant message de la compassion. Définie comme une qualité précise de pensée, de sentiment et d'émotion, la compassion représente le code vibratoire de la vie sans peur et de l'expérience sans douleur. Pour parler sur un mode positif, nous pouvons dire que c'est vivre dans la confiance et avec joie. Plus haut dans ce texte, nous avons défini la compassion comme une pensée sans attachement envers le résultat, le sentiment non altéré par la distorsion d'expériences passées, et l'émotion sans la charge de l'émotion.

Le code de la compassion répond au mystère de la vie sans peur ni douleur. Pour vivre en l'absence de peur et de douleur, vous devez en permettre la possibilité, c'est-à-dire les laisser tout simplement exister. Le fait de « permettre » la possibilité élimine la charge. S'il vous plaît, soyez clair par rapport à ce code chimico-comportemental subtil mais puissant. Permettre l'existence de quelque chose ne veut pas dire que l'on choisit qu'une chose arrive. Cela ne signifie aucunement qu'on l'approuve ou qu'on l'aime. Cela ne veut pas dire que l'on souhaiterait cela à quelqu'un d'autre. Permettre sous-entend tout simplement que l'on reconnaît l'existence de « quelque chose » et le rôle qu'il joue dans le contexte général de la vie. C'est tout, ni plus ni moins.

C'est par l'acte même de commander, de nier et de résister à la peur, à la douleur, à la colère et à la rage, qu'une charge puissante est créée. Cette charge vous apparaît comme l'endroit où votre attention est focalisée. Voyez-vous comment, dans le *non-vouloir*, votre attention (pensée) et votre énergie (émotion) sont en position de créer vraiment pour vous-même les choses que, selon vous, vous seriez le moins susceptible de choisir dans votre vie ?

Un bref exemple peut aider à clarifier ce concept puissant et pourtant nébuleux. Au cours des quelques dernières années, j'ai rencontré des individus qui étudient activement et professionnellement des façons de promouvoir la paix dans le monde. Sans aucun doute, voilà une cause noble et valable. Dans leurs études, cependant, ils ont développé une aversion contre tout ce qui ne cadre pas avec le modèle de paix qu'ils ont défini. Ils « veulent » que les armes disparaissent, qu'elles cessent d'être produites. Les murs de leurs bureaux sont couverts de photos et d'illustrations des conséquences des armes. L'absence de paix, l'oppression globale, le traitement inhumain des prisonniers politiques et des prisonniers de guerre sont tous des exemples des choses mêmes qu'ils travaillent à éliminer. Ils consultent des notes et des dossiers d'articles, de coupures de journaux et de rapports concernant des violations des droits humains et des animaux, la brutalité dans les sports et les films, la violence conjugale et les abus de toutes sortes faits aux enfants. Ils n'ont pas à chercher loin pour trouver des exemples d' « absence de paix ». Chaque journée est remplie d'occasions de voir la vie dans une perspective non paisible. Alors que nous sommes tous témoins d'exemples de ce qui peut être interprété comme une absence de paix, la clé du changement se trouve dans notre sentiment à propos de ce que nous avons vu.

En réagissant avec colère, rage ou peur, imaginez la charge immense accordée à l'événement. À travers le regard de la colère, les « experts » considèrent la colère et la rage qui les entourent dans leur monde. Ils s'identifient à elles à travers la charge qu'ils leur ont accordée. Leur vie peut devenir malheureuse lorsqu'ils tentent de plaquer leur modèle de paix et d'équilibre sur un monde qui vit dans la polarité et les extrêmes. Lorsque ces individus regardent les événements de notre monde, ils voient le changement à travers leur charge au sujet de la paix. Ils expriment leurs pensées en ces termes : « Comment allons-nous les *empêcher* de faire ceci… ? » et « Comment allons-nous les *obliger* à arrêter cela… ? ».

Curieusement, les études ont démontré que la vie privée et domestique de nombre de ces chercheurs est souvent marquée par la colère, la dysharmonie et l'abus. Pourquoi ? Que se passe-t-il ? Du point de vue énergétique, ces individus bien intentionnés accordent tellement d'attention à « ne pas vouloir » que la violence, la colère, la rage et le déséquilibre leur arrivent, qu'ils ont ainsi donné une charge immense à cette expérience. Cette charge fait en sorte qu'ils auront une expérience similaire dans leur vie. Même si vous « voyez » tous les événements à mesure qu'ils se déploient autour de vous, vous vivrez surtout ce à quoi vous vous identifiez.

Dans une perspective énergétique, voyez à quel point le fait de « permettre » est différent de la peur et de l'interdiction autoritaire. Dans la permission, le point de mire est retiré, l'attention est déplacée. Et si le point de mire était redirigé vers la charge positive de ce qu'on choisit dans la vie et non vers ce qu'on ne veut pas ? Et si l'attention était portée sur de nouvelles approches afin d'aider des communautés à travailler ensemble, à soutenir des familles pour les amener à comprendre leurs émotions et leurs sentiments ? Dans le déplacement de l'attention, la possibilité de violence et d'abus est permise. C'est toujours une possibilité parce que c'est une extrême d'une réalité polarisée. Dans des pensées de paix, de compréhension et de soutien, cependant, les pensées de rage et de violence n'ont pas beaucoup de sens. Même si elles sont permises, leur pouvoir est dissipé.

La qualité de notre pensée et de notre émotion détermine celle de notre sentiment. Est-il étonnant que nous sentions dans notre cœur ? Cette chambre de résonance sacrée, l'endroit où nous marions nos pensées et nos émotions, est notre premier lieu de résonance entre notre corps et notre terre. De ce point de vue, la peur, sans la juger « bonne » ou « mauvaise », représente tout simplement une qualité de pensée et d'émotion qui décourage notre relation envers la création.

Grâce à notre compréhension du circuit sacré, nous avons maintenant le langage et le contexte nécessaires pour envisager la peur d'un point de vue nouveau et significatif. C'est ce point de vue que je crois être l'un des rappels les plus puissants de notre rôle en ce monde à cette époque-ci. Je présenterai cette perspective dans un exposé sur l'un des plus grands mystères des sciences de la vie.

NOS CODES « OUBLIÉS »

Au milieu des années 50, James D. Watson a identifié les séquences des codes moléculaires qui permettent à la vie organique d'exister dans notre monde. Décrivant les constituantes de la vie biologique comme des combinaisons précises de carbone, d'oxygène, d'hydrogène et d'azote, nous désignons le modèle des possibilités de Watson sous le nom de *code génétique*. Presque immédiatement, des chercheurs ont identifié un mystère concernant ce code. Ce mystère est devenu le fondement de près de quarante ans de recherche et d'enquête. Sur les soixante-quatre combinaisons possibles permises dans notre code génétique, pourquoi ne sont-elles pas toutes « permises » ? Pourquoi certains codes semblent-ils être « ouverts », et d'autres « fermés » ?

Les implications d'une matrice variable qui déterminerait l'expression même de notre vie sont immenses. Par exemple, pourquoi, chez la plupart des autres animaux, le code qui permet la synthèse de la vitamine C est-il ouvert, tandis que le nôtre semble fermé ? Les cobayes, les singes et certaines chauves-souris sont parmi les rares animaux à partager cette condition avec l'homme. Pourquoi certains individus sont-ils plus susceptibles de contracter certains virus, certaines maladies, tandis que d'autres y sont moins sujets ? La réponse à chacune de ces questions, et à d'autres, se trouve dans la nature de notre code génétique, dans le contexte de l'émotion et de notre circuit sacré.

Dans chaque cellule du corps humain se trouve ce qu'on peut appeler des « micro antennes ». On peut les considérer comme de minuscules récepteurs moléculaires, en phase, par leur nature même, avec diverses qualités de vibration. Du point de vue structurel, ces antennes apparaissent comme des formes relativement longues et entrelacées d'une double hélice désignée sous le nom d'acide désoxyribonucléique, notre ADN. Des propriétés physiques de l'antenne, comme la longueur de chaque liant moléculaire, même l'angle du liant, déterminent la capacité de cette antenne particulière à se mettre en phase, ou à trouver une résonance, avec le signal de référence du cerveau.

Dans la terminologie de la biologie moléculaire, ces récepteurs s'expriment comme des sucres liés à l'une des quatre structures possibles désignées par des symboles uniques tels que « A », « C », « G » ou « U ». La séquence de ces bases le long de chaque chaîne de la molécule d'ADN définit la composition des acides aminés familiers qui sont essentiels à la vie organique que nous connaissons (tableau 1).

Dans cette matrice, nous trouvons le mystère, et peut-être la réponse, de la relation entre l'émotion humaine et l'ADN. Des soixante-quatre combinaisons possibles de notre code génétique, pourquoi vingt, seulement, semblent-elles actuellement « ouvertes » ? Si chacun des codes renvoie à une antenne unique qui nous permet de nous mettre en phase et de recevoir une qualité unique de vibration, pourquoi seulement vingt de ces com-

	Col. 1	Acide aminé	Col. 2	Acide aminé	Col. 3	Acide aminé	Col. 4	Acide aminé
U	UUU	PHE	UCU	SER	UAU	TYR	UGU	CYS
U	UUC	PHE	UCC	SER	UAC	TYR	UGC	CYS
U	**UUA**	**LEU**	UCA	SER	UAA	BLANK	UGA	BLANK
U	**UUG**	**LEU**	UCG	SER	UAG	BLANK	UGG	TRP
C	**CUU**	**LEU**	CCU	PRO	CAU	HIS	CGU	ARG
C	**CUC**	**LEU**	CCC	PRO	CAC	HIS	CGC	ARG
C	**CUA**	**LEU**	CCA	PRO	CAA	GLN	CGA	ARG
C	**CUG**	**LEU**	CCG	PRO	CAG	GLN	CGG	ARG
A	AUU	ILE	ACU	THR	AAU	ASN	AGU	SER
A	AUC	ILE	ACC	THR	AAC	ASN	AGC	SER
A	AUA	ILE	ACA	THR	AAA	LYS	AGA	ARG
A	AUG	MET	ACG	THR	AAG	LYS	AGG	ARG
G	GUU	VAL	GCU	ALA	GAU	ASP	GGU	GLY
G	GUC	VAL	GCC	ALA	GAC	ASP	GGC	GLY
G	GUA	VAL	GCA	ALA	GAA	GLU	GGA	GLY
G	GUG	VAL	GCG	ALA	GAG	GLU	GGG	GLY

TABLEAU 1
Matrice du code génétique humain.
Adapté du The Molecular Biology of the Gene,
par James D. Watson[9].

binaisons ont-elles été ouvertes dans le passé ? Par exemple, examinons les rangées trois à huit (en gras) de la colonne 1 du tableau 1. Dans la rangée trois l'antenne aminée de la leucine (LEU) est représentée par le code UUA. Ce code correspond à une combinaison unique des éléments qui composent cet élément constituant fondamental. La rangée suivante, la quatrième, indique un autre code qui, lui, désigne une combinaison d'éléments différente, soit UUG. Cependant, UUG donne exactement le même composé que UUA, la leucine. Pourquoi ?

Dans les rangées cinq à huit, nous voyons un processus similaire. Chaque code symbolise une expression unique d'éléments, mais tous don-

Séquence des acides aminés	Codes possibles					
PHE	UUU,	UUC				
LEU	UUG,	CUU,	UUA,	CUC,	CUG,	CUA
SER	UCU,	UCC,	UCG,	UCA,	AGU,	AGC
CYS	UGU,	UGC				
VAL	GUU,	GUC,	GUG,	GUA		
TRP	UGG					
TYR	UAU,	UAC				
PRO	CCU,	CCC,	CCG,	CCA		
ALA	GCU,	GCC,	GCG,	GCA		
ARG	CGU,	CGC,	CGG,	CGA,	AGG	
GLY	GGU,	GGC,	GGG,	GGA		
ILE	AUU,	AUC,	AUA			
BLANK	UGU,	UAG,	UAA			
MET	AUG					
HSI	CAU,	CAC				
ASP	GAU,	GAC				
THR	ACU,	ACC,	ACG,	ACA		
GLN	CAG,	CAA				
GLU	GAG,	GAA				
ASN	AAU,	AAC				
LYS	AAG,	AAA				

TABLEAU 2

*Comparaison de combinaisons possibles de C, H, O et N,
et l'acide aminé auquel chaque combinaison revient.
Recherche originale : Gregg Braden, 1995.*

nent le même composé : la leucine. Pourquoi ? Une autre façon de considérer ce mystère se trouve dans le tableau 2. La colonne de droite constitue un résumé de toutes les combinaisons possibles du carbone (C), de l'oxygène (O), de l'hydrogène (H) et de l'azote (N) disponibles sous la forme de notre code génétique. Chacune est représentée par son symbole unique de trois lettres. À gauche se trouve le seul acide aminé auquel reviennent les combinaisons de droite. Dans ce tableau, notre exemple de la leucine (LEU) apparaît dans la rangée deux. Notez les six combinaisons codées de C, O, H et N séparées par des virgules. Cependant, si différentes qu'elles soient symboliquement, chacune correspond au même acide aminé, la leucine.

Pourquoi six des soixante-quatre codes de combinaisons différents pour exactement le même acide aminé ? Pourquoi chaque code ne produit-il pas un acide aminé (antenne) unique ? Ce mystère se répète tout au long de la matrice qui définit notre expression génétique ; de multiples et uniques combinaisons d'éléments qui se codent avec des composés qui, eux, ne sont pas uniques.

Pour plus de clarté, trois des codes n'ont pas d'antenne aminée qui leur soit associée. Ce sont des séquences clés qui disent aux processeurs génétiques quand « commencer » et « arrêter » de lire les séquences codées. En tenant compte de ces trente-quatre codes avec les vingt antennes connues, il reste quarante et un codes dont on ne tient pas compte dans notre modèle de la carte génétique humaine. D'après certains chercheurs, les codes sont devenus généralisés. Pour une raison inconnue, quelque part dans notre passé lointain, ces codes ont perdu leur capacité de s'exprimer d'une façon unique.

Que nous disent ces codes et comment appliquons-nous leur signification dans nos vies ? À quoi ressembleraient nos vies si nous avions accès à l'information permise par les codes qui restent ? Répondre à ces questions, c'est ouvrir la porte à l'un des plus grands mystères de notre rôle, de notre but et de notre fonction en cette vie.

Notre connaissance du circuit sacré fournit le contexte dans lequel examiner ce mystère. Un examen de la structure de la double hélice et la location des « antennes » qui se forment le long de cette hélice nous donnent un indice puissant quant au rôle de l'émotion et à celui de notre corps en tant qu'expression de cette émotion. À propos des composés d'acides aminés qui seraient des micro-antennes et dont nous avons déjà parlé, nous pouvons affirmer ceci : chaque acide aminé est une antenne biologique en phase et résonante.

Cela soulève immédiatement deux questions :
1. Qu'est-ce qui détermine l'emplacement de chaque antenne le long de la structure de la double hélice ?
2. Qu'est-ce qui détermine si chaque antenne est « ouverte » ou « fermée » ?

Des recherches récentes effectuées par Dan Winter indiquent la possibilité d'une relation directe entre l'émotion, l'emplacement d'une antenne et le fait que celle-ci soit ouverte ou non. Dans un article publié en 1994, Winter décrit la possibilité que « l'onde longue de l'émotion programme l'onde courte de l'ADN[10] ». Dans son livre *Alphabet of the Heart,* Winter affirme que c'est l'emplacement de résonance de l'onde d'émotion sur la double hélice qui détermine l'emplacement structurel des codes génétiques actifs ou inactifs. Est-il possible que la « touche » de l'émotion sur notre ADN soit ce qui dit à notre corps où placer les constituantes de la vie ? Les

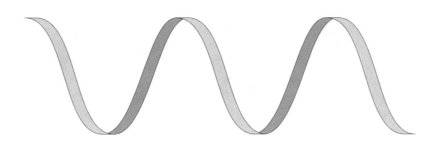

FIGURE 4-1
La peur illustrée sous la forme d'une onde
d'émotion relativement longue et lente.

implications de cette étude à elle seule sont vastes et profondes alors que nous jugeons probable un lien entre l'ADN et l'émotion.

Nos extrêmes émotionnelles, l'amour aussi bien que la peur, peuvent être considérées du point de vue d'un champ électrique et magnétique exprimé sous la forme d'une onde. Ainsi, la peur est perçue comme une onde longue et lente (figure 4-1). À cause de sa longueur, un nombre relativement restreint d'ondes complètes sont exprimées par unité d'ADN mesurée.

L'amour, par contre, peut être vu comme un champ de fréquence plus élevée. Il apparaît sous la forme d'une onde plus courte et plus rapide avec un plus grand nombre d'ondes complètes exprimées par unité de mesure de l'ADN (figure 4-2).

En superposant le champ de la peur à notre structure à double hélice, nous voyons que la longueur des ondes de fréquence basse laisse peu d'occasions à l'hélice et à l'onde de se toucher (figure 4-3). La nature même de

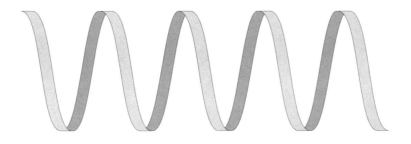

FIGURE 4-2
L'amour représenté sous la forme graphique d'une onde
d'émotion relativement courte et rapide.

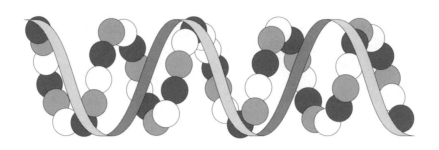

Figure 4-3
La peur, superposée à la double hélice de l'ADN. Voyez le nombre
relativement faible de sites de codage potentiels dû au manque
de points d'intersection.

l'onde décourage l'accès à la structure biologique qui permet cette expression. Cette perspective illustre la nature limitative et contractée de la peur.

De même, en superposant le chant d'amour à la double hélice, nous voyons que la longueur plus courte d'ondes de haute fréquence laisse plus de chances à l'hélice et à l'onde de se rencontrer (figure 4-4). Dans ce cas-ci, la nature de l'onde favorise l'accès à l'hélice. De ce point de vue, l'émotion d'amour est considérée comme expansive.

La relation entre la quantité immensurable d'émotion et la qualité mesurable de matériel biologique peut-elle représenter notre lien « oublié » avec la création ? Le lieu où le non-physique touche le physique, au cœur de la référence ancienne au Saint des Saints, à l'espace sacré de chaque cellule de notre corps ? Selon les études de Winter, l'intersection physique de la forme ondulatoire et de l'émotion sur la structure de la double hélice fournit en fait le plan des possibilités de sites de codage de l'ADN. En gar-

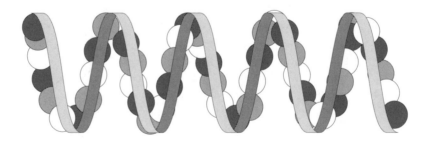

FIGURE 4-4
L'amour superposé à la double hélice de l'ADN. Remarquez
le nombre relativement grand de sites de codage potentiels dû
à l'augmentation du nombre de points d'intersection.

dant cette relation à l'esprit, voyez le nombre considérable de possibilités dans le pattern vibratoire sympathique que nous appelons l'amour et qui font en sorte que les ondes d'émotion et d'ADN se touchent.

Ces représentations graphiques de la relation entre l'amour, la peur et notre code génétique peuvent expliquer un grand nombre des phénomènes que nous constatons chez les individus dont la vie exprime sur de longues périodes des patterns de peur importants. Selon des histoires de cas, des individus souffrant de dépression chronique montrent souvent des symptômes d'affaiblissement de leur vitalité, accompagnés d'une dépression du système immunitaire. Selon notre modèle, c'est précisément ce à quoi nous devrions nous attendre dans pareil cas. La longue et lente onde de peur exprimée sous forme de dépression a relativement peu d'occasions de toucher la double hélice et de former des sites potentiels de codage pour les antennes aminées qui confèrent vitalité et immunité.

Portant notre circuit sacré dans l'élément de base de notre corps, l'ADN, la qualité de notre émotion semble jouer un rôle clé dans la qualité de notre vie. De plus, l'ampleur des implications ouvre la porte à de nouvelles possibilités que les chercheurs commencent tout juste à entrevoir.

Notre code génétique est-il « fixé » sous la forme d'une combinaison établie de patterns qui débutent à la naissance, ou nos codes sont-ils variables, répondant à notre qualité de pensée, de sentiment et d'émotion ? Comme le suggèrent des études récentes, est-il possible de changer les codes de notre schéma directeur génétique pour la vie ? De penser, de sentir et de ressentir des combinaisons de codes que nous avons crues inaccessibles dans le passé ? C'est précisément la technologie interne que, selon moi, les Anciens ont tenté de nous transmettre : la science de la Seconde Voie.

En gardant à l'esprit la relation entre l'ADN et l'émotion, retournons à présent à notre exposé sur le circuit sacré et notre capacité à mettre notre corps en phase avec les signaux de référence de notre terre. C'est là que le contexte prend une telle importance. Sans le consentement du Passage des époques, ces exposés reflètent des possibilités intéressantes. Certainement des idées à entretenir et à fouiller. Si on les considère comme un phénomène se produisant à quelques courtes années de la fin d'un grand cycle d'expérience, nous devons nous poser la question : pourquoi ces changements ont-ils lieu maintenant ? Quel rôle notre capacité de changer des patterns d'ADN peut-elle jouer en nous préparant au rare événement du Passage des époques ? Dans l'intervalle des quelques années avant la fin du grand cycle d'expérience, collectivement et individuellement, on nous demande de faire place à un plus grand changement, dans une période de temps plus compacte qu'à aucun autre moment de l'histoire humaine. Notre corps, nos croyances, notre système immunitaire et nos émotions sont mis au défi à des niveaux sans précédent.

Les occasions que nous percevons comme des défis de la vie pourraient-elles être notre façon de nous inciter à aller jusqu'au bout de ce que nous croyons être ? Nos plus grands défis, la santé, les relations et la survie pourraient-ils être notre manière de nous pousser au-delà de cette extrémité, de redéfinir les limites et frontières que nous nous sommes imposées à un moment donné de notre histoire ?

Par exemple, cette vingtaine de nouveaux virus, potentiellement fatals et à présent incurables, inconnus il y a seulement trente ans, pourraient-ils être notre « coup de pouce » biologique qui nous ramènerait au souvenir de la compassion qui rend ces virus anodins pour notre corps ? De récents rapports scientifiques confirment ce que bien des gens sentent : qu'il se passe peut-être quelque chose d'incroyable sous nos yeux. Des individus survivent à ce qui passait jadis pour des affections mortelles, et ils le font sans médication, ni chirurgie, ni appareils sophistiqués, ni gadgets. Il est clair que ces moyens ont une place dans notre guérison, car ils nous montrent en train de nous rappeler à nous-mêmes « à l'extérieur » et de nous réparer « à l'extérieur ». C'est certainement une voie puissante et valide.

Ces individus ont choisi une autre voie, cependant, une seconde voie qui leur permet la gracieuse transition d'une perte de vie potentielle à une affirmation de la vie. La technologie de cette voie prend sa source à l'intérieur d'eux. Lorsqu'on leur demande comment ils ont fait ce qu'ils ont accompli, ils répondent tout simplement qu'ils ont un sentiment différent d'eux-mêmes, qu'ils ont d'autres croyances et les vivent. Ces individus sont peut-être les ponts vivants qui nous rappellent nos possibilités. Leurs vies sont peut-être des flèches qui pointent en direction de notre potentiel.

Non seulement la nature holographique de notre conscience permet-elle précisément ce genre d'expérience, mais elle nous y prépare. Nous foulons le sol fertile d'une sagesse inédite. Chaque fois que nous nous le rappelons, ce sol devient prêt à recevoir de nouvelles semences. Vous et moi avons préparé ce sol pour nous-mêmes.

Il faut d'abord que quelqu'un vive une tout autre vérité. Quelqu'un doit avoir la sagesse de reconnaître la possibilité, le courage de devenir celle-ci et la force de la vivre comme une réalité. La réalité doit être vécue parmi nous, dans un monde qui ne soutient pas toujours cette vérité. Ce quelqu'un devient le pont vivant. En ancrant dans nos grilles la possibilité d'une plus grande expression de la vie, elle devient disponible à celui qui, ensuite, aura un désir semblable de s'élever au-dessus des conditions de ce que la vie lui a offert, puis au suivant et au suivant, et ainsi de suite.

Ces gens sont-ils là aujourd'hui ? Sont-ils ceux qui ont envie de vivre une possibilité en nous laissant des choix plus élevés face à ce que nous offre la vie ? Voilà, à mon avis, le thème sous-jacent des événements qui se déroulent dans nos collectivités aujourd'hui. Il est clair que la volonté n'est peut-être pas toujours consciente. Les ponts vivants ne savent peut-être pas qu'ils en sont. Si nous définissons « humain » comme nous le faisons dans le contexte de notre code génétique, avec les patterns précis des vingt acides aminés et des expressions spécifiques de gènes et de chromosomes, alors je peux vous affirmer une chose à la fois étonnante et renversante.

Je peux vous dire bien sincèrement que, parmi « nous », dans nos villes et nos familles, peut-être dans votre corps, une nouvelle espèce d'humain est en train de naître ! Elle démontre en soi le potentiel vivant en chaque individu qui partage notre monde aujourd'hui.

Génétiquement, cette nouvelle espèce semble différente en termes d'ADN spécifique, bien que les corps puissent avoir l'aspect de ceux d'amis et de proches. Au niveau moléculaire, au-delà de ce qu'on peut voir à l'œil nu, ils se sont permis de devenir des possibilités génétiques non disponibles encore il y a quelques courtes années. Des rapports de recherche ont été publiés sur un phénomène que les scientifiques ont appelé la « mutation génétique spontanée ». Cette dernière est dite spontanée parce qu'elle semble s'être développée au cours de la vie d'un individu en réaction à un défi de la vie, au lieu d'apparaître sous une autre forme du code détecté à la naissance. Dans ces cas, le code génétique a « appris » à s'exprimer d'une façon qui sert dorénavant la survie de l'individu.

Une étude publiée dans *Science News* du 17 août 1996 rapporte qu'environ 1 % de la population testée a développé des mutations génétiques qui la rend résistante à l'infection par le VIH[11] ! Menée au Aaron Diamond AIDS Research Center, à New York, sous la direction de Nathaniel R. Landau, la recherche révélait que « la mutation est courante parmi certaines populations humaines mais plus rare chez d'autres. Ces découvertes suggèrent que la mutation a une origine évolutive relativement récente[12] », conclut l'équipe de Landau.

Parmi les rapports de l'Aaron Diamond Center, on retrouve le travail de William Paxton. Lui et ses collègues ont concentré leurs efforts sur des individus qui semblent avoir une résistance naturelle au VIH. Des cellules de ces individus ont été cultivées en laboratoire, puis présentées au VIH. Dans ces études, un pourcentage des cellules résistaient au virus. Dans deux cas, la résistance persistait malgré jusqu'à 3000 fois la quantité de VIH normalement requise pour introduire l'infection. Selon Paxton, « la résistance vient probablement de gènes particuliers que portent une faible minorité de gens[13] ».

Des études menées à l'Université de l'Alabama, à Birmingham, par Richard Kaslow et ses collègues, jettent peut-être une lumière supplémentaire sur le phénomène émergent de l'immunité au VIH. Ces études ont été concentrées sur des gènes qui codent des MHC (glycoprotéines complexes à histocompatibilité majeure), des éléments clés de la réaction immunitaire au VIH. Kaslow a découvert que les survivants à long terme qui étaient séropositifs « possèdent souvent des gènes appelés B27, B57, B18, B51, A32 et

A25[14] ». Andrew McMichael, du *Institute of Molecular Medicine* à Oxford, note la possibilité que les gènes identifiés par l'équipe de Kaslow puissent être responsables de la résistance cellulaire découverte par l'équipe de Paxton. « Ils sont peut-être reliés », dit-il.

D'autres études concernant le VIH et le sida rapportent des cas d'enfants nés séropositifs qui n'étaient plus porteurs du virus à l'âge de quatre ou cinq ans. Le virus ne reste pas à l'état dormant dans le corps, attendant, opportuniste, un signal externe pour devenir actif : il est éliminé du corps ! Dans le numéro d'avril 1995 de *Science News*, une étude signalait un cas de « disparition » de ce virus. Chez un sujet mâle né séropositif, le virus a été détecté pendant au moins les deux premiers mois de sa vie. Testé à la maternelle, l'enfant était séronégatif ; le virus n'était plus présent dans son corps. Selon l'article « des chercheurs de l'école de médecine de l'Université de Californie à Los Angeles produisent une preuve sans équivoque d'un garçon testé séropositif deux fois – à dix-neuf jours et un mois plus tard. Mais selon toute mesure, ce garçon semble séronégatif depuis au moins quatre ans[15]. » La même étude était citée par Yvonne J. Bryson et ses collègues dans le numéro du 30 mars (1996) du *New England Journal of Medicine*.

Dans un passé pas si lointain, des chercheurs croyaient que le taux de mortalité pour l'infection au VIH était de cent pour cent. Ces études, certainement ouvertes à l'interprétation, démontrent maintenant que quelque chose a changé. En fait, quelque chose est en train de se passer. Qu'est-ce que cela peut bien être ? Il est clair que la recherche atteste d'une forte possibilité d'une expérience humaine offerte presque universellement dans bien des textes anciens. À maintes reprises, on nous demande de choisir soigneusement notre conduite dans la vie quotidienne. De devenir l'union de notre sentiment et de notre pensée, ce qui constitue une clé en vue d'équilibrer les émotions de la vie. Cet équilibre, nous l'appelons aujourd'hui la compassion.

Pourquoi 1 % de la population humaine est-elle en train de muter de façon à résister au VIH ? Pourquoi un enfant, né séropositif, est-il séronégatif pendant les quatre années suivant sa naissance ? Voilà des exemples vivants de notre potentiel. Je crois que nous sommes actuellement la nouvelle possibilité. Dans un avenir pas trop lointain, nous jetterons à mon avis un regard rétrospectif sur cette époque et reconnaîtrons que c'est alors que le choix a été fait. En 1994 et en 1995, « nous » avons fait le choix de devenir notre plus grand potentiel.

Les textes anciens ont insisté sur le fait qu'une puissante génération naîtrait juste avant le Passage des époques. Cette génération aurait une « force » vivante en elle. Au sein de cette force, une puissance dépasserait sa connaissance. Pour survivre au monde qu'elle avait créé et aux défis que la vie lui avait offerts, cette génération aurait à plonger profondément en elle, à choisir la voie de l'amour, de l'harmonie et de la compassion. C'est la voie qui allait lui faire gracieusement traverser l'époque que les Hopis appellent les jours de « purification » ou dans la « plus grande lumière » selon la perspective essénienne. Je crois que vous et moi sommes témoins de ce choix déjà effectué.

Le jeune enfant mentionné dans l'étude ne savait pas qu'il était censé succomber à un virus ayant un taux de mortalité de cent pour cent. Il « était » simplement, dans sa pureté et son innocence d'enfant. Vivant sa nature véritable, il est devenu cet amour et cette pureté. Son corps, le miroir de la qualité de sa pensée, de ses sentiments et de son émotion, reflétait tout simplement son choix.

Il suffit que ça arrive une seule fois pour que la possibilité devienne ancrée parmi nous.

Il suffit que cela arrive une seule fois, et je soupçonne que c'est arrivé bien des fois. Cet enfant, dont il est question dans le rapport de l'école de médecine de Los Angeles, est peut-être devenu un pont vivant. Je soupçonne que cela arrive maintes fois par jour, en nous et parmi nous ; les choix sont faits. Pour la première fois, peut-être, nous avons des documents à présenter aux sceptiques. Pour les autres, il s'agit tout simplement d'une connaissance intérieure.

À la fin de ce cycle d'expérience de 200 000 ans, on nous demande de dépasser les faits de notre vie pour devenir la technologie intérieure de la Seconde Voie. C'est à travers celle-ci que nous avons la chance de parcourir avec grâce les occasions de passage. Maintenant, le langage de notre propre science a jeté une lumière nouvelle sur cette notion ancienne. Notre devenir est possible grâce à notre capacité à atteindre des qualités précises de pensée, de sentiment et d'émotion menant à l'équilibre de la compassion. Chez un être de compassion, le flot maximum d'information, notre résonance, est admis par le circuit en phase de la connexion terre-cœur-cerveau-cellule. Les implications de cette relation entre les émotions, l'ADN et les relations de notre vie sont renversantes et énormes. Les questions paraissent sans fin.

D'où notre terre mère reçoit-elle son signal ? Avec quoi notre terre est-elle en phase ? Est-il possible que la nature même de nos sentiments et l'union de la pensée et de l'émotion soient responsables de la qualité de la vibration sacrée qui nous relie à la terre… à notre créateur… et à l'au-delà ?

SI
nous sommes reliés par résonance à notre planète de résidence
ET
si notre maison est reliée à une autre source de signal, à un « chant »
plus grand,
ALORS
nous faisons véritablement Un avec tout ce que nous appelons
notre monde,
et même davantage !

Ce lien est-il le rapport que nous soupçonnons intuitivement depuis si longtemps ?

Cette vibration est-elle le chant de la terre, l'harmonie des sphères et le chant de création auxquels faisaient référence les textes anciens des maîtres qui nous ont précédés ? Selon moi, la réponse à chacune de ces questions est un « oui ! » sonore. Maintenant, collectivement, nous sommes arrivés à définir un mécanisme pour le flot d'énergie-information-lumière que nous appelons les codes de la vie. Nous l'avons défini dans un langage qui nous est acceptable dans le contexte du monde que nous nous sommes créé. Ce circuit existait tout ce temps. Son existence était entretenue pour nous dans les chants, hymnes, paraboles et prières sacrés de ceux qui sont venus avant nous, préservant une telle connaissance. Il a toujours été là. Nous sommes tout simplement en train de le redécouvrir nous-mêmes. À mesure que nous retrouvons notre nature véritable, nous redéfinissons notre sagesse par le biais de notre propre langage, de notre science et de notre compréhension. La vie continue, avance, et l'échéancier est respecté.

La sagesse est définie comme le fait de vivre la sagesse acquise. À mesure que nous vivons la sagesse de notre circuit sacré, notre lien vibratoire avec toute vie, que faisons-nous de cette connaissance ? À quoi ressemble notre sagesse collective ? Je prie pour que, en tant qu'initiés de l'ordre le plus élevé, nous nous permettions de nous rappeler le cadeau de la vie dans notre vie. En redéfinissant ce que veulent dire pour chacun de nous notre vie et notre relation avec toute vie, nous devenons un pont vivant pour ceux qui nous sont les plus chers.

CHAPITRE CINQ

VOYAGE INITIATIQUE

LES SEPT TEMPLES DE LA RELATION

FIGURE 6 : *Orchidée*
Le symbole japonais représente la vie de l'homme.

« *Il est facile d'aimer les autres…*

Le défi est d'aimer ceux qui ont vu notre colère,

notre rage et notre nudité ;

notre défi est de nous aimer nous-mêmes

comme nous aimons notre famille… »

D'APRÈS L'ÉVANGILE ESSÉNIEN DE LA PAIX[1]

Étendu au lit sous des draps humides, un jeune garçon entend claquer la porte du salon. Il est 22 h 30 et sa fenêtre ouverte laisse une faible brise diminuer quelque peu la chaleur et l'humidité suffocantes d'un soir d'été au Missouri. Le bruit familier des chaussures de sa mère sur l'allée bétonnée n'est accompagné que par ses sanglots. Il l'entend pleurer au moment où elle accélère le pas vers le stationnement situé derrière leur minuscule appartement « au niveau jardin ». Encore chaviré par l'expérience, son plus jeune frère est étendu sur un lit identique, à quelques mètres dans la chambre. Gémissant sur son oreiller, son frère croit que personne ne l'entend. Les pas s'évanouissent dans le silence. Pendant plusieurs minutes, on dirait qu'il n'y a aucun son. Sa mère est-elle partie ? Est-elle debout sous le lampadaire du stationnement « sécuritaire » de leur appartement, peut-être en train d'attendre, de réfléchir, de pleurer ?

Il ne s'est jamais senti chez lui dans ce logement. Chez lui, c'était la maison où sa mère, son père et son frère vivaient quelques mois plus tôt. Chez lui, c'était là où son chien Sparky avait une niche dans la cour, où son frère et lui grimpaient la colline le soir pour aller faire brûler les déchets après le dîner, où sa mère faisait la lessive au sous-sol. C'était là chez lui. Mais cet endroit-ci, ce minuscule logis aux bizarres planchers de linoléum et cette autre famille de l'autre côté du mur, à quelques centimètres de son lit, ce n'était pas chez lui. Ce n'était qu'un endroit où vivre en attendant.

Le jeune garçon de cette histoire, c'est moi. Cet incident en particulier est survenu quand j'avais onze ans, peu après le divorce de mes parents. Maman et moi avions eu une autre pénible querelle, un feu d'émotions mal comprises de part et d'autre. Cela avait duré des heures. Lorsqu'elle était dans la maison, maman était l'objet de ma colère, de ma rage. Depuis notre déménagement, nous avions des querelles, maman, mon frère et moi. Je ne connaissais pas vraiment l'objet de ces querelles. Elles n'avaient aucun sens pour moi. Elles étaient plutôt rudes. Maman disait que nous la « rendions folle », qu'elle devait s'éloigner. Mais nous continuions de discuter, de nous chamailler et de crier. Ce soir-là, il y avait eu quelque chose de différent. Au moment où notre querelle atteignait son sommet habituel de rage et de chaos, maman avait pris ses clés d'auto, mis ses souliers et quitté la maison. Elle disait qu'elle « devait sortir ». Où allait-elle à 22 h 30, un soir de semaine ? Peut-être qu'elle a changé d'idée et qu'elle reviendra. Peut-être pourrions-nous nous embrasser, nous excuser. Peut-être que tout ira bien avant que nous allions dormir. Soudain, j'ai entendu notre voiture familiale, le gémissement caractéristique de notre Plymouth Valiant familiale aux changements de vitesse, et le son du moteur a diminué alors que l'auto disparaissait dans la rue.

Elle est partie !

Elle nous a quittés !

À un rythme fou, les peurs se précipitèrent dans mon esprit. Avant que je puisse rationaliser une réponse à une seule question, la suivante commençait.

Où est-elle partie ?

Est-elle seule ?

Elle était dans une telle colère contre nous qu'elle pleurait.

Comment peut-elle conduire en pleurant ?

Et si elle a un accident ?

Comment vais-je savoir ?

Et si ma mère est furieuse au point de ne jamais revenir ?

Le départ de ma mère m'avait jeté dans une panique qui a rapidement dégénéré en pure terreur. Ma question était « pourquoi ? ».

Pourquoi ne me suis-je pas senti soulagé en l'entendant partir ? Après tout, j'avais « gagné » la bataille, non ? Pourquoi étais-je étendu sur le lit, trempé par la transpiration causée par l'intensité de l'échange, terrifié à la pensée de ne jamais revoir ma mère, la personne même vers laquelle je venais de diriger chaque once de colère et de rage ?

Pourquoi ?

Au printemps 1990, je venais de quitter mon poste administratif au sein d'une grande société aérospatiale de Denver, au Colorado. Établi temporairement dans la région de San Francisco, je développais des séminaires et écrivais durant le jour. Le soir, je travaillais avec des clients qui avaient recours à mon aide pour comprendre le rôle de l'émotion dans leur vie et leurs relations. Un soir, j'eus une séance avec une cliente rencontrée plusieurs fois déjà. Tout commença comme d'habitude. À cette jeune femme dans la mi-trentaine qui relaxait dans le fauteuil de rotin devant moi, je demandai de me décrire ce qui était arrivé au cours de la semaine depuis que nous nous étions vus. Elle se mit alors à me parler de sa relation avec son mari depuis environ dix-huit ans. Pendant une bonne partie du mariage, ils s'étaient disputés, parfois violemment. Elle avait subi les critiques quotidiennes et le mépris de cet homme envers tout, que ce soit son apparence et ses vêtements immaculés ou sa manière de tenir la maison et de préparer les repas. L'humiliation s'étendait même aux rares moments de passion mutuelle et de relations sexuelles.

Pendant la semaine qui venait de passer, sa situation avait empiré jusqu'aux mauvais traitements. Son mari s'était mis en colère lorsqu'elle l'avait confronté à des questions sur son « temps supplémentaire » et ses longues soirées au bureau. Elle était malheureuse avec l'homme qu'elle avait aimé et à qui elle avait fait confiance si longtemps. À présent, le malheur était aggravé par le danger des blessures physiques et des émotions hors contrôle. Au paroxysme de leur dispute la plus récente, après l'avoir poussée à l'autre bout de la pièce, il était parti habiter avec un ami. Elle n'avait ni son numéro de téléphone ni son adresse, et rien n'indiquait le moment ni même la possibilité d'une nouvelle rencontre. L'homme qui faisait des ravages dans la vie de ma cliente, après des années d'abus émotionnels et de crises violentes qui mettaient potentiellement sa vie en danger, était enfin parti. Lorsqu'elle décrivit son départ, je m'attendais à un signe de soulagement. Il se passa plutôt une chose très étonnante. Elle pleura de manière incontrôlable en réalisant son départ. Elle avait le sentiment d'être « écrasée », « absolument atterrée ». À présent, avec la chance de vivre sans abus, sans critiques ni insultes et dépréciations quotidiennes, elle était consternée.

Ma question est « pourquoi ? ».

Je me rappelle un incident survenu dans un supermarché alors que je faisais des courses avec ma femme, un soir de 1989. Alors que nous nous promenions dans les allées, rayant des articles de la liste habilement préparée qui allait nous permettre de nous nourrir toute la semaine, nous cherchions tous les deux des moyens de raccourcir notre équipée d'emplettes et de terminer cette longue journée qui avait débuté presque quinze heures plus tôt. Elle m'avait demandé d'aller chercher des conserves dans une autre section de l'épicerie et de la rejoindre à la caisse. Une fois devant les conserves, je remarquai qu'il n'y avait personne d'autre dans la rangée, sauf une jeune mère avec une petite fille. Je commençai à lire les étiquettes des boîtes près des rayons où étaient étalées les soupes lorsque la paix fut interrompue par un cri aussi perçant et intense que la voix d'Ella Fitzgerald dans ses publicités pour Memorex™. Levant les yeux de mes étiquettes, je vis que la mère s'était momentanément éloignée, laissant sa fillette de deux ou trois ans peut-être seule avec le panier d'épicerie. Cette petite était terrifiée.

Ma question est « pourquoi ? ». Pourquoi une jeune enfant, abandonnée dans un monde de boîtes de conserve brillantes et colorées, de jolies étiquettes, sans personne pour décourager l'exploration, serait-elle terrifiée ? Pourquoi ne se dirait-elle pas : « Regardons les belles boîtes de soupe aux étiquettes rouges et blanches », avant de ravager l'étalage de soupes Campbell ? Pourquoi l'occasion d'être seule, même un moment, touchait-elle quelque chose de si profond en elle à cet âge que son premier instinct était de hurler de terreur, à pleins poumons ?

PATTERNS DE L'ENSEMBLE

Les réponses à ces « pourquoi », aussi différentes qu'elles puissent paraître, ont peut-être un fil en commun. De plus, la peur que ma mère ne revienne pas, la stupéfaction de ma cliente à la perspective que son mari la quitte, et la terreur de la petite qui se retrouve seule, tout cela a sans doute très peu à voir avec les fois où chacun de nous a été abandonné. Ma mère, le mari de ma cliente et la mère de la fillette ont servi de catalyseurs à un pattern puissant mais subtil, qui nous pénètre si profondément qu'il est presque méconnaissable et oublié.

Ce pattern est la peur.

Dans notre culture, la peur a bien des masques. Comme elle joue un rôle dominant dans nos relations commerciales, professionnelles, amoureuses et sociales, chacun de nous doit affronter ses déguisements sur une base quotidienne ! Souvent, la peur fera surface dans votre vie sous la forme d'un pattern que vous ne reconnaissez pas. Il est fréquent que la peur ne soit même pas la vôtre.

Comme j'ai eu l'occasion, au fil des ans, de travailler avec bien des gens, j'ai remarqué un phénomène intéressant concernant les masques que nous avons inventés pour camoufler la peur dans notre culture. Je décrirai le phénomène en exposant en détail un processus individuel entamé avec les participants de mes séminaires. Suivant des lignes directrices imprimées sous forme de tableaux, je demande à ces gens de donner des informations sur un moment précis de leur vie. Dans cet exemple, j'invite chacun à décrire des patterns de comportement des adultes qui ont pris soin de lui dans la petite enfance. Le but de cet exercice est de permettre à chaque personne de se voir, ainsi que ses gardiens d'antan, d'une façon qu'elle n'avait peut-être jamais envisagée.

Si vous lisez ce livre, les chances sont bonnes que vous ayez déjà exploré, dans une certaine mesure, les nombreuses relations et les émotions subséquentes de votre vie afin d'identifier les raisons de votre comportement. En fait, vous vous connaissez probablement si bien à ce stade-ci que si on vous posait des questions directes sur votre passé, vous pourriez fournir les « bonnes » réponses. En fournissant ces réponses acceptables, il serait fort probable que vous passeriez à côté du pattern unique, profond et continu qui a pénétré votre vie depuis votre naissance. Voilà pourquoi j'incite les participants aux séminaires à compléter un formulaire imprimé leur demandant d'identifier des patterns des gardiens de leur petite enfance qu'ils considèrent négatifs.

J'ai rarement vu quelqu'un être bloqué ou gêné par des patterns positifs de joie dans sa vie. Cela arrive à l'occasion, toutefois, lorsque l'idée qu'on se fait de la joie est très différente de l'expérience appelée joie dans les quartiers et sociétés où l'on se trouve. Presque tous les patterns dans lesquels les gens se sentent pris sont enracinés dans des sentiments qu'ils trouvent négatifs. Ces sentiments sont leurs perceptions uniques d'expériences passées. Pour cette raison seulement, nous focalisons sur les caractéristiques négatives perçues. Ce sont nos perceptions de la négativité qui détiennent, dans leur redéfinition, le plus grand potentiel pour la personne.

Je commence par reconnaître l'a priori inhérent aux termes « positif » et « négatif ». Ces mots ne sont utilisés qu'à des fins de clarté et d'identification. Il est clair que les caractéristiques identifiées au cours de cet exercice ne reflètent pas nécessairement les événements tels qu'ils se sont produits dans la vie. Souvent, les participants à une expérience collective auront des points de vue très différents de l'expérience. Le caractère unique de chaque description représente la façon dont les événements ont été perçus et retenus par l'individu au moment où ils ont eu lieu.

Après avoir achevé cet exercice, je demande à l'auditoire de « crier » au hasard des caractéristiques qu'ils ont notées sur leurs tableaux dans la colonne « Négatif » de leurs premiers gardiens hommes et femmes. Soudain, une pièce remplie de gens de diverses origines géographiques, sociales et ethniques éclate en commentaires. La plupart des participants, âgés de douze à quatre-vingt-neuf ans, ne se sont jamais rencontrés. Leurs commentaires sont sincères et chargés d'émotion. Aussi fidèlement que possible, je note les termes sur un tableau à mesure qu'ils me les crient.

en colère	froid	indisponible	critique
juge	abusif	jaloux	strict
contrôle	invisible	affreux	malhonnête

Immédiatement, nous commençons à voir se développer un pattern intéressant. Alors qu'une personne donne un terme décrivant les souvenirs de sa famille, quelqu'un d'autre livre le même sentiment, souvent le même mot, en étant peut-être d'un groupe d'âge, ou d'une origine sociale, géographique et ethnique, très différent. Une nette légèreté remplit la pièce, alors que nous voyageons ensemble à travers les souvenirs de notre jeunesse et constatons la similitude de nos expériences dans la liste devant nous. Comme si nous venions de la même famille !

Après une brève discussion visant à clarifier le sens des termes et des expériences à l'intention d'individus précis, je présente une diapo qui soulève des signes d'approbation et attire de larges sourires sur les visages de ceux qui reconnaissent ce qui se passe. Pourtant, elle provient d'un autre séminaire, composé de gens différents, d'une autre partie du pays. Elle a même été faite des années plus tôt. La ressemblance est frappante. Dans certains cas, les mots de la liste du groupe correspondent précisément à ceux de cette diapo.

Comment est-ce possible ?

Comment tant de gens, d'origines si différentes, peuvent-ils vivre des expériences aussi semblables et avoir des perceptions aussi communes des gardiens de leur enfance ? Répondre à ce mystère, c'est se rappeler un pattern omniprésent, profondément ancré dans le tissu de notre conscience. On peut appeler ce pattern nos *peurs universelles* ou centrales.

DÉCOUVRIR NOS PEURS UNIVERSELLES

En examinant à nouveau l'exercice de notre atelier, un second pattern ressort. Aussi diverses que puissent paraître les peurs de chaque personne, un fil en relie les nombreux masques. Je dis rarement « jamais » et « toujours » en décrivant les mécanismes de la création tels qu'ils me sont montrés dans la vie. Cela étant, je sais qu'il y a toujours des exceptions. Selon mon expérience de travail auprès de plusieurs milliers de personnes au cours des huit dernières années, chaque expression de peur que j'ai vue semble provenir de l'un ou de l'autre, ou d'une combinaison quelconque de trois patterns de perception sous-jacents. De ce point de vue, chaque symptôme, même s'il est extrême ou unique, devient le masque d'un système de croyances subtil mais puissant. Ces patterns sont si omniprésents dans les relations sociales, politiques, économiques, ethniques, culturelles, romantiques et commerciales de notre monde que je les appelle les trois peurs « universelles » ou centrales.

Les patterns de peur universelle peuvent être si subtils dans notre vie, mais leur souvenir si pénible, que nous leur créons magistralement des masques acceptables. Comme pour une relique douloureuse dans les annales familiales rarement exposée, nous nous sommes inconsciemment entendus entre nous pour déguiser notre souvenir de manière que notre passé ne soit jamais oublié. Le déguisement est devenu le mécanisme de défense collectif qui nous permet de faire l'expérience des peurs à des niveaux de blessure subtils et acceptables. En distançant l'expression des peurs des peurs en soi, nous avons éloigné l'expérience de notre vie du pattern même que nous sommes venus guérir.

Ces peurs sont masquées avec tant d'habileté, qu'en définitive, les patterns originaux qui propulsent la vie sont oubliés. C'est cette distanciation qui permet aux blessures de la vie d'apparaître sous la forme d'expériences discrètes, aléatoires et sans relation. Souvent, ces expériences ont été interprétées comme de la trahison, de l'abus et de la tromperie. La même distanciation masque la guérison de la vie telle que nous l'exprimons dans l'extase, la joie et le rire.

PREMIÈRE PEUR UNIVERSELLE :
L'ABANDON ET LA SÉPARATION

Presque universel est le sentiment qu'éprouve chaque individu, dans chaque famille, chaque culture et chaque société, d'être en quelque sorte « séparé » de l'intelligence créative qui est responsable, en premier lieu, de son existence sur terre. Nous sentons que, quelque part dans les brumes oubliées de notre mémoire la plus ancestrale, nous avons été placés ici puis laissés ou abandonnés sans explication ni raison.

Quoi d'étonnant ? Devant la maîtrise technologique qui nous a permis d'aller sur la Lune et de voir le code génétique de notre créateur, *nous sommes encore incertains de nos origines et de notre histoire véritable*. Nous sentons notre nature véritable de l'intérieur, mais nous nous tournons vers notre monde de technologie extérieure pour prouver et valider nos sentiments. Comme le reflètent notre littérature, notre cinéma, notre musique et notre culture, nous faisons la distinction entre notre expérience de la terre et le souvenir distant du ciel comme endroit différent de la terre. Nous acceptons et affirmons notre séparation d'avec notre créateur, jusque dans notre traduction d'une prière ancienne, le Notre Père.

Par exemple, la traduction occidentale courante commence par :

« Notre Père qui es aux cieux… »

et reconnaît une séparation entre nous et notre créateur. Dans cette traduction, nous sommes « ici » et notre Père est quelque part ailleurs. Toutefois, les textes araméens anciens offrent un point de vue très différent de notre relation avec notre Père céleste :

« Notre Père qui es partout… »

renforce l'idée ancienne selon laquelle « Notre Père » du ciel n'est pas séparé, distinct et distant de nous ici et maintenant. Plutôt, la force créative qui est notre Père, peu importe ce que cela veut dire pour vous, n'est pas seulement avec nous ; *elle est nous*, imprégnant tout ce que nous pouvons appeler ce monde. Notre Père est le champ vibratoire d'intelligence qui oscille sous la forme de chaque champ sous-quantique de notre réalité onde-particule-point-grille-matrice. Notre Père, c'est ce qui vit entre le rien.

L'expérience de la peur comprend la *charge* de ce que signifie cette peur pour nous maintenant et ce qu'elle a voulu dire pour nous, sous la forme de notre vie. Pour les fins de cet exposé, on peut définir la charge comme un a priori émotionnel relatif à la valeur ou à la pertinence du résultat d'une expérience donnée. La charge permet l'expérience de l'a priori, de façon qu'il puisse être guéri et soulagé de sa charge. Votre charge de peurs universelles, bien que souvent inconsciente, fait en sorte que vous allez créer des patterns de relations qui vous montreront vos peurs. Ces relations vous donneront l'occasion de reconnaître vos charges et de vous rappeler vos patterns centraux. Avez-vous la sagesse et le courage d'explorer ce que vos relations vous laissent voir ?

Si vous ne vous souvenez pas de vos sentiments de séparation et d'abandon, ou si vous avez choisi de reporter leur équilibration et leur guérison, il y a une forte possibilité que vos peurs s'expriment à vous de manières inattendues, vous rappelant le report de votre engagement, par le biais des relations que vous créerez magistralement dans votre vie.

Dans vos relations personnelles, êtes-vous celui qui quitte, ou celui que l'on quitte ? Êtes-vous toujours le dernier à savoir que la relation est terminée ? Des mariages, des carrières et des amitiés « parfaitement bien » s'effondrent-ils devant vos yeux, sans avertissement ni raison apparente ? Êtes-vous atterré lorsque ces relations échouent et finissent ?

Peut-être êtes-vous de l'autre côté de la relation. Sortez-vous toujours d'une relation lorsqu'elle se porte à merveille, avant d'être blessé ? Vous dites-vous : « C'est un travail parfait, un mariage parfait, une amitié parfaite. Il vaut mieux que je parte maintenant, alors que les choses vont bien, avant que quelque chose n'arrive et que je ne sois abandonné (blessé) » ?

Si de semblables scénarios se sont joués dans votre vie, il y a une forte possibilité que ce soient là les masques socialement acceptables, habilement et magistralement créés, de votre peur de l'abandon et de la séparation. En vivant ces patterns, vous réduisez votre douleur à un niveau acceptable. L'inconvénient, c'est que la douleur de la relation devient la diversion, votre façon de vous détourner de la peur centrale d'avoir été délaissé, séparé et abandonné de votre Créateur. Votre guérison ne se trouve pas dans la diversion.

DEUXIÈME PEUR UNIVERSELLE :
LE SENTIMENT D'ÊTRE INDIGNE

Presque universel est le sentiment qu'éprouve chaque individu, dans chaque famille, dans chaque culture et chaque société, de ne pas être en quelque sorte « à la hauteur ». Par la logique et la rationalisation, nous créons des scénarios décrivant pourquoi nous ne sommes pas à la hauteur de nos plus grands rêves, de nos aspirations les plus élevées ou de nos désirs les plus profonds. Malgré nos vœux, nos désirs et nos rêves, un doute est profondément ancré, que nous « aurons » toujours, parce que nous mettons collectivement en question notre mérite.

Pourquoi nous attendrions-nous à nous sentir différemment ? Depuis au moins 2000 ans, nous nous sommes fait dire, par ceux à qui nous accordions confiance et respect, que nous sommes en quelque sorte des « êtres inférieurs » à nos contreparties angéliques. Nous nous sommes convaincus du fait qu'en naissant en ce monde, nous avons commis un acte pour lequel nous chercherons toujours rédemption auprès d'une force qui, nous a-t-on affirmé, dépasse notre entendement.

À travers le vague souvenir que nous avons de Jésus de Nazareth, par exemple, nous nous comparons à un souvenir déformé d'un être que nous n'arriverons jamais à égaler. Même lancés à la blague, des mots nous rappellent sans cesse notre inadéquation et touchent quelque chose de profond en nous.

« Pour qui te prends-tu ? Pour Jésus-Christ ? »

« Comment comptes-tu y arriver ? En marchant sur l'eau ? »

Combien de fois avez-vous entendu de semblables admonitions dans votre vie ? Combien de fois vous a-t-on dit que vous pouviez essayer de vivre le mieux possible sans pour autant jamais arriver à être à la hauteur ? Cependant, vous ne serez jamais considéré comme un égal de Jésus de Nazareth ou d'autres maîtres ascensionnés !

Sur un certain plan, vous pouvez croire ces affirmations. D'une certaine manière, c'est ce que nous faisons tous. Nous avons accepté des expressions collectives des limites de notre valeur. En consentant à ces limites illusoires, nous mettons en question notre don de la vie et les qualifications qui nous rendent capables de reconnaître la nature éternelle de notre don.

Une fois encore, la remise en question de notre valeur tient pour acquise la charge de ce que cette valeur signifie pour nous. Notre peur de l'inadéquation et de la valeur garantiront que nos relations refléteront notre peur. Si vous ne vous rappelez pas la valeur de votre vie en tant que partie intégrante de ce monde, il y a une forte possibilité que vos peurs s'expriment à vous de façons inattendues. Par exemple, vous contentez-vous de relations qui ne sont pas vraiment ce que vous choisissez d'avoir dans votre vie, tout en rationalisant votre situation en disant : « Ce n'est pas l'amour de ma vie mais c'est suffisant pour l'instant » ? Vous arrive-t-il de déclarer : « J'aimerais avoir dans ma vie un partenaire avec qui je pourrais partager les joies de ma vie, mais… » ou « Ce n'est pas l'emploi qui me permet vraiment d'exprimer mes dons, mais… », en ajoutant toutes les raisons pour lesquelles vos désirs ne peuvent être satisfaits maintenant ?

Si de semblables scénarios se sont joués dans votre vie, il y a une forte possibilité que vos masques socialement acceptables et habilement créés soient en train de mettre en question votre amour-propre et votre mérite en ce monde. Les relations constituent votre façon de vous rappeler vos patterns centraux. Votre expression de chaque pattern dans la vie vous offrira la chance de vivre dans le manque, dans le fait de vous contenter de ce qui « ne suffit pas », de vous établir dans un pattern d'acceptation complaisante, ou de reconnaître ce que vous montrent vos relations et de choisir une option supérieure.

TROISIÈME PEUR UNIVERSELLE : LÂCHER PRISE ET FAIRE CONFIANCE

Avez-vous jamais vécu une relation quelconque où la confiance était si complète que vous étiez capable de céder votre « moi personnel » en échange de l'expérience de connaître un plus grand moi ? Je ne parle pas du fait de céder le pouvoir personnel dans cette expérience. Bien au contraire, l'expérience dont il est ici question porte sur un tel sentiment de pouvoir personnel que vous pourrez peut-être abandonner vos constructions sur le moi et sur ce à quoi votre relation « devrait » ressembler, en échange d'une vision plus élevée, plus grandiose de ce que peut devenir la relation. Vous êtes désireux de vivre cette possibilité.

Presque universellement, chacun de nous croit que, pour une raison inconnue cachée quelque part dans son passé lointain, ce monde n'est pas sécuritaire. À travers les perceptions de séparation et d'abandon, ou dans la mise en question de notre valeur personnelle, notre croissance nous a peut-être amenés à un endroit qui atteste que, pour survivre à cette expérience, nous devons vivre dans la suspicion à l'égard des processus de la vie.

Pourquoi nous attendre à vivre autrement ? La confiance a une marge d'acceptation si étroite que tout résultat qui dépasse nos attentes est perçu comme une trahison et un abus. Chaque jour, la vie vous demande de démontrer votre confiance en ce monde. Faites-vous confiance aux processus de la vie, telle qu'elle vous est montrée ? À la divinité des processus de la vie, peu importe leur issue ? À la force intelligente qui s'exprime sous la forme de chaque être qui partage cette expérience de vie avec vous ? Si votre réponse est non, alors je vous demande pourquoi. Qui ou quelle expérience vous a enseigné qu'il n'était pas sécuritaire de faire confiance ? Pourquoi avez-vous choisi de croire en la non-confiance ?

Votre charge à propos de la « confiance » vous assure de créer des patterns de relations qui vous indiqueront vos attentes. Vous vous trouverez peut-être dans des relations qui refléteront votre croyance selon laquelle il est imprudent de faire confiance. De plus, vous vous trouverez peut-être dans des relations où les autres douteront du fait que vous méritez leur confiance. Des relations proches et intimes élargiront votre définition de la confiance et vous fourniront l'occasion de vous faire voir que la vie est sécuritaire. Avez-vous la sagesse et le courage de reconnaître ce que vous enseignent vos relations ? Si vous ne vous souvenez pas de vos sentiments de non-confiance et d'insécurité, ou si vous avez choisi de reporter leur équilibration et leur guérison, il y a une forte possibilité que les peurs s'expriment à vous, à travers vos relations, de manières inattendues.

Chacune des peurs universelles peut s'exprimer dans une gamme de relations et d'occasions. Chaque expression peut avoir un nom et un mode de guérison en soi. La jalousie, la colère, la rage, le comportement alcoolique ou codépendant, par exemple, sont des expressions de la peur universelle cherchant une résolution. Guérir ces symptômes un à la fois, ce peut être une voie laborieuse pouvant s'étendre sur des années. Choisir cette voie, guérir ces symptômes un à la fois, c'est choisir de se connaître et de très bien connaître les gens avec qui vous avez eu des expériences. Je bénis cette voie et tout ce que j'en ai retiré.

Une autre voie commence là où la voie laborieuse finira par vous mener : celle de la guérison des trois peurs universelles. À quelques exceptions près, nos expériences de la douleur, de la souffrance, de la maladie, du malaise et du traumatisme émotionnel de tous genres prennent racine dans ces patterns centraux de confiance, de séparation, d'abandon et d'amour-propre. Vous vous demandez peut-être :

« Équilibrer trois perceptions pour guérir ma vie, est-ce là tout ce que j'ai à faire ? » Cela peut sembler trop simple, mais du point de vue de *Marcher entre les mondes*, la réponse est oui. Encore une fois, la guérison se rapporte moins à ce que vous faites qu'à ce que vous devenez.

Vous devez devenir ce que vous choisissez d'avoir dans votre vie.

Vous devez devenir la confiance d'avoir confiance en votre vie ! Vous devez devenir votre amour-propre et vous sentir en union, afin de faire l'expérience de la valeur et de guérir de la séparation dans votre vie. Chaque relation, chaque carrière, emploi, amitié ou idée sur vous-même, c'est vous qui réconciliez, pour vous-même, vos croyances de séparation et d'abandon avec la confiance et l'amour-propre. Votre volonté de confronter vos peurs universelles détermine, quant à elle, le temps que prendra votre guérison. Vous pouvez choisir de guérir par étapes, sur des années, à mesure que les vieilles idées fondront devant des situations où elles n'auront plus cours. Vous pouvez également embrasser votre guérison en un seul battement de cœur, si vous le permettez.

Il y a une bonne chance qu'une combinaison quelconque de ces patterns ait joué un rôle significatif dans votre vie. Reconnaître le rôle de ces trois patterns correspond à une étape puissante vers une plus grande maîtrise. Le fait de vivre votre connaissance vous transforme en votre sagesse. C'est la partie de la vie qui ne s'enseigne pas. On vous demande de devenir confiance, estime de soi et union. Au cours de votre guérison, chacune des relations que vous avez jamais entretenues au moyen de la charge de la peur universelle tombera. Il ne restera plus rien pour les maintenir en place.

Nos peurs universelles semblent si bien déguisées et acceptées qu'il est souvent facile de les négliger ou de les rationaliser en leur donnant une forme différente de leur nature véritable. Voici un tableau qui identifie chacune des trois peurs universelles et les patterns caractéristiques de relation enracinés en chacune.

La peur « universelle » exprimée sous les formes suivantes :

L'abandon et la séparation
- Des relations qui vous laissent atterré lorsqu'elles échouent ou qu'elles se terminent.
- Vous êtes celui que l'on quitte dans une relation.
- Vous êtes le premier à mettre fin à une bonne relation pour éviter d'être blessé.

Le sentiment d'être indigne
- Problèmes de manque d'estime de soi.
- Vous créez des relations de carrière, d'amitié et d'amour qui correspondent à vos attentes d'inadéquation.

Lâcher prise et faire confiance
- Vous êtes incapable de vous abandonner à votre expérience.
- Les relations reflètent vos attentes selon lesquelles ce monde n'est ni sécuritaire ni digne de votre confiance.

Toute peur perçue n'est qu'une fraction de vous-même dans votre totalité. Dans cette totalité, votre substance est plus grande que tout fragment de peur pris séparément.

LES TEMPLES DE LA RELATION

Presque universellement dans les cultures anciennes et indigènes, la mémoire est conservée sous forme de lieux d'expérience sacrée. À l'époque moderne, ces sites s'appellent des *temples*. Plus précisément, peut-être, notre interprétation moderne de l'histoire a établi le rôle du temple en tant que lieu de « culte » dans la vie de ceux qui nous ont précédés.

La vision dominante de l'histoire égyptienne en est un excellent exemple. Pour une large part, notre interprétation moderne de l'histoire égyptienne provient d'archéologues français et de leurs interprétations d'excavations effectuées à l'époque de Napoléon. Bien que les récits des premiers archéologues dépeignant des dieux et des guerriers soient certainement intéressants, dans certains cas, du moins, ils peuvent être incomplets. À cause de cette inexactitude, est-il possible que nous passions à côté d'indices importants concernant notre passé ? Les structures que nous appelons des temples peuvent représenter des liens tangibles entre des milliers d'années d'expérience et notre vie actuelle. Est-il possible que les temples soient, en réalité, de puissants appareils construits il y a 2000, 3500, ou même 4000 ans, pour nous enseigner quelque chose de nous-mêmes ?

Des textes, codex et calendriers anciens nous rappellent que nous vivons à la fin d'un grand cycle d'expérience. Notre cycle, nous disent-ils, a commencé avant le début de notre histoire, il y a plus de 200 000 ans. Par contre, des recherches modernes nous démontrent qu'en fait, la terre et notre système solaire expérimente actuellement des changements sans précédent. Une foule de données, de mesures, de tableaux et de graphiques dépeignent un changement au sein de la terre et de chaque système vivant en phase de résonance avec la terre. Ce changement se caractérise largement par de forts changements du magnétisme et de la fréquence. Des chercheurs ont même établi que chaque cellule du corps humain fonctionne diligemment pour accompagner le nouveau magnétisme et la nouvelle fréquence de la terre. Ce faisant, notre corps demeure en phase avec les signaux de référence de notre planète de résidence. Des rapports récents ont indiqué clairement le rôle de l'émotion en tant que « commutateur » dans la fermeture et l'ouverture de codes précis d'ADN. La façon dont nous nous permettons de sentir notre monde détermine en grande partie notre manière de fonctionner dans ce monde. Cette relation entre l'émotion, l'ADN et notre capacité de changer notre mise en phase jette une autre lumière sur la pertinence des temples anciens dans le monde.

Les Anciens ont prouvé leur connaissance de cette époque de l'histoire à travers les traditions des écoles de mystères. Ils savaient que des individus vivant à cette époque-ci vivraient d'immenses changements dans leur vie.

On nous rappelle que nous pouvons nous attendre à des changements reliés au sommeil, à l'état de rêve et à la perception du temps. On nous avertit que notre système immunitaire peut être mis à l'épreuve et que nous pouvons constater l'apparition de nouvelles maladies et d'une intensité d'émotions inédite dans nos relations. Il est clair que les Anciens en savaient long sur notre époque dans leur histoire du futur. Grâce à leur science, ils ont planté les semences de connaissance qui sont devenues notre sagesse. Dans bien des cas, leur connaissance s'est avérée notre enseignement, notre formation et notre préparation à ce passage quantique de l'expression humaine. Au-delà de la spéculation et de la théorie, ceux qui nous ont précédés ont fait avancer la connaissance d'un pas supplémentaire en faisant en sorte que vous et moi nous rappellerions les outils nécessaires pour vivre notre expérience avec grâce. Les Anciens ont construit leurs structures massives de technologie externe pour provoquer l'émotion et se connaître en elle. C'était leur voie. C'était leur maîtrise. Imprégnés de la connaissance du changement de magnétisme et de fréquence à venir, ils ont construit leurs chambres en phase, simulant et modelant à leur époque les paramètres mêmes dont nous faisons actuellement l'expérience.

Un courant souterrain de leur mémoire se trouve en nous aujourd'hui. Bien des gens sentent le besoin d'aller dans ces temples pour guérir ou faire les expériences qui signaleront un changement dans leur corps. Même si, de toute évidence, les temples ont été valables et efficaces pour nos ancêtres, je crois que nous avons dépassé les temples extérieurs. Ils nous ont bien servi, nous ont amenés au point où nous sommes actuellement, à l'endroit où nous abandonnons les temples extérieurs, en nous rappelant que c'est le temps de la technologie intérieure. Voici venu le temps du temple du dedans.

Les initiés de notre passé s'immergeaient dans leurs chambres de perceptions altérées et notaient ce que les conditions voulaient dire par rapport à leurs sentiments, à leurs émotions et à leur corps physique. Ils ont enregistré leurs expériences pour nous, dans le seul langage qu'ils connaissaient. Ils nous ont transmis leurs registres afin que nous ayons une carte pour nous préparer, à mesure que nous avançons collectivement dans le passage.

Selon leur point de vue, l'histoire de l'Égypte n'est pas un récit de puissants dieux et déesses représentés par des statues de pierre dans des structures terrestres. Chaque temple égyptien était plutôt consacré à la maîtrise de l'émotion humaine, à la technologie intérieure de la Seconde Voie. En chaque temple, l'initié avait l'occasion d'isoler une combinaison d'émotions humaines à connaître, à vivre et à maîtriser. La technologie vibratoire du temple lui permettait de se rappeler sa technologie intérieure. Ce rappel consistait à maîtriser les codes d'émotion en toute sécurité, dans un contexte de guérison. Pendant des périodes indéterminées, il avait l'occasion, le luxe, de s'immerger dans les champs créés par la dynamique passive des chambres mêmes. Ces conditions simulaient pour les gens de l'époque les paramètres que vous et moi vivons actuellement. La différence entre l'initié d'il y a 3500 ans et vous aujourd'hui, c'est qu'il n'est plus nécessaire d'entrer dans une chambre spécialisée pour faire ces expériences. Nous vivons aujourd'hui dans les conditions qui ont été modélisées pour nous il y a 3500 ans !

Avons-nous la sagesse de reconnaître leurs paroles ?

Avez-vous le courage de respecter vos sentiments ?

Il n'est plus nécessaire d'entrer dans une chambre d'expérience modifiée pour savoir comment le corps perçoit le magnétisme faible et les fréquences élevées. Vous retrouvez maintenant ces conditions chez vous, dans vos écoles, vos centres commerciaux et vos bureaux. Vous connaissez ces conditions et les maîtrisez bien. Aujourd'hui, vous n'avez plus le luxe d'isoler une seule émotion dans un temple artificiel et d'y passer des mois, peut-être des années, à vous connaître dans cette émotion. Vous n'avez plus le luxe d'entrer dans le temple de la confiance, par exemple, et d'arriver à la maîtrise de la confiance avant d'entrer dans le temple de l'amour, de la fidélité et de l'obscurité pour vous connaître vous-même.

Aujourd'hui, vos relations sont devenues vos temples. Vous avez dépassé les temples extérieurs de pierre et de maçonnerie. Vous et vos interactions personnelles avec les autres, voilà ce qui a remplacé les structures anciennes d'expérience simulée. Aujourd'hui, vous pouvez entrer dans le temple de l'*amour*, par exemple, dans la relation que nous appelons le mariage. Dans ce temple de l'amour, selon toute probabilité, vous aurez l'occasion de vous voir dans des temples supplémentaires, dont le temple de la *confiance*, par exemple, ou les temples de la *colère* et de la *fidélité*. Vous entrez sans doute dans chaque temple sans avoir conscience qu'il vous prépare à quelque chose de beaucoup plus grand que la relation même.

Vos relations sont des créations magistrales. Dans les relations, vous avez l'occasion de faire l'expérience de l'émotion et du sentiment adéquats, des bons « commutateurs » qui permettront à votre corps de répondre aux changements en train de se produire à l'intérieur de la terre. Vos sentiments concernant la perte de relations, d'argent, de santé et d'amitiés, entre autres, fournissent des occasions de changement dans votre corps. En vous connaissant vous-même ainsi, ou en soutenant les autres alors qu'ils explorent la connaissance d'eux-mêmes, vous devenez le changement.

Vous rappelez-vous que vous n'êtes pas votre expérience ? Que vous n'êtes ni votre sida, ni votre cancer, ni votre mariage, que ce soit une réussite ou un échec ? Votre succès, vos défaites, votre abondance, votre manque, votre santé ou votre maladie sont des indicateurs qui reflètent puissamment vos qualités de pensée, de sentiment et d'émotion.

Les relations constituent en soi une occasion de vous voir de toutes les façons. Chaque relation est le miroir de vos croyances, de vos jugements, de vos préjugés ou de votre manque de préjugés, lorsque vous êtes en interaction avec les autres. Même si vous habitez au sommet d'une montagne, sans contact humain, vous devrez encore interagir avec vous-même. Vous verrez en vous le reflet de vos croyances. Avez-vous des relations avec différentes personnes qui semblent suivre des patterns communs et récurrents ? Quels commutateurs vous rappelez-vous à vous-même ? C'est dans les temples de nos relations que nous retrouvons notre nature véritable. Dans ce souvenir, une fois de plus, nous retournons vers un lieu sacré de totalité. Nous appelons ce lieu *union*. Dans l'union, nous devenons compassion.

L'exemple précédent, l'attraction de relations adultes présentant les caractéristiques qui vous ont blessé, enfant, est une expression de la dynamique complexe et subtile qui joue un rôle clé dans notre vie. Ce système fait en sorte que nous continuons à nous rappeler l'un à l'autre qui nous sommes, non seulement par des paroles mais aussi par la démonstration. Ce système s'appelle *effet de miroir*. Les miroirs de vos croyances – ce que vous tenez pour vrai et sur lequel vous maintenez une charge – vous entourent quotidiennement dans les relations de votre vie. Ils commenceront sous forme de patterns extrêmement subtils, d'incroyables cadeaux qui vous seront faits, si vous avez la sagesse de les reconnaître. Dans le cas contraire, les miroirs deviendront de moins en moins subtils jusqu'à ce qu'ils se manifestent dans votre vie de telle sorte que vous ne pourrez plus les ignorer.

Les traditions anciennes indiquent une série de miroirs que chaque homme et femme rencontrera sur la voie de la connaissance de soi. Au fur et à mesure de leurs nombreuses traductions et interprétations au fil du temps, ces voies ont été déformées au point d'être parfois méconnaissables. Redécouverts en 1947, les textes esséniens des manuscrits de la mer Morte et la bibliothèque de Nag Hamadi, peut-être moins connue, n'ont eu droit qu'à quarante-neuf ans d'interprétation et de traduction déformantes. Par conséquent, ces textes préchrétiens fournissent à mon avis une perspective puissante à partir de laquelle on peut voir les traditions et les enseignements subséquents développés au cours des derniers 2500 ans.

LES SEPT MIROIRS ESSÉNIENS DE LA RELATION

Le « mystère des sept miroirs de la relation » sera présenté à chaque personne, peu importe son âge, son sexe ou sa culture, tout au long des relations de sa vie. Selon toute probabilité, vous êtes en train de vivre ces miroirs. Étonnamment, vous les verrez dans une séquence précise. Les miroirs subtils seront reconnus et résolus avant les miroirs puissants, d'une subtilité encore plus grande. Dans la perspective initiatique ancienne, on maîtrise les émotions qui mènent à la compassion, sous forme de séquence, en reconnaissant consciemment et en maîtrisant les sept miroirs de la relation humaine. Comment l'initié d'il y a 2500 ans aurait-il pu devenir confiance, par exemple, si les peurs qui empêchaient la confiance n'étaient pas alors maîtrisées ? Comment est-ce possible aujourd'hui ?

Comment pouvez-vous changer les cycles de peur et de haine sans maîtriser les schémas qui permettent à la peur et à la haine d'exister ?

C'est par vos relations qu'on vous montrera les plus grands exemples de vos croyances centrales, peu importe ce que vous « croyez » par rapport à elles.

Vous vivez les mêmes patterns, les mêmes temples que les Anciens, qui se déploient devant vous dans la même séquence qu'à chaque initié qui a jamais emprunté la voie de la maîtrise. Le fait de reconnaître *ce que* la séquence est en train de vous dire, et *pourquoi* vous répétez des attitudes semblables avec des gens différents, sera peut-être votre étape la plus puissante vers une maîtrise toujours plus élevée.

Pour cette raison, je vous présente ces miroirs en séquence, par ordre croissant de subtilité. Des expressions multiples de ces miroirs pourront croiser votre chemin le même jour, au même moment, et demeurer non reconnues jusqu'à ce que la séquence soit complète. La résolution de chaque miroir, en séquence, est l'équation codée qui permet le changement biochimique dans votre corps. Ces changements, c'est vous, en phase avec la terre. La science de l'émotion et de la relation est votre « technologie vibratoire » de la vie et de la compassion.

Une mise en garde est appropriée ici. Une fois les miroirs identifiés, vous commencerez à les voir partout. C'est comme chercher un véhicule précis pour un essai de conduite avant d'en acheter un. Un jour, j'ai fait l'essai d'une Jeep Cherokee, et soudain, je me suis mis à en voir partout. Comme par miracle, elles sont apparues dans des stationnements d'épiceries, sur les autoroutes et dans des stationnements intérieurs. Je pouvais les voir et vous dire si oui ou non chacune était haut de gamme ou non, quel était l'équipement standard, tout cela parce que je les avais remarquées. Bien sûr, elles avaient toujours été là. Jusqu'à ce que j'envisage d'en acheter une, je n'avais aucune raison de reconnaître l'importance de ce pattern.

Vos miroirs ne sont là que pour vous. Sans connaissance intime de l'histoire, de la trajectoire, des choix ou des intentions d'un autre individu, il peut être inexact d'identifier un miroir de vie pour lui. Vos miroirs fonctionnent pour vous. Ils ont toujours été là, attendant patiemment le moment où vous les remarquerez. Le fait de les voir, c'est vous éveiller aux patterns subtils de votre vie. De mon point de vue, c'est l'aspect le plus sacré de la science de la géométrie sacrée. Vos patterns projetés de joie, de désir, de rage et de compassion forment des empreintes énergétiques de charge. Chaque empreinte constitue, seule ou en combinaison, l'une des cinq formes sacrées appelées les solides platoniciens (Annexe 2).

J'ai choisi les traditions esséniennes pour décrire les miroirs tels qu'ils vous ont été laissés. Illustrés sous forme d'exemples réels et intimes, tirés directement de ma vie et de celle des autres, ces miroirs existent et se développent à présent dans votre vie, comme ce que chacun d'eux est en train de vous dire.

LE MYSTÈRE DU PREMIER MIROIR
REFLETS DU MOMENT

« Vous lisez le visage du ciel et de la terre,
mais vous n'avez pas appris à lire ce moment. »

EXTRAIT TIRÉ DE LA BIBLIOTHÈQUE DE NAG HAMADI[2]

Ma première expérience avec les chats a commencé à l'hiver 1980. J'avais un emploi d'informaticien géologue et j'habitais dans un petit appartement à Denver, au Colorado. En tant que membre des Services techniques, je passais la plus grande partie de mes journées, de mes soirées et de mes week-ends à apprendre de nouvelles technologies et à les appliquer aux concepts traditionnels de la géologie. Je n'avais pas envisagé de posséder un animal domestique, car je n'étais jamais chez moi pour respecter l'engagement de la garde de cet animal.

Un week-end, un ami m'offrit un « cadeau » : un beau chaton orange et blond d'environ cinq semaines. Il s'appelait Tigger, du nom d'un chat dans une émission de télévision pour enfants et, même si on ne me permettait pas d'avoir des animaux dans cet appartement en particulier, je fus immédiatement attiré vers lui. Même si c'était une exception à la règle, je n'allais pas être à la maison pour accorder à Tigger l'attention que, selon moi, il méritait. Avant longtemps, je découvris que le chaton avait probablement besoin de moi beaucoup moins que je ne l'imaginais. C'était encore l'hiver au Colorado, et Tigger développa rapidement l'art de se blottir sous les couvertures, duvets et draps de notre lit, créant un coin chaud où il passait la plus grande partie de la journée. Souvent, je revenais du travail et il ne bougeait pas de sous les draps et oreillers chauds, même pour voir qui venait d'entrer dans la maison.

Après quelques semaines, je devins très attaché à lui et choisis d'atténuer temporairement les règles appliquées dans les immeubles d'appartements et de le garder. Le gérant de l'édifice avait expliqué que les règles ayant trait aux animaux étaient fondées sur l'expérience passée. En effet, les chats étaient responsables de dommages, particulièrement sur les tapis, draperies et stores verticaux. Immédiatement, j'entraînai Tigger à respecter des endroits précis dans notre domicile. Il apprit à se tenir à l'écart des divans, des comptoirs, du réfrigérateur et des rebords de fenêtres. Chaque jour, quand je revenais à la maison, il dormait dans une zone approuvée. Je gardai ainsi mon chat sans problème.

Ma position à la société pétrolière était relativement nouvelle, et j'avais un cahier de charges tout aussi nouveau et ambigu, qui laissait bien des tâches ouvertes à l'interprétation. À mesure que j'explorais cette position et les niveaux concomitants de responsabilité, je remarquai que j'étais confronté à des frictions de plus en plus grandes avec ceux que je devais superviser. Les techniciens et les assistants assignés à mon service dans le cadre de nos projets devenaient arrogants, coléreux et difficiles. Certains agissaient tout à fait à l'encontre des instructions que je leur avais données, défiant ouvertement mes lignes directrices.

Un jour, je quittai le travail et arrivai chez moi plus tôt que d'habitude. Alors que j'ouvrais la porte de mon appartement, M. Tigger se réveilla d'un profond sommeil de chat, sur le comptoir près de l'évier. Pour lui, ce n'était pas une zone permise, et il était aussi surpris de me voir arriver par la porte que je l'étais de le voir là sur le comptoir ! Immédiatement, il sauta, revint à sa place sur notre lit et attendit en m'observant pour voir si je le réprimanderais. À présent, j'étais curieux. Était-ce un incident isolé indiquant une erreur de jugement, ou explorait-il, en mon absence, toutes les régions de la maison qu'il voulait, y compris les endroits interdits ? Pouvait-il « connaître » mes patterns et mon horaire si bien qu'il était certain de passer à une zone approuvée juste avant mon arrivée tous les soirs ?

Normalement, quand je quittais la maison, j'étais pressé et je partais sans regarder derrière moi. Ce jour-là, je tentai une expérience. En sortant sur mon balcon surplombant une magnifique aire verdoyante, je tirai les rideaux et attendis. Quelques minutes plus tard, Tigger quitta le lit et se rendit directement à la cuisine, jusqu'à son perchoir sur le comptoir, à côté du grille-pain et de l'extracteur à jus. Il me croyait parti. Fermant les yeux, il commença à somnoler et fut bientôt endormi à côté de l'évier de la cuisine, un endroit où il n'allait jamais en ma présence. Après des semaines d'expériences semblables et de techniques d'entraînement, je devins très frustré par son manque de respect pour notre logis. Ce ne fut qu'en discutant avec des amis qui possédaient des chats que j'appris quelque chose que tous les autres propriétaires de chats avaient sans doute déjà découvert.

Il est impossible d'entraîner un chat.

Un chat reste un chat. Il est généralement attiré vers les endroits élevés tant qu'il est en votre présence. Lorsqu'il est seul, le monde lui appartient.

Je vous raconte cette histoire à cause de ce que mon ami Tigger me « faisait » à moi. Je devins frustré par ce qu'il était, presque au point d'être en colère. Il me regardait directement dans les yeux et je savais qu'il « savait » où étaient ses frontières. Pourtant, il s'opposait directement à ma volonté et faisait ce qu'il voulait, partout où il le voulait. En même temps, les relations au bureau devenaient encore plus tendues. Mes assistants continuaient de manifester de l'irrespect envers ma direction et mes façons de procéder dans le cadre de nos projets.

Au bout d'un après-midi particulièrement dur, une employée vint me demander pourquoi je ne la « laissais pas faire son travail ». Je lui avais confié une tâche et je « micro-gérais » sa façon de l'accomplir, une étape à la fois. Cet après-midi-là, lorsque j'entrai dans l'appartement, Tigger, une fois de plus, était en zone interdite sur le comptoir de cuisine. Je devins furieux.

Lorsque je m'assis sur le sofa pour réfléchir à ce qui se passait, je remarquai le parallèle entre l'irrespect de Tigger envers mes requêtes et l'irrespect de ceux avec qui je travaillais.

Désespéré, frustré, je jetai les bras en l'air et dis à Tigger :

L'appartement t'appartient, fais ce que tu veux !

Changeant de vêtements pour aller courir, j'arrivai à une conclusion similaire concernant mes collaborateurs. Dans mon esprit, je dis les mêmes choses à chacun d'eux.

Je vais cesser de vous « aider » à faire votre travail !

La course me fit du bien et, le reste de la soirée, je ne pensai plus à Tigger ni à mon travail. Le lendemain matin, je convoquai mes employés à une réunion dans mon bureau et leur exprimai mes sentiments par rapport au projet. Immédiatement, il y eut un sentiment de légèreté dans la pièce et on entendit quelques soupirs de soulagement. Quelqu'un m'a alors dit :

Enfin, tu vas nous laisser faire notre travail.

À travers deux expériences simultanées, bien que sans rapport apparent, Tigger et mes collaborateurs m'avaient montré quelque chose de très important sur moi-même. Chacun avait reflété un pattern si subtil que je ne l'avais pas reconnu jusqu'alors. Ce pattern fut le premier d'une série que je devrais reconnaître en moi-même avant de guérir des aspects puissants mais encore plus subtils des relations.

Dans les années 60, plusieurs professionnels de l'automotivation disaient : si vous n'aimez pas ce que quelqu'un vous montre, regardez en vous-même. Il y a une forte chance que d'autres puissent vous refléter les patterns que vous êtes devenu. Vous vous identifiez tellement à ces derniers que, souvent, vous ne les voyez pas.

Quand ce scénario s'applique, il s'exprime souvent lorsque d'autres vous renvoient une image de vous-même, dans l'instant.

Avec Tigger et mes collaborateurs, c'est précisément ce qui est arrivé. Sans que j'aie consciemment réalisé la dynamique de notre relation. Chacun me montrait en fait un miroir de moi-même, tel que je me présentais, dans notre interaction, à ce moment-là. À l'époque, ces situations particulières réfléchissaient mon *contrôle*.

Cela ne veut pas dire que le contrôle est bon ou mauvais. En soi, il est anodin. C'est tout simplement un pattern d'énergie appliqué pour arriver à un résultat désiré. Comment le contrôle s'exprime, voilà la question que veut indiquer le reflet. Chaque fois que mon monde me renvoyait le reflet de mes patterns de contrôle, c'était tout simplement une occasion pour moi d'en voir les conséquences immédiates. Les miroirs apparaissaient dans l'instant, plutôt que des heures ou des jours plus tard, pour me permettre de reconnaître la corrélation entre le pattern et son résultat.

La valeur de ce feed-back immédiat apparaît dans cet exemple fourni par une étude anthropologique de tribus cachées qui se trouvent en Asie. En découvrant l'une de ces tribus « perdues », les chercheurs ont été surpris de constater que ses membres n'établissaient aucune corrélation entre l'acte sexuel et l'arrivée de la grossesse et la naissance. Le délai de neuf mois entre l'acte sexuel et la naissance de l'enfant était si grand que le rapport entre les deux événements n'était pas évident. Voilà où se trouve la valeur de nos miroirs de l'instant.

Si nous voyons nos miroirs, alors ce sont des patterns courants qui arrivent *maintenant*. Le miroir devient notre moment de chance. Une fois identifié, le pattern peut être guéri en un rien de temps. Cela peut arriver tout aussi rapidement. Reconnaître le pattern, voilà la clé de la source sous-jacente du miroir. Plus souvent qu'autrement, cette source est une combinaison des trois peurs universelles.

Dans le premier exemple, mes patterns de contrôle me disaient que je sentais le besoin de maîtriser des facteurs externes de ma vie afin de me sentir en sécurité dans le monde. Mes gestes administratifs démontraient ma conviction de devoir contrôler chaque étape de notre projet afin d'assurer son succès. Pourquoi ? Qu'y avait-il en moi qui ne croyait pas mes collaborateurs capables ou disposés à accomplir ce qui devait l'être aussi bien que moi ? En définitive, mes problèmes me renvoyaient quelque chose de beaucoup plus profond : ma peur universelle de faire confiance. Ma domination disait que je ne faisais pas confiance au processus de la vie tel qu'il m'était montré, dans le cheminement des autres, ou à ma sécurité dans le cadre de ce processus.

Le refus de Tigger d'obéir à mes demandes à la maison me mettait en colère, mais seulement parce que j'avais une charge à propos du fait de contrôler ma maison. Pour d'autres qui me rendaient visite, ou qui partageaient leur vie avec des chats, le même comportement chez leurs animaux ne les dérangeait pas. Ils prenaient les gestes de leurs chats comme des signes d' « indépendance ». Ils avaient fini par accepter ce que signifiait inviter un chat dans leur monde. Les propriétaires réalisaient que cette invitation intégrait toutes les caractéristiques et tous les traits rattachés aux chats pendant des millénaires d'évolution. Ces traits comprenaient le fait de grimper à des endroits élevés pour surveiller leur monde, que cet endroit leur soit interdit ou non ! Pour ces propriétaires, qu'un chat grimpe sur le réfrigérateur, ce n'était pas un plus grand problème que s'il était étendu à côté de la cheminée, sur le plancher du salon.

« Qu'y a-t-il de mal à cela ? demandaient-ils. Les chats font ce que font les chats. »

Les chats sont de bons miroirs qui déclenchent les patterns subtils d'émotions que nous appelons des « problèmes ». Nos sentiments concernant l'aboutissement d'un événement, de circonstances ou d'une relation constituent l'un de ces patterns subtils. Nous l'avons déjà dit : la charge que nous imposons à une expérience est le sentiment prononcé que l'on éprouve quant au résultat bon, mauvais ou approprié. La maîtrise décrit comment et à quel degré nous maintenons une charge dans notre corps. Faisons-nous confiance à la vie telle qu'elle nous est montrée ? Ayant fait tout ce que nous pouvions dans une situation donnée, sommes-nous capables de lâcher prise quant au résultat et de faire confiance à tout ce qui suit ?

Dans l'exemple avec mes collaborateurs, mon émotion était la peur. J'avais peur qu' « ils » ne travaillent pas assez bien. Ma peur était d'être jugé comme étant la cause de leur imperfection. Alors que mes pensées étaient dirigées « vers le négatif », je les reflétais par des paroles telles que :

« Ne soyez pas en retard dans l'échéancier »

et

« Si vous ne faites pas un bon travail, nous allons tous avoir des problèmes ».

Chaque phrase était censée inciter mes employés à la performance. Dans les deux cas, en offrant l'incitation par la négative, c'était moi qui créais la charge.

Ce n'était certainement pas intentionnel. À l'époque, c'était ma façon d'être certain que tout allait bien dans un projet que je dirigeais. En utilisant des pensées et des paroles différentes, j'aurais pu transmettre la même idée sans la connotation négative. Par exemple, en disant :

« S'il vous plaît, ne soyez pas en retard dans l'échéancier »,

je donnais du pouvoir au « retard » du projet. L'énergie focalise l'attention. Par cette phrase, je dirigeais mon point de mire vers « le fait de ne pas être en retard ». Ce point de mire créait la charge. Une meilleure façon d'énoncer la même incitation aurait été de présenter l'idée de manière positive :

« S'il vous plaît, soyez à temps dans l'échéancier »

ou

« Merci à l'avance de compléter ce projet à temps ».

La même idée est transmise avec un sens très différent. Dans cet exemple, le point de mire de l'attention est « à temps », et c'est ce que promet la création à venir.

Lorsque vous vous prenez à réagir avec une charge aux paroles, aux actions ou aux expressions de vie de quelqu'un, ou d'un animal, il y a une forte chance que vous ayez une belle occasion de vous connaître sur un plan profond mais subtil. Si vous trouvez votre réaction particulièrement forte, je vous invite à bénir ce moment. Vous êtes peut-être en train de faire l'expérience de la première étape d'une puissante série d'initiations qui vous mèneront aux niveaux les plus élevés de la maîtrise personnelle, au mystère essénien du premier miroir : le miroir du moment.

LE MYSTÈRE DU DEUXIÈME MIROIR : REFLETS DU JUGEMENT

« Reconnais ce que tu vois,
et ce qui t'est caché
deviendra simple à tes yeux. »

EXTRAIT TIRÉ DE LA BIBLIOTHÈQUE DE NAG HAMADI[3]

Une brume épaisse entourait la vallée à la base de la montagne alors que je marchais dans le soleil du matin. Je commençais à me rappeler les enseignants de mon passé, les maîtres de mes années d'entraînement aux arts martiaux : le karaté, l'aïkido et le judo. Il est intéressant de voir à quel point les souvenirs reviennent nettement et le message apparaît avec clarté au moment venu. Je vis mon instructeur de karaté, Charles, dans son dojo du Midwest, m'inculquant les vertus de la concentration et de la focalisation. Un soir, en démontrant le pouvoir de la focalisation, Charles appela notre classe à l'attention et nous demanda de lui accorder trois minutes de « temps de méditation » avant de l'approcher. Après les trois minutes, par tous les moyens nécessaires, nous devions, en tant que classe, bouger ses bras étendus ou le déloger de sa position du lotus sur le tapis au centre de la pièce. Nous acceptâmes, certains que cet homme puissant, l'objet de l'honneur et du respect de chaque jeune homme et chaque jeune femme de la salle, ne résisterait pas à une classe d'une quinzaine de personnes travaillant à l'unisson à le déplacer de sa position.

Fermant les yeux, Charles modifia peu à peu sa respiration. En quelques secondes, il était passé d'une profonde respiration rythmique qui faisait gonfler et s'aplatir son ventre, à une respiration si subtile qu'il ne semblait plus respirer du tout. À la fin des trois minutes, nous commençâmes. Deux d'entre nous approchèrent l'homme assis sur le tapis, en profonde méditation. Nous nous étions dit que deux d'entre nous lui « donneraient une chance ». Ensemble, nous tirâmes, poussâmes, haletant et traînant. Il ne se produisit absolument rien. Nous ne pouvions même pas bouger les bras rigides de notre instructeur qui s'étendaient à partir de ses épaules pour former un « T » humain. Deux autres étudiants près du tapis se joignirent aux autres, puis deux autres encore. Bientôt, chacun saisit Charles, tirant, tordant et grognant dans le but de faire bouger quelque chose, *n'importe quoi !* Nous ne pouvions même pas plier les doigts de notre instructeur, encore moins le déplacer au sol. En définitive, à ce moment-là, notre cher Charles faisait partie du plancher de son dojo, organiquement ancré par une force mystérieuse qu'il invoquait par sa concentration.

Nous apprîmes plus tard que, durant sa méditation, Charles avait visualisé une chaîne entre chacun de ses bras et une montagne distante et imaginaire. Aussi longtemps que la chaîne était là, rien ne pouvait le déplacer, lui ou ses bras, *jusqu'à ce qu'il le veuille.*

En m'en revenant dans la rue, je me suis dit :

Puisqu'on peut démontrer de tels tours de force uniquement par la focalisation, que se passerait-il si j'appliquais autant de concentration à une situation, à une croyance ou à un concept qui se manifeste dans ma vie ? Immédiatement, mon instructeur de judo, John, me vint à l'esprit. Le message que John m'avait livré était simple : « Ne prends jamais la vie et toi-même trop au sérieux. » En entrant dans son dojo chaque soir, trois fois par semaine, John nous saluait tous en nous demandant si nous voulions « jouer » au judo. Cela devait être amusant autant qu'instructif. Dans le plaisir, je me rappelai un discours qu'il me livra un soir, à la suite d'une démonstration de lutte particulièrement décourageante. Même si j'avais été « défait » dans un match de lutte contre un autre étudiant, on m'avait tout de même récompensé par une ceinture, ce qui indiquait ma maîtrise de techniques précises des mains et des pieds. Comme je doutais de mériter ce prix ce soir-là, John m'offrit le raisonnement suivant :

« Chaque adversaire est ton miroir personnel. En tant que tel, il te montrera toujours qui tu es à cet instant. En observant comment ton opposant t'approche, tu vois sa réaction à ce qu'il ou elle perçoit de ce que tu présentes. »

J'avais choisi les techniques adéquates en réponse à ce que me présentait mon rival et c'est pour cela que j'avais été récompensé. C'est dans la démonstration de mes techniques que j'avais été défait. Je me rappelle les paroles de John et j'y pense souvent. Plus tard dans la vie, j'ai élargi le contexte de cette discussion en l'appliquant à chaque personne qui entrait dans ma vie. En étendant cette sagesse à la situation qui était devenue le point de mire de cette promenade particulière, cela prenait tout son sens.

À l'automne de 1992, trois personnes arrivèrent dans ma vie dans un court laps de temps. Grâce à elles, j'allais vivre trois de mes relations d'adulte les plus puissantes et les plus pénibles. Même si je ne les reconnaissais pas à l'époque, chacune d'elles, de façon équitable, devait devenir pour moi un maître, plus que je ne l'avais jamais imaginé. Ensemble, la seule leçon qu'elles m'offrirent, malgré sa nature subtile, devint un catalyseur puissant qui transforma ma vie à jamais.

Même si chaque relation me sert de miroir exactement au bon moment, je ne reconnais pas immédiatement la synchronisation de chaque enseignement. La première était d'ordre romantique. Une femme était arrivée dans ma vie qui, je le croyais, exprimait des buts et des intérêts semblables aux miens, à tel point que nous choisîmes de vivre et de travailler ensemble. La deuxième relation constituait un nouveau partenariat commercial qui devait fournir un soutien attendu et nécessaire à l'établissement de séminaires et d'ateliers dans différentes villes du pays. Cela me soulageait heureusement des nombreuses routines administratives essentielles à la réussite d'un séminaire. La troisième relation était à la fois une nouvelle amitié et un contrat commercial : un homme allait habiter sur ma propriété pendant que je voyagerais, en échange de quoi il allait surveiller la propriété et effectuer des travaux de menuiserie qui soutiendraient les rénovations que j'entreprenais à l'époque.

Bientôt, chacune des trois relations commença à montrer des caractéristiques qui me donnèrent l'occasion de faire montre de patience, d'affirmation personnelle et de résolution. Ces relations me rendaient complètement dingue. Avec chacune de ces personnes, il y avait des discussions, des désaccords et une tension générale. Parce que je voyageais beaucoup à l'époque, offrant des séminaires et des ateliers, j'avais tendance à négliger de résoudre à temps ces points chauds dans nos relations. Je justifiais les discussions en disant qu'elles étaient reliées au stress et j'assumais la responsabilité des tensions, prenant une attitude attentiste jusqu'à ce que je revienne de mon voyage suivant. À mon retour, je retrouvais les choses telles qu'elles étaient avant mon départ, et la tension et les désaccords se produisaient presque quotidiennement.

À l'époque, je suivais une routine en arrivant à l'aéroport après chaque séminaire. Je rassemblais mes affaires au carrousel des bagages, retirais suffisamment d'argent du guichet bancaire pour payer le stationnement, allais chercher mon chat chez le vétérinaire et achetais de la nourriture en retournant à la maison. Cette fois-là, cependant, ma routine allait être modifiée. Après avoir retrouvé mes bagages et mon matériel de séminaires, je me rendis au guichet bancaire pour retirer mon argent de voyage. À mon grand désarroi, la machine imprima un bordereau m'informant poliment qu'il ne restait même pas, dans mon compte, un seul billet de vingt dollars qui m'aurait permis de prendre de l'essence pour les trois heures et demie de route à faire.

Dans le nord du Nouveau-Mexique, le printemps est une saison courte qui dure peut-être deux ou trois mois. Au cours de ce printemps particulier de 1993, j'avais réservé les services d'entrepreneurs pour la rénovation des bâtiments sur ma propriété. Des chèques avaient été libellés contre des fonds en dépôt pour diverses raisons : les besoins des membres de la famille, l'hypothèque, les factures mensuelles et les rénovations à apporter sur ma propriété. Étonné, incrédule, je constatai que tout avait disparu. D'après le relevé du guichet bancaire, il ne restait absolument rien. C'était sûrement une erreur. Je savais aussi que cette erreur n'allait pas être corrigée à 17 h 30 un samedi après-midi à Albuquerque, au Nouveau-Mexique. Après avoir convaincu le préposé au stationnement de l'aéroport que je rembourserais la facture de stationnement qui s'était accumulée durant mon voyage, j'entamai mon trajet de trois heures et demie vers le nord et réfléchis à ce qui allait arriver.

En téléphonant à ma banque le lendemain matin pour rectifier l' « erreur », j'eus une surprise encore plus grande. Incrédule, je découvris qu'un retrait non autorisé avait été effectué dans mon compte. Le compte était maintenant vide, et un solde négatif venait de découverts et de pénalités ayant trait à soixante et onze chèques. J'étais ébranlé. En quelques minutes, mes émotions passèrent rapidement de la colère à la rage. Je croyais avoir déjà connu la rage dans ma vie. À présent, je savais que cela n'avait été que de la colère. Mon esprit s'affolait à la pensée des conséquences, des chèques sans provision, du déshonneur pour tous ceux à qui j'avais émis ces chèques. J'étais dépassé par cet abus de confiance et par le manque total de considération à mon égard, de même qu'envers ceux à l'ordre de qui les chèques avaient été faits.

Plus tard ce jour-là, la relation avec mes partenaires commerciaux atteignit le point d'ébullition lorsque j'ouvris mon courrier et examinai un registre manuscrit de dépenses qui avaient été déduites d'une récente série de séminaires. Comparant soigneusement la colonne des frais à celle des recettes, je commençai à voir des retraits qui, selon moi, n'étaient pas justifiés. Je téléphonai à ceux qui, avais-je cru, représentaient mes intérêts et me battis pour avoir ma part, ligne par ligne. Il était clair que ces gens et moi ne travaillions pas dans la même perspective, vers des buts identiques.

La même semaine, je découvris que l'homme qui habitait sur ma propriété poursuivait une série de travaux qui étaient non seulement en opposition directe avec nos accords, mais également désapprouvés par l'État du Nouveau-Mexique. Je ne pouvais plus ignorer ce qui se passait dans ces relations.

Le lendemain matin, je partis marcher sur le chemin de gravier m'éloignant de ma propriété pour me diriger vers la grande montagne qui se profilait au-dessus de la vallée derrière ma maison. Ute Peak, à 3300 mètres au-dessus du niveau de la mer, avait toujours été une source de clarté et de mystère pour moi. Ce jour-là, j'allais vers elle, m'efforçant de comprendre la leçon que me présentait ma vie et que je ne pouvais plus ignorer. En priant silencieusement, je parcourais les ornières et le gravier, demandant la sagesse de reconnaître un pattern si évident que je ne pouvais le voir. Qu'y avait-il en commun entre ces trois relations différentes mais reliées ? Je me rappelai les souvenirs de ceux qui m'avaient démontré leur sagesse dans ma vie.

« Chaque personne, avait dit John, est ton miroir et te montre qui tu es dans l'instant. En observant soigneusement, tu vois la réaction de ton opposant à ce que tu es en train de lui présenter. »

Je considérai ces trois individus, ma relation avec eux, et me demandai :

Quelles caractéristiques chacune de ces personnes m'a-t-elle montrées dans ses actions ?

Je notai chacune mentalement alors que des traits soulignés dans la relation couraient en souplesse dans mon esprit. Certaines passèrent si rapidement que je n'y repensai plus. D'autres revinrent, à maintes reprises, jusqu'à ce que quatre d'entre elles surplombent les autres en silence.

L'honnêteté, l'intégrité, la sincérité et la confiance étaient clairement gravées dans mon esprit. Je me posai la question suivante :

Si chaque personne, dans cette situation, m'a reflété ce que je suis dans l'instant, est-ce qu'on me montre que je manque d'honnêteté ?

Ai-je en quelque sorte violé l'intégrité, la confiance et la vérité dans mon travail ou quelque part dans ma vie ?

À mesure que je me questionnais, un sentiment s'élevait du plus profond de mon corps. En moi, une voix hurlait, qui disait :

Non, bien sûr, je suis honnête.

Bien sûr, je fais preuve d'intégrité.

Bien sûr, je suis sincère et digne de confiance.

Ces attributs forment la base même du travail que j'offre aux autres !

Au même instant, une prise de conscience s'empara de moi, d'abord fugace, puis plus claire et plus forte, jusqu'à ce qu'elle fût là, cristallisée pour que je la voie et que je sache. À cet instant, le miroir devint clair. Ces trois personnes que j'avais si habilement attirées dans ma vie, et qui m'enseignaient de façon magistrale, ne m'avaient pas renvoyé l'image de ce que j'étais dans l'instant. Plutôt, chacune m'avait montré un reflet très différent, un miroir subtil dont personne ne m'avait averti.

Dans leur unicité, elles m'avaient fait voir assez clairement non pas ce que j'étais, mais ce que je jugeais.

Elles m'avaient démontré ces qualités à propos desquelles j'avais une charge à ce moment-là. Les qualités étaient celles de la confiance, de l'intégrité, de l'honnêteté et de la vérité. Soudainement, je réalisai que j'entretenais une charge immense à propos de toutes ces caractéristiques. Selon toute probabilité, elle s'était accumulée depuis mon enfance. Immédiatement, je commençai à me rappeler toutes les fois que la confiance, l'intégrité, l'honnêteté et la sincérité, seules ou combinées, avaient été violées dans ma vie. Des amoureuses qui n'avaient pas été sincères en parlant d'autres gens dans leur vie. Des promesses d'adultes qui avaient été faites mais jamais respectées. Des amis bien intentionnés et des mentors administratifs qui avaient fait des promesses qu'ils ne pouvaient tenir. Ma liste défilait sans cesse. Ma charge, mes jugements, concernant ces questions s'était accumulée pendant des années avec tant de subtilité, que je ne l'avais pas reconnue. À présent, quelque chose s'était passé dans ma vie que je ne pouvais plus ignorer. Les répercussions étaient profondes et vastes. La nature criante de cette expérience m'assurait que j'allais dépasser le seul fait de regarder mon pattern. Cette fois, je devais le voir vraiment.

C'est ce jour-là que j'appris le subtil mais profond mystère du second miroir de la relation, le miroir de ce qui est jugé.

Le lendemain, je rendis visite à un ami qui habite et travaille dans un *pueblo* des alentours. Habitant l'un des sites indigènes les plus anciens d'Amérique du Nord, cette collectivité avait été occupée sur une base continue depuis au moins 1500 ans. Robert (un pseudonyme), qui tenait boutique dans le *pueblo* même, était un artiste et artisan immensément habile, comme le démontraient les attrape-rêves, les sculptures, la musique et les bijoux exposés à l'intérieur. Alors que j'entrais, il travaillait à une grande sculpture, haute de plus de deux mètres, debout dans l'allée derrière lui. Après les salutations d'usage, je lui demandai des nouvelles de sa famille, de son commerce et des derniers jours. À son tour, il s'enquit de mes nouvelles et, après avoir entendu l'histoire des trois personnes et de l'argent manquant, il me raconta ce qui suit :

« Mon arrière-grand-père, dit-il, chassait le buffle sur les plaines du nord du Nouveau-Mexique. »

Je savais qu'il parlait d'une époque lointaine, car aucune de ces bêtes n'avait parcouru cette partie de l'État depuis des années.

« Avant sa mort, il m'a donné son bien le plus précieux, la tête du premier buffle qu'il ait jamais attrapé dans son enfance. »

Cette tête d'animal avait été un bien précieux pour lui aussi, l'une des rares reliques tangibles qui le reliaient à son arrière-grand-père et à leur héritage commun. Un jour, une propriétaire de galerie de la communauté artistique de Taos est venue rendre visite à Robert. Elle lui demanda d'utiliser la tête de buffle à des fins d'exposition dans sa galerie de bijoux, et il accepta. Au bout de quelques semaines, n'ayant pas entendu parler de son amie, Robert se rendit en ville pour voir comment elle allait. À sa surprise, lorsqu'il arriva à la galerie, il n'y avait plus rien. Les portes étaient verrouillées, les vitrines couvertes, et la boutique avait fermé. Cette femme était partie. À cette étape du récit, Robert leva les yeux de son travail pour me regarder, et je vis à quel point il avait été blessé par l'expérience.

Qu'as-tu fait alors ? lui ai-je demandé, m'attendant à l'entendre dire qu'il avait repéré la galeriste et retrouvé son précieux bien. Lorsque son regard rencontra le mien, la sagesse de sa réponse ne fut pas perdue malgré sa simplicité.

« Je n'ai rien fait », a-t-il répondu.

« Elle vit avec ce qu'elle a fait. »

Ce jour-là, je quittai le *pueblo* de Taos en pensant à cette histoire et à sa pertinence dans ma vie. Alors que j'explorais mes possibilités juridiques en vue de récupérer au moins une partie de l'argent disparu de mon compte, j'appris rapidement que, peu importe la démarche que je choisirais, le processus serait long. Tous les avocats que je consultai m'assurèrent qu'il y avait là matière à une poursuite facile à remporter. À cause de la nature même de la plainte, un vol commis dans une institution bancaire fédérale, je serais obligé de la remettre aux autorités comme une affaire criminelle plutôt que civile. À partir de ce moment, le sort de l'accusé m'échapperait ainsi qu'à mon avocat. S'il était condamné, il risquait fort l'incarcération. Mais il y aurait d'abord une enquête préliminaire comprenant audiences et procès à la convenance de la cour, sans égard pour nos agendas. Il y aurait des frais d'avocats, des frais de cour et d'autres encore pour les assistants de l'avocat et une enquête. Tout cela résulterait en une relation prolongée avec quelqu'un dont je ne sentais plus aucune connexion et mènerait à la possibilité d'une probation ou d'un emprisonnement dans l'éventualité d'un verdict de culpabilité, sans compter tout l'argent nécessaire.

Ces options me mettaient mal à l'aise. Malgré ma rage, je ne sentais pas que l'emprisonnement était justifié et que l'épreuve émotionnelle d'une telle enquête préliminaire était méritée. En soupesant les options présentées, j'arrivai à la conclusion qui me parut immédiatement « juste ». Je réfléchis une fois de plus à la conversation avec mon ami au *pueblo* de Taos et aux leçons que les incidents des jours précédents m'avaient accordées.

Un fil conducteur reliait ma rencontre avec chacun de ces trois individus. Dès la première rencontre avec chacun, j'avais eu l'impression que, d'une façon ou d'une autre, quelque chose clochait dans la relation ou allait de travers. Je n'avais aucune raison logique d'avoir des soupçons. Je ne connaissais même pas ces gens. Pourtant, il y avait les sentiments, des sentiments que j'ignorais. Il y avait même des indices évidents, mais je les ignorais aussi en me disant qu'ils étaient insignifiants ou que c'étaient de ma part des jugements reliés à la méfiance. Par exemple, en rencontrant l'homme avec qui j'allais entrer dans un partenariat commercial intime, je lui avais posé une question que je soulève rarement. En effet, quelques minutes après notre rencontre, et à brûle-pourpoint, je lui avais demandé :

Quand êtes-vous né ?

J'avais posé la question d'un espace en moi où il n'était même pas question de cette transaction.

« Le 28 juin 1954 », avait-il répondu.

J'étais sidéré ! Le 28 juin 1954 était exactement le jour, le mois et l'année de ma naissance. L'homme à qui j'étais sur le point de confier des détails délicats concernant mes affaires et mon calendrier, mon entreprise, était né précisément le jour, le mois et l'année de ma naissance, sauf que je le précédais de seulement cinq heures. Je croyais que deux personnes ayant des dates de naissance si proches, deux signes d'eau sensibles, ne pouvaient se tromper en s'associant.

À ce moment se produisit quelque chose dont je me souviens encore bien, même si je l'ai écarté à l'époque. Mon « futur partenaire en affaires » me regarda directement dans les yeux, probablement sans même réaliser la clarté de son message, rit et me dit :

« Je suis votre frère jumeau maléfique. »

Ses paroles auraient pu me fournir un indice, si j'avais entendu ce qu'il disait au lieu d'écouter ce que je choisissais d'entendre. Avant que l'écho de ses paroles se soit évanoui dans la pièce, je les ignorai, me disant qu'il blaguait, même si j'avoue ne pas avoir trouvé beaucoup d'humour dans ces propos. Quelques mois plus tard, j'allais me rappeler ces mots, mais il serait alors trop tard.

Prenant en considération tout ce qui s'était produit, et le contexte de chacun des événements, je pris une décision ayant trait à l'argent. Dans la situation actuelle, je n'allais rien faire. De la sorte, j'allais laisser s'éteindre la chaîne d'événements, le pattern serait changé et ce serait fini.

Juste une semaine plus tôt, j'avais parlé devant un groupe de Californie en affirmant mon sentiment que 1993 serait une année de « vérité » et qu'ainsi, tout ce qui manquait d'intégrité en soi allait s'effondrer sous son propre poids. Je reconnus la chance pour moi de me démontrer ce principe en laissant chacune des parties, y compris moi-même, vivre à jamais avec les conséquences de tout ce qui s'était déroulé. C'était tout. Il me suffisait de prendre cette décision avec mon corps autant qu'avec ma logique. L'ayant fait, je n'entrepris aucune démarche, et tant mieux.

Presque immédiatement, quelque chose d'intéressant se mit à arriver. Suivant le choix conscient de « ne rien faire », chacune des trois personnes qui reflétaient mes jugements commença à s'écarter de ma vie. Il n'y eut aucun effort intentionnel de ma part pour arriver à cela. Chacune se mit tout simplement à disparaître graduellement de mes activités quotidiennes. Soudain, il y eut moins d'appels téléphoniques de leur part, moins de lettres provenant d'elles et moins de pensées à propos d'elles au cours de mes journées. Je n'étais pas fâché envers elles. Je n'éprouvais aucun ressentiment. Je commençai même à éprouver un très étrange sentiment de « néant » concernant chacune de ces personnes. Ayant réconcilié les événements qui avaient transpiré entre nous pour ce qu'ils étaient et non pour ce que mon jugement aimerait qu'ils soient, il n'y avait tout simplement aucune charge pour tenir les relations en place.

Quelques jours plus tard, une chose peut-être encore plus intéressante commença à se produire. Je réalisai qu'il y avait des gens qui se trouvaient dans ma vie depuis longtemps et qui, peu à peu, disparaissaient aussi. Encore une fois, il n'y avait aucun effort conscient de ma part pour mettre fin à ces relations ou écarter ces gens de ma vie. La communication entre nous devint presque inexistante. Les conversations qui subsistaient exigeaient un effort et semblaient artificielles et absurdes de ma part. Là où il y avait eu un terrain commun, il ne restait que du vide dans lequel ces personnes se sentaient mal à l'aise, et moi aussi. Presque aussitôt après avoir remarqué ce changement dans mes relations, je devins conscient de ce qui était, pour moi, un nouveau phénomène.

Ces relations qui sortaient à présent de ma vie, malgré leur diversité apparente, avaient des racines dans le pattern que les trois relations récentes m'avaient montré. Ce pattern était le jugement.

La charge de mon jugement concernant la confiance, l'abus et le discernement était la colle qui maintenait en place toutes ces relations. Ayant reconnu la voie qui consiste à permettre avec compassion à chaque individu de me montrer son reflet de moi au lieu de résister en posant des gestes de punition et de « vengeance », l'attrait se mit à diminuer. En l'absence de la charge de mon jugement, le lien disparut. Je remarquai ce qui semble être un effet en cascade. Une fois le pattern de jugement réglé sur un certain plan, dans une relation, son écho s'évanouit à bien d'autres niveaux. Quelle belle validation du mystère du deuxième miroir : le miroir du jugement.

Je vous invite à examiner votre relation avec les gens qui vous sont les plus chers au monde. Reconnaissez les caractéristiques et les traits qui vous attirent le plus chez ces individus. De plus, identifiez les patterns et caractéristiques qu'ils montrent et qui vous irritent absolument, incroyablement. Ayant assimilé les patterns qui constituent votre reflet à travers leurs gestes, posez-vous cette question :

« Ces gens sont-ils en train de me montrer à moi-même ? »

Si vous pouvez honnêtement et sincèrement répondre « Non », il y a une forte chance qu'au centre de votre irritation à l'égard de ces gestes se trouve le miroir des qualités de caractère que vous jugez dans la vie.

Mon défi, en racontant cette histoire, a été de transmettre les patterns de changement par opposition à l'émotion de « qui a fait quoi à qui ». Après avoir entendu l'histoire, les gens m'ont dit :

« Ils ont pris votre argent. »

« Ils ont abusé de votre confiance. Ils ne vous ont rien laissé. »

« Ils vous ont fait ça à vous. »

D'une certaine manière, ces observations sont peut-être justes, car l'expérience est relative. Toutefois, le fait de voir et de répondre à la vie en maintenant cette perspective fait en sorte que nous demeurons enfermés dans les patterns de pensée qui perpétuent ce genre d'expérience. Sur un autre plan, chacun des trois individus, en étant tout simplement qui il est, m'a donné l'une des leçons les plus fortes et les plus intenses de toute ma vie. Chacun, à sa manière, m'a beaucoup enseigné. Je choisis de porter l'expérience de notre vie au niveau suivant.

Les miroirs du jugement sont subtils, élusifs et n'auront probablement pas de sens pour tous ceux qui en prendront conscience. La reconnaissance du jugement en tant qu'action réfléchie n'est pas un mince accomplissement. Pour ces leçons, je dis merci. Aux individus qui m'ont montré mon humanité, je leur offre mon plus profond respect et ma gratitude pour avoir impeccablement tenu le miroir.

LE MYSTÈRE DU TROISIÈME MIROIR
REFLETS DE LA PERTE

« Le Royaume de mon Père
ressemble à une femme qui portait
un repas dans une jatte.

Alors qu'elle marchait sur un chemin,
À une certaine distance de chez elle,
La poignée de la jatte se brisa
Et le repas se répandit derrière elle
Sur le chemin.

Elle ne le réalisa pas ;
Elle n'avait remarqué aucun accident.
Lorsqu'elle arriva à la maison,
Elle déposa la jatte et la trouva vide. »

PARABOLE ESSÉNIENNE TIRÉE DE LA BIBLIOTHÈQUE DE NAG HAMADI[4]

Votre amour et votre compassion sont comme le repas dans la jatte de cette femme. À mesure que vous cheminez à travers le rêve éveillé de la vie, des morceaux de votre vie peuvent se perdre, être cédés innocemment ou dérobés par ceux qui ont eu du pouvoir sur vous. Ces parts de vous sont des compromis que vous avez faits pour survivre à votre expérience de la vie. Lorsque vous atteignez une étape de votre vie où vous choisissez vraiment d'aimer, de partager et de donner de vous-même, vous trouvez peut-être qu'il ne reste rien. Vous découvrez que vous vous êtes perdu, peu à peu, dans l'expérience qui vous invite à partager. Reconnaître les patterns et les masques de la survie tels qu'ils se jouent dans vos relations, voilà une voie rapide de choix. Rappeler ces morceaux de vous qui vous sont chers peut être votre expression la plus élevée de la maîtrise personnelle.

Cette nuit de juillet était chaude, même pour le nord de la Californie. Dans la petite ville de McCloud, à une quinzaine de kilomètres du mont Shasta, j'avais loué un centre de retraite qui servait aussi de café-couette, afin d'offrir un nouvel atelier. Conçu à partir de mon expérience au mont Sinaï, en Égypte, deux ans plus tôt, cet atelier intensif devait se concentrer sur la géométrie sacrée et le rôle des relations en tant que reflets de nous-mêmes. Mon groupe remplissait le café-couette à pleine capacité, ce qui nous permettait un accès sans restriction à toutes les installations, y compris la réception et l'accueil, avec leurs sofas confortables, leurs fauteuils assortis et un grand écran de télévision. C'est sur cet écran que je visionnais à l'avance un nouveau documentaire vidéo sur la signification de la géométrie sacrée dans les sites anciens et sacrés, terrestres et autres.

À un moment donné au cours de ce visionnement, la porte moustiquaire menant au vestibule s'ouvrit et deux jeunes femmes entrèrent ; elles avaient passé une longue journée en voiture. C'étaient des connaissances d'une autre femme qui travaillait au café-couette dans ce qu'on appelait le « service désintéressé », c'est-à-dire du travail en échange de repas et du logement. Remarquant la salle pleine de gens captivés par la vidéo, l'une des femmes me demanda si elle pouvait rester à regarder ce qui était, alors, l'une des parties les plus fascinantes. J'acceptai, et elle trouva une place sur le plancher, se fondant rapidement dans le groupe avec des questions et une discussion, jusqu'à la fin de la projection.

Une fois les lumières rallumées à la fin de la vidéo, je vis pour la première fois la jeune femme qui venait de partager la plus grande partie des deux heures avec un groupe d'étrangers. Elle avait un air étrangement familier qui me mit immédiatement à l'aise et, après que j'eus souhaité bonne nuit aux autres dans le vestibule, nous décidâmes elle et moi de faire une promenade nocturne dans les rues de McCloud. Si vous êtes déjà allé à McCloud, vous savez que la promenade ne dura pas longtemps. À notre grande surprise, nous fûmes de retour à l'auberge en quelques minutes, et ni l'un ni l'autre n'avions envie de terminer la soirée. Elle fit des arrangements pour rester avec son amie ce soir-là, et nous parcourûmes plusieurs autres fois le « circuit McCloud », nous familiarisant avec les sites importants de la ville, la voie ferrée et le musée des mines, le comptoir de crème glacée et le moulin à papier, tout en partageant des récits de voyage, des noms et des histoires familiales. Appelons-la Chris. Elle mentionna qu'après avoir fait réparer sa vieille Volvo familiale, elle prendrait le volant seule pour retourner sur la côte Est. Nous nous souhaitâmes bonne nuit et je croyais ne plus jamais la revoir.

Le lendemain matin, je parcourais les rues qui longeaient le mont Shasta à la recherche d'une animalerie. Comme j'avais décidé de prendre Merlin, le jeune chaton qui m'avait été donné par l'auberge, je savais que certaines provisions faciliteraient grandement notre voyage de retour au Nouveau-Mexique. J'étais parti chercher de la nourriture pour chats et un bol pour de l'eau, une laisse pour les haltes sur la route et des bacs de litière jetables. Arrivé à un arrêt à l'un des rares feux de circulation de la ville, je me mis à regarder les piétons lorsque je remarquai Chris qui attendait de traverser. Elle m'aperçut en même temps et courut vers ma fenêtre ouverte pour me saluer au moment même où le feu passait au vert. Derrière nous, des conducteurs ventilaient leur impatience. Malgré les klaxons et les cris provenant de l'intérieur des voitures, je lui demandai si elle avait déjeuné, et elle me répondit que non. Je lui offris d'y aller, elle acquiesça, et, en un moment, elle fut dans l'auto et nous roulâmes. Cela s'était passé en quelques brèves secondes. Nous nous arrêtâmes à une animalerie tout près et trouvâmes les accessoires pour Merlin. Puis, nous partîmes déjeuner, un peu surpris de la spontanéité et de la synchronicité avec lesquelles nous nous retrouvions à nouveau ensemble.

Choisissant un petit café au sud de la ville, nous nous assîmes rapidement, apparemment les premiers à vouloir déjeuner, et commençâmes à parler. Alors que notre conversation se tissait autour de notre expérience de mariages, de divorces, de voyages à l'étranger et de la quête de Dieu, j'observai le café se remplir pour l'heure du lunch. Bientôt, la foule diminua et nous fûmes les deux seuls clients du restaurant, appréciant tout à fait notre entretien. Alors que nous finissions notre repas, je jetai un coup d'œil à l'horloge au mur. Presque trois heures avaient passé depuis que nous nous étions assis en avance pour un lunch. La voiture de Chris était stationnée tout près, et nous marchâmes en parlant jusqu'à la Volvo à présent réparée. Après une accolade et une bise sur la joue, nous nous fîmes un au revoir et elle s'éloigna au volant de son auto. Une fois de plus, je soupçonnais que nous ne nous reverrions plus jamais. Pendant que je regardais sa voiture disparaître sur la route, quelque chose se passa en moi, quelque chose d'assez inattendu.

Un immense vide commença à monter à l'intérieur de ma poitrine et de mon ventre. Soudain, des vagues d'émotion inondèrent mon corps. Mes yeux se mirent à larmoyer et je réalisai qu'il m'arrivait quelque chose d'incroyable. Cette femme me manquait ! Si je n'avais pas eu autant d'expérience, j'aurais cru être tombé amoureux. Je savais que ce n'était probablement pas de l'amour au sens romantique du terme. Nous ne nous connaissions que depuis cinq heures en tout. Peu importe ce que c'était, ou ce que je choisissais de l'appeler, quelque chose de très réel était en train de m'arriver. C'était impossible à nier.

Quand j'atteignis ma voiture, je restai assis là dans la lumière du début de l'après-midi, fixant le chemin devant moi, là où sa Volvo s'était évanouie quelques instants plus tôt. Ressentait-elle la même chose que moi ? Allait-elle faire demi-tour, ou l'événement au complet n'arrivait-il qu'en moi, dans mon esprit ? Alors que j'attendais, assis, un feu de pensées et d'émotions courut dans mon esprit. Après quelques minutes, je démarrai et conduisis l'auto jusqu'à l'auberge pour prendre mon nouvel ami Merlin et entamer le chemin du retour au Nouveau-Mexique. Je n'ai jamais revu Chris. Qu'est-ce qui venait de m'arriver ?

Durant la première partie de ma carrière dans l'industrie aérospatiale, je faisais partie d'une équipe d'ingénieurs en informatique. Nous partagions un espace de travail relativement petit meublé de bureaux, de chaises et de cubicules réglementaires en Steele-case™, typiques des forces aériennes. Comme nous passions de longues heures à proximité les uns des autres, nous développâmes rapidement une familiarité quant à notre vie personnelle, privée et familiale. Plusieurs fois par semaine, nous allions luncher ensemble, encaisser nos chèques de paie ou faire des courses rapides à l'heure du déjeuner.

L'un des ingénieurs qui travaillaient avec moi vivait un phénomène fréquent qui ravageait sa vie. Presque tous les jours, il « tombait amoureux » de quelqu'un qu'il venait de rencontrer durant le lunch. Ça pouvait être la serveuse qui avait pris notre commande ou la caissière qui venait de percevoir nos chèques. Ça pouvait être la vendeuse d'un grand magasin ou une préposée à la caisse de l'épicerie. Il tombait amoureux plusieurs fois par jour. Cela devint un problème puisque son mariage était heureux et qu'il vivait avec une adorable femme et un bel enfant. Ses sentiments amoureux envers ces autres personnes devenaient si forts après la rencontre, qu'il ne pouvait se concentrer sur son travail. Il pensait à ces femmes tout le reste de l'après-midi et les appelait souvent pour les inviter à prendre un café. Si elles acceptaient, il les rencontrait après le travail pour bavarder. Puis, il tombait amoureux de la serveuse qui s'occupait d'eux. Il était poussé à entrer en contact avec ces gens, à explorer ce que, selon lui, ses sentiments d'amour lui disaient. Qu'arrivait-il à cet homme ?

Avez-vous déjà eu des expériences semblables, peut-être à un degré moindre ? Avez-vous jamais été engagé dans une relation parfaitement heureuse, ou sans relation du tout ni sans en chercher, marchant dans la rue d'une ville grouillante d'activités, dans un aéroport, un centre commercial ou une épicerie, alors que soudain « ça » arrive ? Parfois, vous croisez une parfaite étrangère, vos regards se rencontrent, et clic, vous ressentez un feeling. C'est peut-être là un sentiment de familiarité. Ce peut être une impulsion presque renversante de connaître cette personne, d'entamer une conversation ou de simplement vous tenir tout près. Comme les gens se sentent à l'aise de partager des parts intimes de leurs vies dans des ateliers, j'ai découvert que ce n'était pas un événement rare.

Ce qui arrive couramment, c'est ceci : même si leurs yeux se sont rencontrés et qu'ils ont ressenti un « feeling », l'un des deux écarte l'événement. Pour quelques brèves fractions de seconde, cependant, il y a eu un état second, un sentiment d'irréalité. À cet instant, chacun dira quelque chose à l'autre, probablement même sans le savoir. Puis, presque à un signal, leur esprit rationnel créera une distraction, n'importe quoi, pour rompre le contact. Ce peut être le bruit d'une voiture qui passe ou de la gomme collée sur la chaussée. Ce peut être d'ajuster ses cheveux ou d'éternuer. L'autre personne déplacera son attention et le moment sera passé, tout simplement.

Si vous avez eu cette expérience, que vous est-il arrivé ? Une prise de conscience des patterns de la vie démontrera que vous avez sans doute de telles expériences de façon courante, peut-être même sur une base quotidienne. Espérons que vos sentiments ne sont pas aussi intenses que ceux de mon ami l'ingénieur. Tous ces exemples, Chris au mont Shasta, mon ami l'ingénieur et vous marchant dans la rue, ont un fil conducteur. Chacun illustre une puissante occasion de vous connaître vous-même, si vous avez la sagesse de reconnaître l'occasion. Le secret de cette chance se cache dans le mystère du troisième miroir.

Pour que vous surviviez dans la vie jusqu'à cet instant, vous avez peut-être compromis d'immenses portions de vous-même en échange de la continuation de votre expérience. Ces parts ont été innocemment cédées, perdues ou prises alors que vous appreniez à vous débrouiller avec les défis de votre vie. Vous avez appris qu'il était plus facile de « céder » ou de changer au lieu de naviguer devant l'opposition. Les compromis ont été masqués sous des stratégies socialement acceptables, pas toujours approuvées, mais permises ou négligées dans notre société. Le fait d'obliger des enfants à jouer des rôles d'adultes dans la vie de tous les jours, la perte d'appartenance à un groupe distinct lorsqu'on oblige des groupes culturels à coexister, la survie de l'enfance et certains traumatismes reliés à l'adolescence par des émotions émoussées, voilà des exemples de cession d'aspects de vous-même.

Pourquoi feriez-vous une telle chose ? Pourquoi compromettriez-vous d'immenses parts de ce qui vous rend unique, sachant que vous auriez besoin de les retrouver à un autre moment de votre vie ? La réponse est simple. La survie.

Enfant, vous avez peut-être découvert qu'il vous était beaucoup plus facile de rester silencieux plutôt que d'émettre une opinion, au risque d'être contredit par des parents ou des pairs. En tant qu'objet d'abus et de traumatismes dans la famille, il est beaucoup plus sécuritaire de céder et d'oublier, que de résister à ceux qui ont du pouvoir sur vous. En tant que société, nous acceptons, par le biais du conditionnement, le fait de tuer d'autres gens dans des circonstances particulières. Nous avons appris à donner notre pouvoir et à nous sentir dépourvus devant le conflit, la maladie, le malaise et les débordements d'émotion.

Dans chacun de ces exemples, je décris un pattern de comportement ; je ne dis pas qu'un sentiment est bon, mauvais ou approprié. Je ne pose aucun jugement. Ce pattern, c'est le fait de perdre, de donner ou de laisser quelqu'un prendre un aspect de vous-même dans le but de survivre.

Ce pattern est aussi une voie. Toute voie a des conséquences. Dans la mesure où vous avez compromis des aspects de vous-même pour en arriver là où vous êtes aujourd'hui, pour chaque morceau perdu il reste un vide attendant d'être rempli. On peut considérer ce vide comme une charge manquante. La clé, pour comprendre ce qui s'est passé dans chacun des exemples ci-dessus, c'est :

Alors que vous rencontrez quelqu'un qui a une charge complémentaire à des aspects de vous qui ont été perdus, enlevés ou cédés, sa charge peut vous sembler très agréable.

Nous sommes continuellement en train de chercher ce sentiment, consciemment ou non. Les charges complémentaires détenues par d'autres, voilà ce qui nous fait nous sentir « entiers » à nouveau, jusqu'à ce que nous nous rappelions les parts de nous-mêmes qui reposent, dormantes, en nous. Lorsque vous sentez chez un autre les patterns que vous avez oubliés en vous-même, vous croyez peut-être ressentir de l'amour pour cette personne. Avec elle, vous éveillez ces vertus, qualités et caractéristiques dormantes. Le sentiment d'amour que vous éprouvez n'est peut-être pas vrai pour la personne debout à côté de vous dans la file à la caisse de l'épicerie, pour un ami ou un autre membre de votre famille. Il y a des chances que ces gens ne se soient pas laissés aller exactement comme vous.

La clé de votre maîtrise est de reconnaître le sentiment pour ce qu'il est et non pour ce que votre conditionnement en. Si vous n'êtes pas plus conscient, vous aurez peut-être l'impression d'être tombé amoureux, et ce pourrait très bien être le cas. Quelle est l'inexplicable attirance magnétique, quel est le feu que nous cherchons chez d'autres et qui nous permet de nous sentir vivants et complets ? *Ce feu est la charge de votre complément.* Ce sentiment, c'est ce qu'on ressent quand on trouve quelqu'un possédant les pièces complémentaires qui correspondent à nos vides. L'amour romantique, c'est le nom que nous donnons au sentiment d'avoir trouvé nos pièces manquantes. Parfois, nous appelons ces pièces « notre autre moitié ». En gardant cela à l'esprit, revenons à nos exemples et répondons aux questions : « Qu'est-ce qui s'est passé ? » et « Que se passe-t-il maintenant ? ».

Sans le savoir consciemment, mon ami l'ingénieur cherche fort probablement chez d'autres les pièces de lui-même qu'il a perdues, qu'il s'est fait prendre ou qu'il a données tout au long de sa vie. En plus des parts de lui-même qu'il a retenues, des qualités qui lui ont permis d'être l'ingénieur-père-mari et ami qu'il était à ce moment, les pièces envolées avaient une telle importance qu'il en trouvait une chez presque chaque personne qu'il rencontrait.

Ne comprenant pas ce que ses sentiments tentaient de lui montrer, il était contraint d'agir selon ses sentiments, de la seule manière qu'il connaissait. Il croyait honnêtement que chaque rencontre constituait une chance de bonheur, car il se sentait si bien avec ces gens ! Il aimait pourtant encore beaucoup sa femme et son fils. Lorsque je lui ai demandé s'il voulait vraiment les quitter, il parut choqué. Il n'avait aucun désir de mettre fin à son mariage. Malgré tout, la force de ses sentiments le mena à des situations compromettantes jusqu'au moment où la perte de son mariage devint un danger réel.

Lorsque Chris est partie du mont Shasta, j'ai eu une réaction émotionnelle et physiologique profonde. J'avais vraiment l'impression qu'une partie de moi « s'arrachait » à mesure qu'elle s'éloignait à l'horizon. Alors que je demandais en mon for intérieur la sagesse de comprendre ce qui m'arrivait, je réalisai qu'en Chris, j'avais vu une part de moi-même que j'avais cédée des années auparavant. Dans cet instant particulier, Chris me reflétait mon innocence et ma spontanéité perdues.

Je savais que c'était vrai, car je venais de penser à ce sujet précis en roulant vers le mont Shasta. J'adorais son innocence et l'émerveillement avec lequel elle voyait sa vie et celle de ses proches. Après des années à l'université, deux carrières administratives et les difficultés d'un mariage « rompu », j'avais certainement perdu une partie de ma spontanéité et de mon innocence. Cela peut arriver couramment à chacun de nous, peut-être sur une base quotidienne.

Par exemple, des années avant de devenir géologue, je prenais l'autoroute 70 à Denver, direction ouest, complètement émerveillé par la beauté de la route franchissant des montagnes. Je n'avais jamais imaginé que des rochers puissent avoir des couleurs aussi vivantes : des rouges vifs, des roses chatoyants et des verts profonds qui se fondaient dans le bleu et le gris. Après avoir reçu mon diplôme, je prenais encore l'autoroute 70 vers l'ouest, roulant sur les chemins de montagnes. Mais à présent, ces chemins ne me semblaient pas les mêmes. Ils n'avaient pourtant pas changé. Chaque bande de couleur était encore là, aussi vive qu'auparavant. Mais quelque chose avait changé en moi. À présent, je voyais des exemples géologiques d'inclinaisons magnétiques, les belles strates du crétacé et des processus métamorphiques à la place des couleurs brillantes et des bandes magnifiques. J'avais compromis une part de mon innocence en échange de la sagesse de ma connaissance.

Chacun d'entre nous a habilement cédé les parts de lui-même en déterminant sur le coup celles qu'il lui fallait abandonner pour survivre ou maîtriser l'instant. Ce faisant, nous nous sommes peut-être piégés dans l'expression limitée de ce qui reste. Pour certains, le piège est plus grand que pour d'autres.

Un après-midi, en travaillant dans l'aérospatiale, je reçus sur mon bureau une invitation très inattendue à une présentation informelle faite par des militaires et des administrateurs de haut rang. Ils devaient organiser une tournée d'une partie de nos installations en recherche et développement reliées à un programme d'armement alors à l'essai à l'époque. Au cours d'une conversation qui a suivi la présentation, l'un des directeurs généraux, avec une franchise inhabituelle, a répondu à une question ayant trait à ce qu'il fallait faire pour s'élever dans les rangs des militaires et des civils, dans la bureaucratie du Pentagone, jusqu'à une immense position de pouvoir et d'autorité en tant que directeur général d'une grande multinationale. J'écoutai attentivement cet homme répondre honnêtement et consciemment :

« Pour arriver où je suis aujourd'hui, a-t-il dit, j'ai eu à me déposséder au bénéfice de mon parcours. Chaque fois que je montais en grade, je perdais une autre part de moi-même dans la vie. Un jour, j'ai réalisé que j'étais au sommet et j'ai regardé ma vie derrière moi. Ce que j'ai découvert, c'est que j'avais cédé une telle part de moi-même à mon parcours qu'il ne me restait plus rien. La corporation et l'armée me possédaient. J'ai cédé ce que j'aime le plus : ma femme, mes enfants, mes amis et ma santé. J'ai échangé ces choses contre le pouvoir, la richesse et le contrôle. »

J'étais étonné par son honnêteté. Même si cet homme s'était perdu dans le processus, il l'avait fait consciemment. Pour lui, c'était un prix qu'il valait la peine de payer pour sa position de pouvoir. Même si ce n'est probablement pas pour les mêmes raisons, nous faisons peut-être, chacun d'entre nous, quelque chose de très semblable au cours de notre vie. Pour bien des gens, toutefois, le but est moins une question de pouvoir que de survie personnelle.

Lorsque vous rencontrez quelqu'un dans la rue, au magasin ou au bureau et que vous commencez à sentir cette impression de familiarité, immergez-vous dans l'instant. Je vous y invite. Quelque chose de puissant se passe alors pour vous deux. Vous êtes devant quelqu'un qui montre une ou des parts de vous que vous cherchez. Vous reconnaîtrez-vous dans l'instant ? Si vous sentez que c'est approprié, entamez la conversation. Commencez à parler de n'importe quoi, vraiment n'importe quoi, pour maintenir le contact oculaire. Tandis que vous parlez, posez-vous en vous-même cette question :

Qu'est-ce que je vois dans cette personne que j'ai perdu, cédé, me suis fait prendre ou ai oublié à propos de moi-même ?

Presque immédiatement, la réponse vous viendra à l'esprit. Ce peut être aussi simple qu'un sentiment de réalisation, ou aussi clair qu'une voix familière qui parle en vous depuis l'enfance. La réponse tient souvent en un mot ou en une courte phrase. Votre corps sait ce qui vous convient. Vous discernez peut-être tout simplement la beauté dans cette personne, une beauté que vous sentez absente en vous en cet instant. Ce sera peut-être son innocence, la grâce avec laquelle elle se déplace dans l'allée de l'épicerie, sa confiance et l'organisation avec laquelle elle accomplit la tâche du moment, ou simplement le rayonnement qui entoure une personne de grande vitalité. Par le regard, sentez ce feeling et reconnaissez ce qui arrive. Selon toute probabilité, lorsque vous avez ces expériences, vous venez de trouver quelqu'un qui a le potentiel de vous montrer des parts de vous-même que vous avez perdues ou oubliées. Dans cette reconnaissance se trouve votre maîtrise.

Certains individus peuvent trouver maladroit ou inconvenant d'avoir ces sentiments d'attirance sans comprendre le miroir. Vous pouvez même vous croire amoureux et vous sentir coupable parce que la rencontre vous semble inconvenante. Le fait de savoir ce que vos sentiments vous disent vous permettra d'agir consciemment au lieu de suivre une force mystérieuse et contraignante que vous ne pouvez expliquer.

Lorsque vous rencontrez quelqu'un en ayant d'abord un contact oculaire, éprouvez le sentiment et reconnaissez ce qui est en train de se passer. Il y a une forte chance que vous veniez de trouver un être que vous cherchez depuis des années ou peut-être des vies. Si la situation implique quelqu'un que vous voyez régulièrement, tel un collaborateur ou un collègue, un sentiment d'attirance peut poser un problème. Vous aurez peut-être à faire face à des situations compromettantes par rapport à votre carrière, votre famille ou votre intégrité personnelle.

Si cette expérience vous arrive fréquemment, je vous invite à essayer quelque chose. Ce simple exercice peut s'avérer très enrichissant pour vous et l'autre personne, si vous choisissez de partager votre processus avec elle. Si vous avez le sentiment que l'autre est ouvert à ce genre de discussion, vous pouvez aborder le sujet de la manière suivante. Exprimez-lui vos sentiments en affirmant tout simplement la vérité :

Je me sens attiré vers vous. Puis, continuez par une explication :

En me demandant pourquoi, j'ai découvert qu'en vous, je vois quelque chose de moi-même que j'ai perdu il y a longtemps. C'est par cette partie de vous que je suis attiré.

Ayant présenté cela à des employés et l'ayant pratiqué moi-même, je peux affirmer par expérience que quelque chose de magique se produit en disant simplement et honnêtement ces mots. La charge puissante qui entoure l'attraction se dissipe, ouvrant la voie à une sorte de charge nouvelle et différente, parfois plus grande que celle d'avant. En identifiant les sentiments, vous pouvez déterminer ensemble la pertinence de la façon dont les feelings sont résolus. Plus souvent qu'autrement, en partageant les trois phrases expliquées précédemment, ou leur équivalent en vos propres mots, il peut émerger une amitié encore plus grande née d'un respect et d'une compréhension profonde. Si cela survient au bureau, il y a des chances que vous travailliez ensemble pendant longtemps. Quelle puissante solution de rechange à la résolution des sentiments ! Ainsi, on évite d'agir à partir de ce qui est perçu comme de l'amour, d'affronter des déceptions dans la relation et de vivre de la tension au bureau ou en classe.

Dans les séminaires, les gens m'ont posé des questions sur ces miroirs concernant l'attraction entre homme et femme. Voici, peut-être, l'un des secrets les mieux gardés du troisième miroir. Dans votre être, en tant qu'essence d'âme, vous n'êtes ni homme ni femme uniquement ; vous êtes les deux combinés. Sans corps, vous êtes essentiellement dépourvu de sexe. À présent, considérez l'amplitude de votre expression à travers un corps, dans l'expérience terrestre. Pour descendre dans le plan ou la polarité terrestre, vous devez choisir l'un ou l'autre de ces deux pôles, soit de vous exprimer en tant qu'homme ou femme, compromettant l'autre avant même de commencer cette vie ! Avant d'émerger du ventre maternel, vous avez déjà cédé cinquante pour cent de votre identité en la mettant sur la glace, incapable d'exprimer pleinement cette part de votre vie.

Comme c'est le cas, vous chercherez généralement le complément de ce que vous avez cédé, c'est-à-dire votre autre moitié. À présent, vous voyez mieux pourquoi vous êtes parfois inexplicablement attiré vers quelqu'un du sexe opposé sans raison apparente. Tandis que vous pouvez justifier l'attraction en invoquant la beauté ou la chimie sexuelle, selon toute probabilité, vous sentez ce que c'est que d'être à nouveau entier lorsque vous tenez et touchez votre complément.

Idéalement, la relation réveillera cette part de vous qui est dormante, et pour vous, le changement sera équilibré. Dès cet instant, vous devrez choisir de poursuivre ou non la relation. C'est là un choix puissant, car ce n'est que lorsque la charge a disparu que vous êtes à même de faire ce choix sans qu'une force magnétique vous incite à demeurer dans la relation.

Que dire des relations entre individus du même sexe ? Vous avez maintenant l'information qui peut vous fournir une réponse personnelle à cette question. Je le répète, nous cherchons généralement le complément de ce qui, en nous, est perdu, emporté ou cédé. Avant la naissance, nous cédons cinquante pour cent de notre identité pour commencer notre expérience terrestre.

Par exemple, imaginez une âme qui choisit de faire l'expérience de la terre dans un corps masculin. À cette fin, l'aspect féminin de cette âme est atténué – ce choix survient avant la naissance. Lorsque l'âme est polarisée dans une expression masculine, elle ne connaît peut-être au départ que cet aspect masculin.

Maintenant, la question : Que se passe-t-il si, tout au long des expériences de la vie, la masculinité de cette âme est perdue, enlevée ou cédée ? Qu'est-ce qui reste ? Le féminin a été compromis avant la naissance et le masculin l'est après. L'âme polarisée aura tendance à renforcer le pôle dans lequel elle est née afin de récupérer au moins cinquante pour cent de son identité. Visant à la complétude, l'homme cherchera la compagnie d'autres hommes qui refléteront sa perte. Le reflet de cette possibilité pourra durer des jours, des années ou toute une vie.

La raison à cela est la suivante : dans le passé, notre société a mis l'accent sur la compartimentation et les étiquettes dans les relations. Ces étiquettes sous-entendent le jugement, la séparation des familles et la culpabilité par rapport à un processus très naturel de recherche du complément de ce qui a été perdu. Nous découvrons la complétion en nous-mêmes lorsque d'autres nous renvoient notre nature. Collectivement, nous cherchons à redevenir entiers. Individuellement, nous créons des voies variées et uniques afin d'atteindre notre état complet.

Pour ceux qui osent se permettre d'être entiers, le troisième miroir, celui de la perte, s'offre à eux presque chaque jour. Les prêtres, les enseignants, les gens âgés qui observent les jeunes, les parents qui observent leurs enfants, tous sont des catalyseurs de sentiments.

C'est naturel.

C'est humain.

Le fait de comprendre ce qu'il y a derrière vos sentiments à l'égard des autres peut devenir votre outil le plus puissant pour atteindre un niveau élevé de maîtrise personnelle.

LE MYSTÈRE DU QUATRIÈME MIROIR
REFLETS DE VOTRE AMOUR LE PLUS OUBLIÉ

« Ce que vous avez vous sauvera,
si vous le sortez de vous-même. »

EXTRAIT TIRÉ DES MANUSCRITS DE LA MER MORTE[5]

Un soir de 1992, un homme m'a appelé et m'a demandé si je voulais bien l'aider à traverser ce qui lui semblait être le plus grand défi de sa vie adulte. Il venait de recevoir un diagnostic de cancer « agressif » et, de l'avis des professionnels de la médecine, il avait une chance très mince de survie à long terme. J'ai retourné l'appel à Charles (un pseudonyme) et lui ai expliqué que je n'avais aucune formation médicale et que je ne pouvais pas faire grand-chose de plus que de lui faire des observations sur de possibles patterns d'émotions sous-jacents à sa condition. Il a accepté, a pris un rendez-vous, et nous nous sommes rencontrés deux soirs plus tard.

Lorsque Charles entra dans mon bureau ce soir-là, un flot d'émotions a rempli mon corps. Même s'il ne me donnait pas l'impression d'être bien dans sa peau, il n'avait pas l'air, non plus, de quelqu'un qui avait démissionné de la vie. J'avais le sentiment d'une dichotomie entourant sa vie, sa condition et la relation entre les deux. Après une chaude accolade et nos salutations, je demandai à Charles de me parler de lui et de sa vie. Immédiatement, il se lança dans une description de sa « maladie » et de ce que les médecins lui avaient dit. Il déversa un torrent de termes spécialisés en me décrivant les détails du diagnostic, du pronostic et des statistiques de survie concernant sa condition. Sa voix s'effritait et ses mains tremblaient pendant qu'il me décrivait ce qu' « on » lui avait dit. Sentant son besoin de dire ces choses, je l'ai écouté quelques instants. Lorsque je trouvai un point de rupture dans sa conversation, je l'interrompis.

Ce que tu m'as présenté, c'est une description de la façon dont les autres t'ont perçu, de leur point de vue, ai-je dit pour commencer. *S'il te plaît, Charles, parle-moi de ta vie. Qui es-tu ? Que ressens-tu ?*

Charles s'arrêta. Il cessa de pleurer. Il cessa de parler. Il se contenta de me regarder fixement.

« Que veux-tu dire ? demanda-t-il. Comment crois-tu que je me sente ? »

C'est une bonne question, ai-je répondu. *J'ai choisi de te comprendre. Pour cela, je dois t'entendre dire comment tu te perçois.* Hochant la tête, Charles se mit à décrire la douleur dans sa poitrine et son bas-ventre, ses fièvres, la rigidité de ses muscles.

Maintenant, lui dis-je, *tu es en train de décrire des sensations corporelles. Décris-moi le mieux possible tes émotions. S'il te plaît, laisse-moi voir tes yeux.*

Il se retourna et me présenta ses yeux dans ce qui était, selon moi, un geste de compromis désespéré. Il y eut un changement remarquable dans l'énergie de la pièce lorsque Charles se redressa dans son grand fauteuil de rotin et commença à maltraiter la couture du coussin afghan.

« J'ai peur, dit-il. Je me sens perdu et seul. Les membres de ma famille ne savent pas comment se comporter vis-à-vis de moi ni ce qu'ils doivent me dire. Mon patron m'a demandé de prendre un congé afin de ne pas déranger les autres employés. Mes amis ont peur et j'ai cessé de leur téléphoner. Je suis seul. Je n'ai personne. »

Bien, dis-je, *tu vas bien. Maintenant, parle-moi de ta vie.*

Comme je m'y attendais, Charles choisit de commencer par le début de son enfance, à l'âge de six ans. Cet homme avait eu mal la plus grande partie de sa vie. C'était une histoire trop familière d'abandon durant l'enfance. À cette époque, son père biologique avait quitté la famille assez soudainement. En fait, après des semaines de terribles querelles avec sa femme, le père de Charles était tout simplement parti travailler et n'était pas revenu. À l'âge de six ans, sans comprendre la dynamique adulte des relations conjugales, Charles s'était senti en quelque sorte responsable de la disparition de son père. Il n'a jamais su comment ; il savait seulement qu'il avait incité son père à quitter la maison.

Pendant des années, durant son enfance, chaque fois qu'il voyait sa mère pleurer la perte de son mari, il se sentait coupable de sa douleur à elle en plus de la sienne. Sa mère et lui prirent leurs distances lorsqu'il développa des amitiés avec d'autres garçons de son quartier ayant eu un passé semblable. Ensemble, lui et ses amis découvrirent les cigarettes, l'alcool, le sexe et d'autres façons de survivre à une enfance pénible.

Peu après, il se mit à engourdir sa douleur avec tout ce qu'il trouvait. Tous les anesthésiants émotionnels que ses amis pouvaient avoir, Charles les utilisait pour cesser de sentir son mal intérieur. Tout au long de ses études secondaires, il fit l'expérience d'une panoplie de drogues différentes, en plus de l'alcool. Il me décrivit chacun d'eux en détail, leurs propriétés désirables et leurs effets secondaires. En faisant son service militaire, il avait oublié pourquoi il buvait tous les jours. Sans raison, c'était devenu une habitude, une force très puissante dans sa vie. Même s'il but moins dans l'armée, il trouvait difficilement tout ce dont il avait besoin, peu importe dans quelle ville il était établi.

Pendant ce temps, Charles eut un certain nombre de relations amoureuses. Le plus souvent, c'était la femme qui le quittait, tout comme son père avait quitté sa mère. Soudain, sans raison, elles cessaient de retourner ses appels ou ses lettres. Je lui demandai comment il prenait les ruptures. Chaque fois, dit-il, « je suis consterné. J'ai l'impression qu'on m'a arraché quelque chose du ventre. »

À présent, les médecins attribuaient l'état cancéreux qui grugeait peu à peu la vie de Charles, maintenant au début de la cinquantaine, à une combinaison de facteurs largement reliés à des années de consommation d'alcool, de produits chimiques et de nicotine, et à leur effet sur son système respiratoire et immunitaire. Ayant lu, en dernier recours, quelques ouvrages de psychologie populaire, Charles demandait pourquoi. Qu'est-ce qui lui arrivait ? Qu'avait-il exprimé dans ses choix de vie et pourquoi sa vie lui était-elle « enlevée » ?

Je présente l'histoire de cet homme parce qu'elle illustre bien une voie, pour certains inconsciente, que bien des gens ont choisie. Selon les calendriers anciens et les textes mystiques, cette vie est une période d'achèvement cyclique. La fermeture de ce grand cycle d'expérience et l'état physique de Charles ne sont pas séparés. Pour compléter ce cycle d'expérience, la vie de Charles lui demande d'accepter ce qui, pour lui, représente sa plus grande peur en cette vie. En s'acceptant sur le plan émotionnel, il créera le « programme » qui permettra à son corps physique de guérir et de survivre. Si nous devons croire les textes anciens, il y a une forte possibilité que la qualité émotionnelle de Charles détermine celle de l'expression physique de sa vie.

Pour bien des gens, comme pour Charles, la plus grande peur est si pénible qu'ils l'ont habilement masquée. Chaque peur est déguisée sous un pattern comportemental socialement acceptable. Sous ce déguisement, le pattern peut se jouer publiquement, car son expression masquée est admise. Si le masque de votre plus grande peur est correct aux yeux de votre communauté, de votre famille et de votre société, alors il devient sécuritaire de nier, d'engourdir et d'anesthésier votre peur avec des gens qui ont des peurs semblables. Pour clarifier ce concept, examinons les patterns de Charles, étape par étape, pour en arriver à sentir ce que sa vie cherchait à lui montrer.

Charles entama le résumé de sa vie en décrivant son désarroi face au départ de son père. Ses paroles exactes furent : « Mon père m'a laissé. Il m'a laissé seul. »

Pourquoi Charles était-il si atterré par le départ de son père ? La relation familiale était marquée par la tension et la colère. Pourquoi n'était-il pas plutôt soulagé par le départ de son père ? Sans savoir ce qu'il avait fait, Charles venait de me décrire ce qui était peut-être sa plus grande peur dans la vie. Il me la décrivait même dans le langage de la première peur universelle, celle de l'abandon. La douleur que Charles avait ressentie lors du départ de son père biologique avait probablement très peu à voir avec le fait que cet homme les quitte, lui et sa mère. Cet incident catalyseur avait déclenché le sentiment d'abandon avec lequel Charles était venu au monde, soit la charge de la séparation. Chaque fois que quelqu'un le quittait dans ses relations subséquentes, amoureuses ou autres, cela lui rappelait ces sentiments de séparation à l'origine. La fin de ses relations amoureuses paraissait plus atterrante encore parce qu'il leur avait alloué un plus grand degré d'intimité et de confiance. Est-il étonnant que la douleur ait été si grande lors du départ de son père ? Relisez les mots qu'il a choisis pour décrire son expérience. Que m'exprimait-il vraiment en disant :

« Mon père m'a laissé. Il m'a laissé seul. »

Par la suite, Charles m'avoua que cette seule phrase décrivait ses sentiments envers son père céleste, en plus de son père terrestre. « Comment un créateur qui m'aime peut-il permettre tant de douleur dans ma vie ? »

« Comment un créateur qui ne m'a pas oublié peut-il permettre ce cancer dans mon corps qui m'emporte peu à peu ? » demanda-t-il.

Parfait, ai-je dit.

Réponse parfaite.

Langage parfait.

Je n'aurais pas pu mieux énoncer cet état moi-même. Tu t'es donné l'occasion de découvrir, en cet instant, ce qui est sans doute la part de toi que tu te rappelles le moins et qui t'est la plus chère. C'est la part de toi qui, pour toi seul, représentera l'amour que tu as le plus oublié.

Charles avait fait son travail. Il avait pris une chance avec moi, quelqu'un qu'il venait de rencontrer trente minutes plus tôt, et se permettait de m'accorder sa confiance. À travers celle-ci, il me permettait aussi de sentir ses peurs. Dans son innocence, alors qu'il partageait avec moi son amour le plus oublié, il découvrait lui-même le mystère du quatrième miroir essénien de la relation. Je l'invitai à relaxer, à écouter et à envisager les possibilités.

LE « CADEAU » DE LA DÉPENDANCE

En chacun de nous vit la semence cachée de notre vérité. Enfermé en chaque graine vit le souvenir de qui nous sommes, de notre relation avec les forces de la création, de notre rôle en ce monde. Aussi, en chacune de nos vies habite la perception de ce que cette semence signifie pour nous. La différence entre la vérité de la semence originelle et la perception de notre réalité actuelle est la distorsion. L'équation peut se concevoir comme suit :

$$(\text{semence originelle}) - (\text{perception actuelle}) = \text{distorsion}.$$

Pour certains individus, la perception présente est devenue si pénible que la distorsion devient insupportable. Habilement, ces puissants individus créent des patterns comportementaux qui leur permettent de survivre à cette distorsion. Ces diversions magistrales les aident à traverser la vie avec un minimum de douleur. En fait, le pattern comportemental qui leur permet de « traverser » l'épreuve les insensibilisent en même temps à leur douleur. Aujourd'hui, nous appelons dépendances ces patterns répétitifs.

Définition : Aux fins de notre exposé, on peut traduire définir la dépendance comme un pattern comportemental répétitif autour duquel on aménage le reste de sa vie.

En entendant le terme dépendance dans les ateliers, bien des gens pensent immédiatement aux drogues, y compris l'alcool. Alors que ce sont des expressions courantes de patterns comportementaux autour desquels des individus aménagent le reste de leur vie, il y en a d'autres qui ne sont peut-être pas aussi évidents. Ces patterns subtils peuvent être masqués sous forme de choix de vie et de comportements socialement acceptables. Voici une liste partielle de dépendances soulevées au cours d'un récent séminaire :

Relations	Nicotine	Faire de l'argent
Pouvoir	Contrôle	Sexe
Dépenser	Vivre dans le manque	Maladie

Chacun de ces termes décrit, sans le juger, un pattern auquel l'individu a fait place en changeant ses priorités dans la vie. L'expression de la dépendance même a probablement moins d'importance que l'esprit sous-jacent à celle-ci. Par exemple, dans la dépendance reliée au fait de « faire de l'argent », cet argent est-il gagné au risque de perdre sa famille et ses proches ? L'argent est-il gagné pour la « joie » de faire de l'argent ou à cause de la « peur » d'en manquer ? Il est clair que, lorsque des patterns de cette nature sont identifiés, on ne touche que la pointe de l'iceberg.

Quel est le rapport entre la dépendance, les temples esséniens de la relation et l'exemple de Charles ? Voici ce qu'il y a de formidable dans le cadeau de la dépendance. *Les patterns de comportements dépendants et compulsifs, à l'extrême, fournissent l'occasion de faire l'expérience du contraire exact de ce que l'on désire le plus dans la vie.* Votre dépendance est votre façon de vous donner l'occasion d'éprouver vos plus grandes peurs, peu à peu, à mesure que vous écartez de votre vie les choses mêmes qui vous sont les plus chères. Une fois en place, un comportement dépendant et/ou compulsif se poursuivra dans votre vie jusqu'à l'apparition de l'une de ces deux possibilités :

• Vous reconnaissez que le pattern représente à la base ce que vous avez de plus cher, vous résolvez la peur sous-jacente et libérez ainsi la charge qui maintient le pattern dans votre vie.
ou
• Vous laissez ce pattern agir si longtemps que votre plus grande peur se manifeste dans votre vie, avec le temps, par étapes.

Je vous invite à considérer ce que je viens de vous présenter. Ce n'est qu'une perspective. Dans cet esprit, on trouve rarement des certitudes et des impossibilités dans les patterns comportementaux. On rencontre plutôt des généralités. Dans la réalité reflétée par la dépendance, en général, les choses mêmes qui vous sont les plus chères s'éloignent peu à peu de vous. Il y a une forte possibilité que ce à quoi vous accordez le plus de valeur dans la vie corresponde finalement à ce que votre « dépendance » vous enlève peu à peu. Le fait de reconnaître vos dépendances identifiera vos plus grandes peurs. C'est la charge attribuée au fait de « ne pas perdre » votre emploi, votre famille, vos relations, votre santé et vos proches qui fait en sorte que cette charge sera vécue.

La clé consiste à apprécier les cadeaux et les qualités que la vie vous offre sans craindre de les perdre. Nous ne *possédons* vraiment rien. Nous partageons tout simplement du temps, des expériences, des vies et des émotions. Chaque moment de votre vie comporte un choix. Dans chaque choix, vous affirmez ou niez la vie à l'intérieur de votre être. Que choisissez-vous ?

Quelles paroles affirmatives choisissez-vous pour vous adresser aux autres ? Quelles paroles affirmatives permettez-vous aux autres d'utiliser lorsqu'ils s'adressent à vous ? Que donnez-vous à votre corps comme nourriture affirmative ? De quoi nourrissez-vous ceux que vous aimez ? Voilà des exemples des choix que vous et moi effectuons à chaque instant, chaque jour. Je vous invite à choisir la vie et à vivre votre choix, peu importe ce que cela signifie pour vous !

Dans le cas de Charles, sa plus grande peur (son amour le plus oublié) était une peur courante d'être séparé et abandonné de son Père céleste. La charge qu'il donnait à cet amour le plus oublié devint si grande que le départ de son père à l'âge de six ans fut fort pénible. Chaque fois que quelqu'un le quittait dans une relation, il ressentait à nouveau sa douleur originelle, magnifiée par les distorsions complexes de tout ce que cette relation particulière avait signifié pour lui. Dans le but d'anesthésier sa douleur, il engourdissait ses émotions par l'usage habituel de produits chimiques, d'alcool et de nicotine. Chaque fois que Charles choisissait de s'adonner à ces patterns comportementaux, consciemment ou autrement, il choisissait de nier la vie dans son corps.

Lorsque je le rencontrai, sa dépendance lui enlevait peu à peu la seule chose qu'il avait de plus chère dans la vie. Pour lui, c'était la vie même. En l'exprimant sous forme d'état cancéreux, son corps lui reflétait la qualité de ses pensées, de ses sentiments et de ses émotions quant à sa propre vie. Je ne pouvais pas lui offrir grand-chose, sinon l'occasion de prendre conscience de ses choix et de leur pouvoir.

Dès lors, Charles entendit ces paroles. Il ne pouvait plus dire qu'il ne « connaissait pas » la relation entre ses choix de vie et leur miroir dans son corps. À partir de ce moment, il allait devoir choisir, selon chaque fois, basé sur ce que ses habitudes lui envoyaient comme message. Dans ses choix se trouverait le véritable atelier ; l'atelier de sa vie. Même si diverses formes de thérapie pouvaient certainement servir à retarder et à étendre l'expression de son corps de manière que son déni de la vie se transforme en rémission, il est clair que son option la plus élevée consistait à modifier le code menant au cancer. Sans doute que les choix que Charles avait faits dans sa vie l'avaient amené à ce stade même, soit à l'occasion de choisir à nouveau. C'est ce qu'il fit. Cette fois, il choisit la vie.

LE MYSTÈRE DU CINQUIÈME MIROIR
REFLETS DU PÈRE/MÈRE/CRÉATEUR

*« Celui qui ne hait pas son père et sa mère autant que Moi
ne peut devenir Mon disciple.
Et celui qui n'aime pas son père et sa mère autant que Moi
ne peut devenir Mon disciple.
Car ma mère m'a donné la fausseté, mais ma vraie mère
m'a donné la vie. »*

EXTRAIT TIRÉ DE LA BIBLIOTHÈQUE DE NAG HAMADI[6]

Au début de 1990, j'habitais dans la région de San Francisco, faisant de la consultation privée tout en menant une recherche pour *L'Éveil au point zéro*. Un soir, une femme que je voyais déjà depuis plusieurs mois concernant des problèmes de relations prit rendez-vous avec moi. Depuis tout ce temps que je la connaissais, elle travaillait à comprendre ses sentiments envers un homme avec lequel elle entretenait une relation depuis plusieurs années. Même si son amoureux et elle avaient choisi de ne pas se marier, ils ne semblaient pas trouver moyen de compléter ce qu'elle appelait le rendez-vous sans fin.

Ce soir-là, alors qu'elle était assise devant moi, je lui demandai comment elle allait et ce qui s'était passé dans sa vie depuis notre dernière rencontre.

« Ma vie est affreuse », dit-elle.

« Il s'est passé tellement de choses bizarres. Nous étions assis dans le salon à regarder la télévision, et soudain, nous avons entendu un énorme fracas dans la salle de bain. Nous avons couru pour découvrir que la porte du placard sous le lavabo était sortie de ses gonds sous la pression et se trouvait maintenant sur le plancher, pendant que l'eau giclait des tuyaux. Le lendemain matin, nous avons entendu un bruit assourdissant provenant du garage. Lorsque nous avons ouvert la porte, tout était inondé et des vapeurs d'eau montaient. Le chauffe-eau avait explosé. Lorsque nous avons pris la voiture pour aller en acheter une autre, le boyau du radiateur s'est rompu, et l'antigel s'est répandu dans l'entrée du garage. »

J'écoutai attentivement ce qu'elle me décrivait. Lorsqu'elle eut fini, je lui posai ces questions :

Qu'est-ce qui se passe dans votre vie, maintenant ?

Comment se porte votre relation ou votre rendez-vous sans fin ?

Sans s'arrêter pour réfléchir à une réponse, elle laissa tomber ces mots par-dessus la dernière syllabe de ma question :

« La question est presque insupportable », dit-elle.

« Notre vie ressemble à une cocotte-minute. »

Ses yeux rencontrèrent les miens dans un regard simultané de reconnaissance et d'incrédulité. « Vous ne croyez tout de même pas que ma relation ait quelque chose à voir avec mon lavabo de salle de bain, mon chauffe-eau et le tuyau du radiateur ? »

Dans mon esprit, il n'y avait aucun doute.

Les miroirs de la vie vont beaucoup plus loin que les relations humaines. Nous vivons dans un monde de résonance. Notre vie reflète des patterns d'énergie en phase avec d'autres patterns d'énergie. Nous sommes en phase avec notre maison, notre voiture, nos appareils ménagers, notre équipement de bureau, nos animaux et les patterns climatiques. Même le fonctionnement de notre monde (sa souplesse ou son manque de souplesse), de nos réalités électrique, mécanique et hydraulique représente des patterns d'énergie qui reflètent notre expression de la vie. Lorsque l'une de ces réalités « tombe en panne », elle nous demande peut-être d'examiner la fonction de la composante en panne pour y trouver une révélation ayant trait au système de croyances de notre vie. Lorsque, par exemple, les freins de notre voiture cèdent, quelle réalité percevons-nous comme étant « hors de contrôle » ou « impossible à arrêter » dans notre vie ? Dans cette réalité, nos ambitions, nos emplois, nos animaux domestiques et nos relations servent d'indicateurs constants qui décrivent la qualité de nos pensées, de nos sentiments et de nos émotions.

Les traditions esséniennes nous montrent que les miroirs de nos relations sont en communication constante avec notre conscience. Nos relations nous servent de fenêtres directes sur les positions que nous assumons, dans notre monde, au moyen de nos pensées, de nos sentiments et de nos émotions. Comme nous avons la sagesse de reconnaître le langage, nous pouvons chercher dans notre monde « extérieur » pour y trouver des rappels précis et parfois gracieux de nos convictions. À la lumière de cette réalité reflétée, le miroir le plus puissant pour moi est si subtil que j'ai peut-être passé presque quarante ans sans le voir.

En travaillant en séance individuelle avec des clients, et plus récemment avec nombre de gens au cours de séminaires, j'invite les participants à compléter une série d'énoncés décrivant les premiers gardiens de leur enfance. À l'aide de mots ou de courtes phrases, ils doivent énumérer les qualités positives et négatives de ces gens, tels qu'ils se les rappellent. C'est la portion travail de ces ateliers. Tout comme les formulaires complétés plus tôt dans le programme, celui-ci met l'accent sur le point de vue des participants quant à la santé et à l'attitude de leurs gardiens, d'un point de vue d'adultes. Je leur laisse suffisamment de temps pour achever cet exercice, car les mots retenus deviendront pour chacun les indicateurs précieux d'un pattern subtil mais puissant et du rôle que celui-ci joue dans leur vie.

À mesure qu'ils terminent, je leur demande, sans ordre en particulier, de présenter quelques mots à partir de leurs tableaux. Le résultat est une liste décrivant leurs premiers gardiens durant l'enfance. En voici un exemple :

ASPECTS POSITIFS	ASPECTS NÉGATIFS
Aimant	Coléreux
Nourrissant	Contrôlant
Compréhensif	Malade : - cancer
	- maladie cardiaque
	- diabète
Disponible	Juge
Compatissant	Abusif

Après cet exercice et la discussion qui surgit autour de chaque participant, j'invite tout le monde à écouter attentivement ce que je suis sur le point de lui présenter. Il n'y a ni absolus, ni généralités, ni impossibilités dans le monde des relations. Il ne peut y en avoir. Chaque personne a un point de vue unique, une interprétation et une expression de la vie qui lui sont propres. Par ces exercices, nous cherchons des généralisations et des patterns. S'il y en a, leur reconnaissance par rapport à ce qui se déroule dans votre vie vous fournit des révélations rapides et servent de catalyseurs puissants pour atteindre des niveaux élevés de maîtrise personnelle. Une fois cela dit, voici ce qui suit.

Il est fort probable que la perception que vous avez de vos père et mère ait très peu à voir avec la personne que vous appelez « papa » ou « maman » en ce monde. Tout l'amour, la joie, l'affection et la compassion que vos parents vous ont prodigués, de même que la colère, le jugement, la distance et la peur, ne sont possibles que tant qu'ils vous reflètent vos attentes vis-à-vis de votre relation avec votre créateur, le « Père/Mère » céleste.

La première fois que je prononce ces paroles, il y a peu de réaction à la charge que je viens de présenter. Alors que je répète ces mots, la possibilité commence à s'insinuer et j'entends un « ah ha ! » ou un « wow ! » de quelque part dans l'auditoire. Cependant, la plupart hésitent quant à une telle possibilité. En termes semblables, j'explique à nouveau le concept.

Il y a une forte chance que la façon dont vous avez perçu votre mère et votre père dans votre vie vous ait reflété votre croyance sur la façon dont votre créateur vous considère.

Je vous invite à relire plusieurs fois la phrase précédente, lentement et attentivement, jusqu'à ce que vous ayez laissé l'intention qui sous-tend les paroles faire son chemin en vous. Ce seul concept peut vous éclairer davantage sur la raison pour laquelle vous avez vécu comme vous l'avez fait-qu'aucune autre raison fondée sur la raison ou la logique. Envisagez les implications.

Sans doute que la manière dont vous voyez votre père/mère terrestre reflète vos attentes et vos croyances positives ou non concernant votre relation avec votre Père/Mère céleste. La manière dont vous considérez l'amour, l'affection, la présence et la compréhension de vos parents, aussi bien que leur colère, leur absence, leur jugement et leur critique, peut vous fournir des révélations essentielles sur votre relation avec votre créateur. Si cela s'applique à vos relations, cela fonctionne comme suit.

Au cours de leur vie, vos père et mère vous ont tellement aimé qu'ils ont vécu des indicateurs précis des choses que vous tenez pour vraies en vous-même. Parce que ce sont vos parents et qu'ils vous présentent des miroirs, une autre personne peut ne pas les voir sous le même angle. Elle ne peut pas, car vos parents ne reflètent pas cette profondeur de patterns à un autre que vous.

Par exemple, l'abandon que vous percevez chez votre père qui n'est jamais à la maison ou qui n'est pas là pour vous peut être vu par un collègue de votre père comme du dévouement envers la compagnie et un investissement dans sa carrière. Rien n'est vrai ni faux. L'abandon vous appartient, même s'il est déclenché par les gestes de votre père.

Un accord tacite est inhérent à la responsabilité d'être parent. Chaque parent agit en tant que substitut de l'aspect masculin ou féminin de notre créateur Père/Mère. Nos parents terrestres nous montrent ces reflets de notre relation la plus sacrée jusqu'à ce que nous soyons capables de les reconnaître nous-mêmes. Le moment de reconnaissance signale l'achèvement de cet engagement de la part de nos mère et père. Lorsque nous nous rappelons le message encodé dans nos relations, c'est que nous nous sommes bien rendu service. Nous pouvons découvrir nos miroirs tôt dans la vie, ou seulement après le décès de nos parents, mais nous avons tout de même rempli notre engagement les uns envers les autres. Nos père et mère terrestres permettent que leur vie soit ce service, car à des niveaux qu'ils peuvent parfois ne pas soupçonner, ils nous aiment à ce point !

Vos parents ont peut-être pris des mesures extrêmes pour vous refléter la façon dont vous croyez que votre créateur vous voit. Mon expérience avec des clients et des amis suggère que la nature de la démonstration est en corrélation directe avec la force avec laquelle l'individu se rappelle son pouvoir. La colère, le jugement et les torts que vos parents vous montrent peut-être en ce monde sont là pour vous inciter à accepter les questions de colère, de jugement, de séparation et de confiance entre vous et la force responsable de votre existence. Vous verrez seulement chez d'autres ce que les filtres de vos croyances vous permettent de voir. Ce que vous envisagez être le jugement de vos parents à votre égard peut très bien être le reflet qu'ils vous envoient de ce que vous croyez à l'égard du jugement de votre créateur sur vous. Si vous avez oublié la nature de leur engagement à vous montrer vos croyances, vous pouvez leur reprocher de vous juger. Lorsque vous acceptez la façon dont, selon vous, votre créateur considère vos actions, le jugement de vos parents terrestres diminue. De même, vous ne pouvez voir la joie, la compassion et l'amour dont ont fait preuve vos père et mère à votre égard qu'à travers des yeux qui admettent la possibilité de ces qualités, les qualités mêmes offertes par la force créatrice qui est à votre origine.

La perspective offerte ici n'est ni une approbation ni un appui à la violence et à l'abus dans la cellule familiale. Je présente cette perspective ni plus ni moins comme un point de vue destiné à faire comprendre la nature de nos relations. Les gestes de vos parents, de par leur nature propre, vous annoncent la guérison des sentiments qu'ils provoquent ; des sentiments de séparation, de confiance et d'estime de soi.

Le miroir reflète toutes les expressions de la vie, positives autant que négatives. Vous êtes en résonance avec votre monde. On peut voir le degré de votre résonance comme le reflet, dans vos patterns comportementaux, de la validité de vos paroles, de vos actions et de vos intentions. Quels miroirs vos parents vous ont-ils tendus, peut-être pour toute votre vie ? De quelle façon ont-ils été là pour vous, vous rappelant constamment votre relation la plus importante de votre vie ? En guérissant des questions tangibles avec vos parents terrestres, vous guérissez la relation parfois nébuleuse entre vous et vos parents célestes.

En guise d'exemple, examinons un cas afin de voir comment ce miroir subtil peut fonctionner dans la vraie vie. Un de mes clients, que nous appellerons John, est un célibataire à la mi-quarantaine. À présent, il n'a ni carrière ni plan de carrière. Il assume simplement des emplois occasionnels : aménagement paysager, peinture, construction légère et entretien. Même si, dans le passé, il a eu des relations stables et à long terme avec des femmes, l'idée du « mariage » lui fait peur à cause des exemples de mariage dont il a été témoin. À ce stade dans la vie de John, le point de mire de son attention tourne autour des substances illicites qu'il utilise quotidiennement pour atteindre un état modifié d'insensibilité. Niant tout problème concernant son « passe-temps », John se prouve qu'il fait bien d'attendre jusqu'au milieu de l'après-midi pour s'administrer un anesthésiant sous forme d'alcool. Dans sa zone confortable de familiarité provoquée par l'alcool, il n'a pas à se prouver sa valeur ni à la prouver à quiconque. En outre, il n'a pas à sentir.

La relation de John avec ses parents, en particulier avec son père, reste une relation de conflit. D'aussi loin qu'il se souvienne, son père le traitait de nul. À maintes reprises, son père lui a même dit que s'il devait quitter ce monde aujourd'hui, « personne ne le remarquerait, ne s'en soucierait et ne s'en ferait ». John décrit volontiers son père comme un être malade, cruel, dépourvu d'ouverture et d'amour. Et pourtant, ils restent tous les deux en contact. John rend souvent visite à ses parents, avec qui il partage des repas et pratique des sports comme le tennis, le golf et la pêche. Chaque rencontre comporte, sous-jacentes, des questions d'estime parfois exprimées, parfois non verbales.

À l'égard du cinquième miroir de la relation, quelle dynamique se joue dans cette relation ? Si le cinquième miroir est vrai, alors demeure une forte possibilité que la perception que John a de son père terrestre lui reflète, à lui seulement, ses idées concernant sa relation avec son Père créateur. Ce miroir en particulier n'évoque pas la réalité de la relation, mais la perception qu'en a John.

Remarquez à quel point cet exemple est intéressant. Le père de John l'aime tellement, à un point dont il n'est peut-être même pas conscient, que sa pensée et son action envers lui déclenchent constamment des peurs universelles ; ainsi, John peut se les rappeler et les guérir. Dans ces exemples, les déclencheurs sont surtout ceux de l'amour-propre. Le père de John a accepté son rôle terrestre de substitut du Père céleste. Son fils est arrivé en cette vie avec une charge à propos de la peur universelle de l'amour-propre. Son sentiment de n'avoir aucune valeur aux yeux de son créateur, ou d'avoir échoué en quelque sorte à quelque chose qu'il a oublié, se reflète dans les gestes de son père.

Les descriptions que fait John de son papa sont le miroir fidèle de la vision qu'il a de sa relation avec son Père céleste. Il sent que la relation est « malade » et a besoin d'être guérie. Il sent que son Père céleste est « déçu » et « n'est pas disponible ». À cause de sa déception, il ne se sent pas aimé. Pour engourdir la douleur qui vient de l'échec qu'il perçoit, John anesthésie quotidiennement son corps au moyen de produits chimiques ou d'alcool. Aux yeux de son père terrestre, cela ne sert qu'à valider ses soupçons à l'égard du manque de valeur de John. Voilà le cycle qui tournait lorsqu'il est devenu mon client.

L'occasion à saisir, dans ce cas, peut venir du choix de John de reconnaître et de se rappeler le don de la vie et de découvrir sa valeur, sans égard à la perception qu'en a son père. La relation entre lui et son père peut devenir si tendue que John dira :

« Minute. J'ai de la valeur. Je suis en vie et j'ai de la valeur, peu importe ce que mon père dit de moi. »

Le jour où cela arrivera, le père de John aura accompli sa tâche. Il aura poussé son fils jusqu'à un espace de son être où il sera capable de vaincre le miroir des attentes de son père et de se reprendre en main.

L'occasion existe aussi, pour le père de John, d'arriver à un lieu de paix dans sa vie, en acceptant John pour tout ce qu'il choisit de devenir. Dans l'acceptation affectueuse, il voit John dans son entièreté, sa complétude et son succès, peu importe comment celui-ci choisit d'exprimer sa vie.

La clé de l'une ou l'autre occasion est la volonté de chacun de changer le pattern qui l'a maintenu dans l'embouteillage des attentes et « d'être » tout simplement. Lorsque John pourra pardonner à son père terrestre et le placer dans la lumière de la perfection, il aura guéri sa relation avec son Père céleste, qui ne le laissera jamais tomber. C'est la perception de John qui sera guérie. La réalité de son entièreté a toujours existé. Toutes les deux représentent des occasions. Chacune est un choix. Dans un cas comme dans l'autre, John et son père jouent l'un pour l'autre le mystère du cinquième miroir de la relation.

Examinons attentivement le tableau de notre atelier. Regardons les mots qui ont été utilisés pour décrire chacun de nos parents. Des qualificatifs comme aimant, coléreux, affectueux, contrôlant, compréhensif, disponible, juge, compatissant et abusif sont monnaie courante. Ils sont très semblables aux termes employés dans un même tableau, pour une question identique dans d'autres villes du pays ! Y a-t-il un dénominateur commun d'un pattern sous-jacent ? Si nos parents nous reflètent nos perceptions uniques de la façon dont nous considérons notre relation envers le créateur, alors que dit le pattern ?

Avez-vous, à présent ou dans le passé, perçu votre créateur comme coléreux, contrôlant, juge, compatissant, aimant ou absent ? Regardons la maladie telle que nous l'avons décrite chez nos parents. Ces derniers nous aiment-ils, peut-être inconsciemment, au point de nous tendre un miroir de notre propre « maladie », celle que nous percevons dans notre relation avec notre créateur ? Nous montrent-ils notre « cécité », notre « surdité », nos « sentiments cancéreux » et restrictifs, les patterns débilitants de l'emphysème, de l'arthrite et de la « perte de mémoire » afin que nous nous « rappelions » notre relation avec notre créateur ?

Il est clair que je n'affirme pas que ces maladies reflètent votre relation véritable avec votre créateur. Je vous demande plutôt d'envisager la possibilité qu'elles soient à l'image de vos perceptions et de vos croyances à l'égard de cette relation.

Le cinquième miroir de la relation est peut-être la clé de la mystérieuse citation qui figure au début de cette section. Sujet de controverse depuis sa redécouverte, cette citation a été remise en question, mise en référence, écartée, dédaignée et louangée par des universitaires autant que par des Églises. D'après la bibliothèque de Nag Hamadi, Jésus de Nazareth aurait affirmé que nous devons haïr autant qu'aimer pour nous connaître nous-mêmes. En haïssant autant qu'en aimant nos père et mère terrestres, nous avons l'occasion de reconnaître notre relation la plus puissante et la plus précieuse en ce monde. Cette relation existe entre vous, moi et notre Père/Mère créateur. Lorsque nous ressentons de la colère à cause des gestes de nos parents terrestres, nous développons la connaissance de nous-mêmes, car nous percevons notre colère vis-à-vis de notre créateur. Disponibles, nos parents terrestres portent le poids de sentiments invisibles et parfois oubliés à l'égard d'une source qui peut être perçue comme quelque chose d'intangible. Lorsque nous aimons nos parents terrestres, nous développons cette connaissance de nous-mêmes dans le vaste amour que nous ressentons pour notre créateur.

Comment, alors, appliquez-vous ce miroir à votre vie ? S'il est vrai que vos mère et père de ce monde vous ont tendu un miroir de vos croyances concernant votre relation avec votre Père/Mère céleste, que se passe-t-il si vous choisissez de voir le miroir différemment ? Que se passe-t-il si vous entretenez vos parents « malades » dans la vision de la perfection, sans jugement quant à l'illusion physique qu'ils projettent ? Lorsque vous reconnaissez leur choix d'expression de la vie, que se passe-t-il si vous choisissez de voir à travers l'illusion ?

Ici repose la beauté de l'hologramme et des expressions substituts.

En guérissant vos illusions et vos relations avec vos mère et père terrestres, vous avez rétabli votre perception de votre relation avec leurs contreparties célestes. Vos substituts terrestres, mère et père, vous permettent de cicatriser la plus grande relation que cette vie vous offrira jamais, en prenant le temps nécessaire de leur vivant. Lorsque leur vie sera achevée, vous continuerez vous-même jusqu'à ce que la relation soit claire et qu'elle ait du sens à vos yeux.

Voilà votre chance. Je vous invite à examiner vos sentiments à l'égard des miroirs de vos parents. Quelle(s) peur(s) universelle(s) vous montrent-ils ? Le fait que vous accordiez à vos père et mère cette vision d'entièreté les amène à libérer la charge qu'ils ont eue à son propos, peut-être jusqu'à vivre des guérisons miracles de maladies associées à la « vieillesse ». Votre relation avec votre créateur s'apaise du fait que vous considérez vos parents terrestres comme des êtres entiers et complets !

En vérité, il n'y a aucune maladie dans notre monde. Il n'y a que de fortes illusions de maladie, parce que nous y consentons collectivement.

Croyez-vous à cette possibilité ? Pouvez-vous trouver en vous un lieu de paix laissant la possibilité que chaque âme soit entière, intacte, nouvelle et lumineuse et que tout le reste, qui n'est pas nouveauté, soit une forte projection d'une illusion collective à laquelle nous avons consenti ? Vous et moi consentons à l'illusion de cancers dans notre corps chaque fois que nous nous disons, à nous ou les uns aux autres :

« Untel a un cancer et n'en a plus que pour trois mois. »

Vous direz : « Comment puis-je contribuer à la maladie de mes proches du simple fait de reconnaître qu'ils ont le cancer, par exemple ? » La réponse est simple et, en même temps, d'une belle élégance.

Notre corps considère littéralement la conscience ainsi que les paroles qui la reflètent comme des ordres.

En affirmant « untel a le cancer », nous lançons une commande à la création. Nous consentons à ce qu'il en soit ainsi. Par notre consentement, nous contribuons en fait à perpétuer l'illusion de la maladie chez nos proches. Chaque fois que vous « voyez » chez un autre individu autre chose que sa perfection, vous « consentez » à l'expression de ce qu'il croit sur lui-même.

Dans cet esprit, si les miroirs fonctionnent bel et bien ainsi, ma mère et mon père n'ont jamais été malades. Mais chacun d'eux a projeté de fortes illusions de maladie, peut-être sans savoir qu'il avait le choix. Leur essence n'était pas malade. C'est la projection de leurs croyances que leur corps reflétait comme un miroir. Lorsque j'« accepte » l'illusion de leur maladie, ce n'est que dans la mesure où je choisis de voir autre chose que la perfection de leur vie. Comment, par exemple, puis-je voir un « corps malade » chez mon père, si mon regard admet la perfection de l'expression de sa vie ? Si je le considère comme « malade », à quoi l'ai-je comparé en jugeant son « imperfection » ? Lorsque je vois mon père comme un tout, en admettant la perfection dans tout ce qu'il me montre de sa vie, je guéris l'illusion de la séparation entre l'aspect paternel de mon créateur et moi. On vous demande d'aller au-delà des projections de vos proches, de vous attarder à l'essence de ceux qui vous sont les plus chers. Ce miroir prépare l'arrivée du dernier miroir des relations, celui dans lequel on vous demande de contempler la perfection dans les imperfections apparentes de la vie.

Chez bien des individus, la perte des parents déclenche une immense peur de l'abandon. Cette peur se reflète dans leur description du décès de leurs proches. « Ma mère (ou mon père) m'a quitté », « Je suis seul au monde ». Il y a là un processus profond que j'aborde dans mes ateliers en posant la question suivante :

Quelle est la seule chose que vous choisiriez le plus d'entendre de la bouche de vos parents avant leur décès ? S'il vous restait trente secondes à passer avec votre mère ou votre père et si vous vous étiez déjà fourni toutes les raisons de tous les gestes qui « nécessitent des explications », quelle est l'unique chose qui vous donnerait le sentiment d'être complet et vous accorderait la liberté de continuer seul en ce monde ?

Bien que les réponses qu'on m'envoie soient uniques dans leur formulation, un pattern sous-jacent les rassemble toutes. Presque tous, « nous » disons que nous choisirions d'entendre de la bouche de nos parents quelque chose comme :

« Je t'aime, ma fille (mon fils). »

« Je suis fier(fière) de toi. »

« Tu as bien fait. »

Nous passons une grande part de notre vie à chercher en ce monde l'approbation de notre mère et de notre père. En fait, ils constituent peut-être la meilleure approximation de ce que nous connaissons de notre Père/Mère créateur ! Ce que vous cherchez vraiment depuis les brumes de votre histoire oubliée, c'est l'amour et l'assentiment de votre créateur. Aujourd'hui, grâce au mystère du cinquième miroir essénien de la relation, vous avez réveillé votre mémoire. Plus significatif encore, vous avez le choix.

LE MYSTÈRE DU SIXIÈME MIROIR
REFLETS DE VOTRE QUÊTE DANS L'OBSCURITÉ

*« Tous naissent et doivent marcher dans les deux esprits
que le « Un » a créés en l'homme : l'esprit de
lumière et l'esprit d'obscurité. »*

D'APRÈS LES DOCUMENTS DE LA MER MORTE[7]

Un soir de 1991, lors d'une soirée de rencontre avec des clients, un monsieur est venu me voir. J'étais en train de développer des techniques de gestion des émotions fondées sur des principes de patterns de géométrie sacrée et leur relation avec les méridiens du corps humain. Cette soirée libre offrait à des individus l'occasion de se présenter sans rendez-vous pour une brève consultation et un possible suivi, s'ils le désiraient. Cet homme en particulier semblait extrêmement agité et parlait de l'urgence de trouver une direction concernant une certaine ligne de conduite dans sa vie. Avant même de s'être assis, il raconta en courtes rafales des séquences d'expériences qui avaient peu de sens pour moi. Je l'invitai à respirer profondément, à ralentir et à me décrire de la façon la plus concise possible les événements qui venaient de transpirer dans sa vie.

Je vis l'homme, à quelques centimètres de moi, construire ses pensées. Méticuleusement, il rassembla les événements qui s'étaient déroulés au cours des trois derniers mois de sa vie. Il était dans la mi-quarantaine et semblait en forme, mis à part son anxiété. Lorsqu'il commença son récit, je me concentrai sur le choix de ses mots et les inflexions de sa voix. J'observai aussi les postures corporelles qui accompagnaient presque chacune de ses pensées. Je savais que peu importe ce que j'allais entendre, pour cet homme, à ce moment, quelque chose de très fort était en train de se dérouler dans sa vie.

Gérald (un pseudonyme) était ingénieur à l'une des grandes sociétés d'informatique de Silicon Valley. Il avait deux jolies jeunes filles et était marié depuis presque quinze ans à une femme tout aussi belle. La compagnie lui avait décerné une récompense pour sa cinquième année d'emploi, car il était monté en grade pour devenir un débogueur de haut niveau pour une sorte de logiciel unique. Sa position représentait un atout valable pour l'entreprise, et son expertise exigeait sa présence bien plus longtemps que de 8 h 30 à 17 h 30, horaire qu'il avait accepté lors de son embauche. Pour répondre à la demande, Gérald se mit à travailler tard le soir et durant les fins de semaine, et à voyager pour assister aux congrès et aux expositions. En peu de temps, il passa plus d'heures avec ses collègues qu'avec sa famille.

Je lus de la tristesse dans ses yeux lorsqu'il me décrivit à quel point sa famille et lui s'étaient éloignés avec le temps. Lorsqu'il revenait chez lui le soir, sa femme et ses filles dormaient. Le matin, il arrivait au bureau avant qu'elles n'aient elles-mêmes entamé leur journée. Bientôt, il en sut davantage sur la vie familiale de ses collègues de bureau que sur la sienne propre. Il se sentait tel un étranger chez lui. Quand il lui arrivait de s'accorder une journée ou un week-end de congé, il réalisait que la conversation était difficile. Il avait peu en commun avec ses filles et sa femme. Inconscient des activités de ses enfants et de leurs accomplissements scolaires, il avait l'impression de ne plus pouvoir discuter des défis de son travail avec sa famille, ni des leurs avec lui. Il ne reconnaissait plus sa famille.

Parmi les ingénieurs de son bureau se trouvait une brillante et jeune programmeuse de son âge. Gérald se trouva à faire équipe avec cette femme pour des missions qui duraient des jours à la fois, dans des villes de tout le pays. Avant longtemps, il eut l'impression de mieux connaître cette femme que sa propre épouse.

À ce stade, j'avais l'impression de savoir où aboutirait l'histoire. Ce que je ne savais pas, c'était pourquoi il était si furieux et pourquoi il était venu me voir.

Bientôt, il s'imagina amoureux de cette femme et décida de quitter sa famille pour commencer une nouvelle relation avec elle. Pour Gérald, c'était un bon choix à l'époque, car elle et lui avaient tant de choses en commun. Quelques semaines plus tard, il avait quitté sa maison et emménagé dans l'appartement de la femme. Même si la séparation fut pénible pour lui et sa famille, tout semblait bien aller. Il verrait ses filles lorsqu'il le pourrait, et sa femme acceptait de divorcer sans contester.

Peu après son déménagement, sa nouvelle conjointe fut mutée à Los Angeles pour un projet qui devait durer trois ans. Il demanda une mutation et déménagea à Los Angeles pour y fonder un foyer. Lors de son divorce, Gérald avait perdu davantage qu'il n'avait gagné. Des amis que sa femme et lui connaissaient depuis des années devinrent soudain distants et inaccessibles. Ses collègues le crurent cinglé d'avoir délaissé le poste et les projets qu'il avait défendus au prix de tant d'efforts. Même ses parents lui en voulaient d'avoir brisé une si belle famille. Quoique blessé, Gérald se raisonna. Il avait un nouveau poste, avec une nouvelle femme dans leur nouvelle maison. Que pouvait-il demander de plus ?

Lorsque la voix de Gérald se mit à vaciller, je sus que nous arrivions à un moment crucial du récit. Quelques semaines après sa mutation, sa nouvelle amoureuse lui annonça que leur relation n'était pas à la hauteur de ses attentes. Elle rompait et lui demandait tout bonnement de déménager ! Gérald était atterré. Après tout ce qu'il avait fait « pour elle », comment pouvait-elle lui faire une telle chose ? Après tout, il avait quitté sa femme, son foyer, ses enfants, son emploi, ses amis. Bref, il avait quitté tout ce qui lui était proche et familier. Comment pouvait-elle lui faire cela ?

Son rendement au travail se mit à baisser. À la suite d'avertissements et d'une note d'évaluation médiocre, le service qui l'employait le congédia jusqu'à nouvel ordre. Puis, il découvrit que d'autres compagnies offrant des emplois similaires ne voulaient pas l'embaucher pour des « raisons personnelles ». Il soupçonna par la suite qu'il avait été exclu de ces postes par des gens qui étaient au courant de sa situation.

Au fil du récit, je commençai à voir ce qui était arrivé à Gérald. Sa vie était passée du sommet des sommets, avec toutes les perspectives d'une nouvelle relation, d'un nouvel emploi, d'un revenu plus élevé et d'une nouvelle maison, au fond du fond, alors que tous ses rêves disparaissaient. Gérald avait abandonné tout ce qu'il aimait, non pas parce qu'il voulait les laisser mais parce qu'il avait découvert quelque chose de meilleur à la place. Si jamais vous vous trouvez dans une position semblable, voilà la puissante clé de ce récit.

Du point de vue énergétique, il y a une immense différence entre quitter ce qui vous est le plus cher parce que vous avez atteint une certaine complétude par rapport à cela et quitter ce qui vous est le plus cher pour quelque chose que vous croyez meilleur.

Dans son innocence, Gérald avait abandonné les amitiés, la sécurité, la confiance, l'amour et le respect de ceux qui lui étaient les plus chers en échange de quelque chose qu'il croyait meilleur. Il n'était pas complet sans les relations avec sa femme et ses filles. Lorsque sa nouvelle amoureuse, sa nouvelle maison et son nouvel emploi disparurent et que les perspectives d'un nouvel emploi, d'une nouvelle relation ou d'une nouvelle source de revenus eurent échoué, Gérald entama une trajectoire pénible mais puissante. Il avait abandonné tout ce qu'il avait chéri. À présent, tel qu'il était là, devant moi, sans absolument rien sauf lui-même, de grosses larmes roulaient sur ses joues et il se demandait quoi faire.

« Comment ravoir ma famille et mon emploi ? »

« S'il vous plaît, dites-moi ce que je dois faire ? »

Lui tendant la boîte de papiers-mouchoirs de la table voisine, je lui dis quelque chose qui le prit tout à fait au dépourvu.

Félicitations, lui dis-je en toute sincérité.

C'est une immense chance à saisir dans le cours de votre vie. Vous venez d'entamer l'époque que les Anciens appelaient la « nuit noire de l'âme ».

Il s'essuya les yeux et dit :

« Que voulez-vous dire par là ? »

Je lui offris une perspective qu'il sembla surpris d'entendre.

Cette époque de votre vie n'a pas pour objet le retour de votre famille, de votre sécurité ou de vos amitiés, bien que chacune de ces choses puisse arriver. Ce que vous avez habilement créé pour vous-même va beaucoup plus profondément que votre emploi ou votre famille. Vous avez réveillé en vous une force dormante qui deviendra peut-être votre alliée la plus puissante, un cadeau qui vous mènera vers vos niveaux les plus élevés de maîtrise en cette vie-ci.

Gérald s'adossa en écoutant attentivement. Je vous invite à envisager les possibilités de ce qui suit, telles que je les offris alors à Gérald. À quelques exceptions, presque tout le monde fait l'expérience d'une nuit noire de l'âme à un moment ou l'autre au cours de sa vie. L'expérience n'a pas à être pénible, comme le suggère l'expression. La douleur, s'il y en a une, vient de l'innocence et de la résistance possible par rapport à l'expérience et aux possibilités qu'elle présente.

Définition : Votre « nuit noire de l'âme » est une époque, de même qu'une expérience de votre vie, où vous pouvez être attiré dans une situation ou des circonstances représentant votre pire peur. Faire l'expérience de la nuit noire de l'âme, c'est vivre le mystère du cinquième miroir essénien de la relation : votre quête dans l'obscurité.

Corollaire : Vous ne pouvez entrer dans une « nuit noire de l'âme » que si vous avez rassemblé tous les outils émotionnels nécessaires pour vous voir à travers votre expérience, en restant intact et en gardant votre grâce.

Votre maîtrise personnelle de la vie est l'élément déclencheur qui signale à la création à quel moment vous êtes prêt à démontrer votre maîtrise de ce que la vie vous a offert. Vous ne pouvez remplir une tasse avec de l'eau du robinet à moins d'ouvrir ce dernier. Remplir votre coffre à outils émotionnel, c'est ouvrir le robinet qui envoie à l'eau de l'expérience le signal de couler. Cela ne se produira que si vous ouvrez le robinet. Votre mère savait cela. Elle a partagé son souvenir de cette ancienne sagesse essénienne avec vous chaque fois qu'elle vous a rappelé :

« Dieu n'en mettra jamais plus dans ton assiette que tu ne peux en supporter. »

C'EST LE CONSEIL DE TOUTES LES MÈRES.

Dans cette perspective, quand je vois des individus et parfois des groupes faire l'expérience de ce qui leur paraît être les situations les plus indésirables qu'ils puissent imaginer, du point de vue des sentiments et des émotions, je sais que, sans exception, chacun est un être merveilleusement magistral. Je sais aussi que chacun se rappelle son pouvoir, vivant une occasion plutôt qu'un test dans lequel on lui demandera de faire appel à son pouvoir pour se démontrer sa maîtrise de soi en ce monde.

Je sais cela et je l'ai vérifié dans la vie de mes proches et dans la mienne. Si cette perspective a un sens pour vous, vous devez reconsidérer tout jugement que vous avez jamais entretenu concernant toute condition de vie dont tout être humain a jamais fait l'expérience. Est-il possible que les « conditions redoutables » qui nous affligent, en tant qu'individus et en tant que société, constituent des occasions de démontrer notre maîtrise ? C'est là que le contexte prend toute son importance. Hors contexte, le sida, les cancers, l'hantavirus, l'emphysème et toutes les crises de vie semblent n'être que cela : un ensemble aléatoire de circonstances dans la vie de malheureux individus. Je crois que nous sommes bien plus que cela. Comment des êtres d'une telle puissance et d'une telle magnificence peuvent-ils faire l'expérience de circonstances aléatoires et malheureuses dans leur vie ?

Voici le contexte. Nous vivons la conclusion du grand cycle d'expériences qui a commencé il y a près de 200 000 ans. Chaque individu, sans exception, doit arriver à un accord avec ce que la vie, le cadeau de sa vie et l'expérience de sa vie ont signifié pour lui.

Est-il possible qu'en tant qu'individus puissants en voie de devenir de puissantes masses, nous ayons consenti à des catalyseurs d'expérience extrêmes qui nous poussent rapidement vers un espace dans lequel nous devons étreindre la vie ou la perdre ? Que nous ayons consenti à des « nuits noires de l'âme » collectives, telles que le sida, le cancer, les épidémies et la famine, pour nous rappeler qu'à chaque instant de la vie nous affirmons ou nions la vie dans notre corps ?

Il est clair que je n'approuve pas les gestes sociaux, politiques ou économiques résultant de l'amélioration ou de l'encouragement de ces conditions. En secret, par delà l'évidence, est-il possible que nous ayons accepté les conditions de la vie, peu importe de quelle façon elles s'expriment, que nous ayons consenti à nous connaître et à récupérer notre pouvoir dans ces conditions ?

Alors que je me trouvais devant Gérald, il me demanda :

« Voulez-vous dire que j'ai perdu ma femme, mes enfants, ma nouvelle relation et ma carrière, tout ce que j'ai jamais aimé, parce que je ne voulais pas les perdre ? »

Cherchant en moi-même les mots justes et clairs, je lui répondis :

Ce que je vous dis, Gérald, c'est que pour perdre les choses qui vous ont toujours été les plus chères, vous deviez entretenir une charge sur le fait de ne pas les perdre. Au lieu de vivre chaque jour dans l'appréciation et l'expression communicative de ce que la vie vous a offert, vous viviez la contraction d'une peur, consciemment ou non. En fait, craignez peur de ne pas avoir ces gens et ces expériences dans votre vie. D'une façon plus générale, vous avez vécu la peur d'être seul et séparé.

Je poursuivis.

Ce n'est pas du tout comme vous permettre de partager du temps en ce monde avec vos proches. Vous n'avez jamais rien « eu ». Vous avez tout simplement partagé du temps et des expériences avec vos proches. En créant l'espace nécessaire pour qu'un nouvel amour arrive dans votre vie, vous avez déclenché une nouvelle chaîne d'événements. En confiance, vous avez permis à votre nouvel amour de vous amener au bord extrême de qui vous croyiez être. Dans votre cas, non seulement votre nouvel amour vous a poussé à l'extrémité, mais elle vous a poussé un peu plus fort en vous laissant seul trouver la sortie. Sur un plan qui n'est probablement pas conscient de sa part, elle a fait cela par amour. La nouvelle femme de votre vie vous a aimé si profondément qu'elle a accepté de travailler avec vous à vous permettre de recouvrer votre pouvoir.

Cette expérience est pour vous l'occasion de démontrer votre maîtrise de ce que vous êtes devenu. L'enjeu, ce n'est pas la femme qui vous a quitté, les compagnies qui refusent de vous embaucher ou le fait de retrouver votre femme, vos amis et votre famille. L'enjeu, c'est vous, Gérald. C'est votre façon de redéfinir votre peur universelle de l'abandon. Cela ne pouvait pas arriver à moins que, dans le cours de votre vie, vous n'ayez accumulé tous les outils requis pour trouver la sortie. Votre perte me dit que vous êtes un être d'un pouvoir immense qui cherche à se démontrer son propre pouvoir.

Je crois que vous et moi fonctionnons ainsi. Je crois que nous nous aimons tellement, individuellement et les uns les autres, que nous consentons à des expressions extrêmes de la vie et même à sa perte pour nous en rappeler la douceur.

D'ailleurs, chacun de nous a une pire peur différente de celle des autres. Pour certains, la pire peur imaginable de la vie peut paraître insignifiante à quelqu'un d'assis à côté de lui. Par exemple, Gérald admettait que sa pire peur était d'être seul au monde. Plus tôt dans la soirée, je venais de parler à une femme qui affirmait que le fait d'être seule était sa plus grande joie. Quelqu'un comme Gérald, qui a peur d'être seul, est devenu maître dans la création de relations qui ne pourraient jamais, au grand jamais, fonctionner. Dans une rupture, il peut percevoir la relation comme un échec. En réalité, la relation a réussi à lui permettre de se voir dans sa pire peur.

À travers votre nuit noire de l'âme, vous serez requis de tirer parti de chaque particule de sagesse que vous avez à votre disposition, des profondeurs de votre expérience intérieure, pour nier le pouvoir que vous avez donné à la peur. La nuit noire de l'âme arrive au moment où nous nous y attendons le moins, habituellement sans avertissement. À quelques exceptions près, chacun aura l'occasion d'être dépossédé de ce qu'il ne voudrait absolument pas perdre. Que ce soit une relation, la santé, la sécurité financière ou un ensemble de « choses », la charge vous assure une occasion de vous connaître en l'absence de ces choses, afin de pouvoir équilibrer cette charge. C'est là que réside la puissance de la nuit noire de l'âme. Si nous savions qu'elle vient, nous nous détournerions. Qui ne le ferait pas ? Quel être sensé pourrait se lever le matin, prendre son café, nourrir le chien, préparer le départ des enfants et se dire : « Je suis prêt, maintenant, pour ma nuit noire de l'âme » ?

Nous connaître nous-mêmes dans notre obscurité la plus profonde, c'est une occasion de guérir cette part de nous-mêmes que nous choisissons le moins d'expérimenter. Pour trouver notre équilibre, nous devons connaître nos extrêmes. Pour être plus précis, nous devons nous connaître nous-mêmes pendant que nous réagissons à nos extrêmes. Nous devons savoir comment nous réagissons dans l'obscurité la plus noire autant que dans la lumière la plus claire et embrasser les deux, afin de guérir le jugement de notre expérience et de trouver le pouvoir de notre nature essentielle. Notre nuit noire de l'âme est un exemple de notre quête en vue de nous connaître nous-mêmes de toutes les façons, dans notre quête de l'obscurité autant que dans notre quête de la lumière.

Vous êtes contraint d'arriver à un accord avec toute expérience et toute expression de votre vie. Pour faire le don de vous-même, dans l'entièreté et la complétude, vous devez vous connaître dans le contexte de toutes les possibilités, de tous les extrêmes. Chacun de ces précieux sentiments sont vos dons d'obscurité et de lumière pour vous aider à vous connaître. Khalil Gibran l'énonce avec éloquence dans son livre *Le Prophète* :

« Aucun homme ne peut rien vous révéler qui ne repose déjà à moitié endormi dans l'aube de votre connaissance. Et tout comme chacun de vous est seul au sein de la connaissance de Dieu, chacun de vous doit être seul dans sa connaissance de Dieu et dans sa compréhension de la terre[8]. »

Votre expérience unique vous permet de repousser les limites de qui vous croyez être, alors que vous approchez la réalité de ce dont vous êtes véritablement fait. Cette connaissance vous donnera l'occasion de vous voir dans des situations que vous ne revivrez peut-être jamais. Ce sont les extrêmes qui vous aideront à connaître et à redéfinir votre point d'équilibre. Vos extrémités sont en constant mouvement.

Veuillez examiner l'exemple hypothétique suivant. À l'âge de quatorze ans, l'expérience peut-être la plus extatique dont vous puissiez avoir conscience est celle d'être invité à une danse très importante à l'école. Pourquoi ? Parce que vous avez ainsi été accepté et validé par un autre, et c'est bon. En même temps, la pire douleur que vous puissiez avoir ressenti jusque-là est la mort de votre animal favori, un ami qui vous a accompagné tout au long de votre enfance. À ce stade de votre vie, les extrêmes peuvent ressembler à ceci :

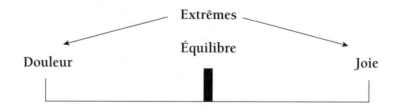

Les frontières quant à votre façon de vous voir vous-même dans le contexte de la joie et de la douleur sont définies par les extrêmes de ces expériences que vous avez connues dans votre vie. Il est inutile que quelqu'un d'autre vous impose les frontières de son expérience. Pour connaître vos extrêmes, vous devez en faire l'expérience. Poussons notre exemple un peu plus loin. Plus tard durant la même année, vous perdez toute votre famille dans un accident. La douleur de la perte de votre animal favori diminue alors en comparaison.

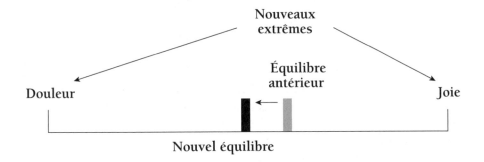

Dans le contexte d'une nouvelle perte, on vous oblige à redéfinir la douleur, à porter votre connaissance personnelle de la douleur à un nouvel extrême. La perte de votre famille a eu un impact beaucoup plus grand que celle, importante mais moins pénible, de votre animal favori. Lorsque votre nouvel extrême a déplacé votre perception de la douleur, votre point d'équilibre s'est déplacé d'autant. Personne n'aurait pu vous exprimer le sentiment de cette perte. Il vous fallait en faire l'expérience.

Bien que cet exemple soit extrême, vous pouvez comprendre de quelle manière chaque expérience vous a permis de vous envisager d'un point de vue légèrement différent par rapport à la joie, à la douleur, à la lumière et à l'obscurité. Cette différence vous permet de réviser votre définition de votre expérience et ses limites. Aussi difficile que cela ait pu paraître dans le passé, vous avez toujours la capacité de voir par delà la douleur, vers ce qu'elle vous dit. Votre vie est un cadeau grâce auquel vous pouvez en venir à vous voir de bien des points de vue et à vous connaître dans tout votre potentiel.

Peu importe ce que vous avez laissé s'exprimer dans votre vie, sans exception, je crois que nous fonctionnons ainsi. Le sixième mystère essénien de la relation, notre quête vers l'obscurité, n'a pas nécessairement à faire mal. La douleur, s'il y en a, reflète le degré de la charge que nous avons placée sur le fait de « ne pas perdre » les choses mêmes auxquelles nous tenons le plus dans la vie.

Je bénis chacun de nous, peu importe la voie que nous choisissons pour nous rappeler qui nous sommes et notre relation avec le Un. Si je vous ai décrit dans ces scénarios, alors je vous bénis ainsi que votre connaissance de vous-même. J'honore votre cadeau de la nuit noire de l'âme.

MYSTÈRE DU SEPTIÈME MIROIR :
VOTRE PLUS GRAND ACTE DE COMPASSION

« Montre-moi la pierre que les constructeurs ont rejetée.
Ce sera la pierre d'assise. »

D'APRÈS LA BIBLIOTHÈQUE DE NAG HAMADI[9]

À la fin des années 80, mon bureau était situé dans un immense édifice à étages aux limites de Denver. Même si la compagnie était énorme, des coupures dans les dépenses gouvernementales avaient entraîné des réductions de personnel et une consolidation. Lorsque d'autres services emménagèrent dans nos installations, notre espace de travail se mit à rétrécir. Je partageais mon bureau avec un autre employé, une femme qui accomplissait une fonction très différente de la mienne dans notre service. Il n'y avait ni concurrence ni partage de responsabilités, et nous nous liâmes rapidement d'amitié, discutant de nos week-ends familiaux, de nos amis, des joies et des peines de la vie à l'extérieur de l'entreprise.

Ce jour-là, en revenant du lunch, elle récupéra les messages laissés dans sa boîte vocale durant son absence. Dans ma vision périphérique, je la vis figer, puis s'asseoir abruptement, le regard terne. Son visage avait pris un teint livide, à l'exception du maquillage sur ses lèvres et ses joues. Lorsqu'elle raccrocha, je lui donnai une minute pour retrouver sa contenance, puis lui demandai ce qui se passait. Elle me regarda et commença un récit que je trouvai à la fois triste et puissant.

Un bon ami à elle avait une fille dotée d'un mélange très envié de beauté, de force athlétique, d'habiletés manuelles et de talents artistiques qu'elle avait cultivés et auxquels elle excellait depuis sa tendre enfance. Cherchant une façon de combiner tous ses dons en une même carrière, cette jeune femme avait décidé d'être mannequin après sa sortie de l'école secondaire. Sa famille appuyait son choix, l'aidant de toutes les façons possibles à réaliser l'accomplissement de son rêve. Lorsqu'elle présenta son portfolio dans les agences de publicité et de mannequins, beaucoup répondirent immédiatement et avec enthousiasme. Elle reçut des offres de voyage, de formation, de cours, et plus d'optimisme et de soutien qu'elle n'en avait rêvé. En apparence, la vie ne pouvait aller mieux.

Après s'être rendue à New York pour occuper un poste dans l'une des agences, elle compléta une série contrats en tant que de mannequin. Elle était assurée que c'était là le commencement d'une carrière prometteuse dans la mode. Toutefois, sur un plan presque imperceptible, ceux qui la connaissaient observèrent peu à peu un changement. Son enthousiasme montrait des signes d'inquiétude. Les agences avec lesquelles elle travaillait recherchaient un certain look chez les femmes qu'elles allaient promouvoir. Même si ce jeune mannequin avait certainement une beauté unique, ce n'était pas tout à fait ce que cherchaient les agences. Hantée par les exigences de ce look particulier, la jeune amie de ma collègue de bureau obtint l'appui de sa famille et entreprit une série d'opérations médicales qui, selon elle, allaient faire en sorte que son corps répondrait aux exigences des agences et de sa carrière.

Elle commença par les opérations les plus évidentes, des prothèses pour augmenter le volume de ses seins et pour donner un nouveau galbe à sa poitrine, avec quelques retouches aux hanches et au ventre. Même si ces opérations l'amenaient plus près de son but, elle ne correspondait toujours pas aux exigences et continuait à subir des chirurgies plus extrêmes. Depuis la naissance, elle avait toujours eu une légère proéminence des dents du haut, avec un léger retrait du menton et de la mâchoire. Elle accepta une restructuration qui impliquait une fracture et une correction de sa mâchoire, de façon à en augmenter la symétrie. Sa bouche fut fermée au moyen de fils de fer durant six semaines, pendant que les os guérissaient. Elle ne pouvait absorber des liquides qu'au moyen d'une paille et perdit donc du poids. Lorsque les fils furent retirés et que les ecchymoses eurent disparu, elle avait en vérité un beau visage symétrique, avec des pommettes accentuées et des lèvres corrigées. En regardant une photographie que ma collègue de bureau avait de la fille de son ami, je pouvais voir peu de différences entre avant et après l'opération. Je raisonnai ainsi :

Si c'est ce qu'il fallait à cette femme pour qu'elle en vienne à s'accepter, alors je l'appuyais dans ses choix.

Ayant perdu du poids lors de ces semaines de régime liquide, cette belle jeune femme se mit à remarquer que le bas de son ventre n'avait plus la même forme, soit le « V » d'avant la chirurgie. En *réalité*, au cours de la perte de poids, le haut de son corps avait perdu de la masse et du tonus musculaire, ce qui le faisait paraître proportionnellement semblable au bas de son corps. Sa *perception*, toutefois, était qu'elle avait un problème qui pouvait être réglé par la chirurgie, et elle se fit enlever les côtes inférieures afin de donner une plus grande définition aux proportions de ses hanches, de sa taille et de sa poitrine. En même temps, remarquant que sa récente perte de poids lui avait attiré l'approbation de ses pairs, elle se lança dans un programme afin d'en améliorer les effets.

Si vous avez jamais fait l'expérience d'une perte de poids, vous avez peut-être remarqué un curieux phénomène concernant la façon dont le corps décourage ou accentue le processus. À l'école secondaire, j'avais brièvement fait partie de l'équipe de lutte. Pour me qualifier à des disciplines dans des catégories de poids précises, je devais me peser avant le match. Je remarquai très tôt que lorsque mon corps entrait dans un mode « gain de poids », j'additionnais rapidement les kilos, et qu'en mode « perte de poids », j'en perdais vraiment. Je commençais lentement au départ, gagnant de l'élan au fil des jours, jusqu'à ce que soudain mon corps perde ou gagne des kilos, apparemment tout seul. Les jours où je me pesais, si j'étais en train de perdre du poids, j'arrivais bien au-dessous du poids désiré, pas seulement par un fil.

Le jeune mannequin eut une expérience semblable. Elle s'était fait remodeler la mâchoire, teindre les cheveux, grossir les seins, enlever du poids et même les côtes inférieures, et son apparence la rendait encore malheureuse. Elle entama un programme de perte de poids qui devint irréversible. En mode de perte de poids, elle découvrit rapidement que quelque chose avait changé dans son corps. Elle ne pouvait plus contrôler ni l'augmentation ni la perte des kilos. Elle perdait du poids quotidiennement. Lorsque ses parents reconnurent ce qui était en train de se passer et qu'ils la firent hospitaliser, il était trop tard. À cause d'une série de complications plutôt que d'un événement isolé, la jeune amie de ma collègue de bureau était décédée ce matin-là. Voilà l'appel téléphonique qu'elle avait reçu après notre lunch.

Vous connaissez peut-être des gens qui sont sur une voie semblable, bien que moins extrême, espérons-le. Si j'utilise cet exemple, c'est pour souligner un point. La jeune femme de ce récit avait en tête une image de la perfection. Cette image était devenue son point de référence et de comparaison. Elle se tenait constamment dans l'ombre de ce point de référence, faisant de son image mentale l'aune à laquelle mesurer son apparence physique. D'après son système de croyances, elle était en quelque sorte imparfaite. Toutefois, ses imperfections pouvaient être corrigées grâce à la technologie médicale moderne conçue pour remédier à de telles conditions.

Ce qui est arrivé à cette jeune femme va beaucoup plus loin que les moyens utilisés pour corriger ses défauts apparents. Le but de ce récit n'est pas de juger les technologies offertes pour changer l'apparence physique. Les procédés mêmes sont bénins. Leur sagesse doit être dans leur application. Cet exemple démontre une distorsion de l'usage voulu de ces puissants outils.

La question, c'est pourquoi ? Pourquoi le jeune mannequin a-t-il eu le sentiment que ces extrêmes étaient nécessaires à son succès ? Pourquoi était-elle soutenue dans ses choix par sa famille et ses amis ? Pourquoi cette belle jeune femme s'est-elle sentie obligée de devenir autre chose que ce qu'elle était à la naissance ? Quelle peur dominait dans sa vie au point qu'elle voulut transformer son apparence pour répondre aux attentes des autres ? Et surtout à ses attentes envers elle-même ? Il s'ensuit une question peut-être encore plus importante.

Qu'utilisez-vous comme étalon de comparaison ?

Quel est le point de référence auquel vous vous référez lorsque vous évaluez vos « succès » et vos « échecs » dans la vie ?

Bien que cet exemple soit extrême, à un degré moindre la même chose s'est fréquemment produite. Un idéal irréaliste devient le modèle de l'étalon par lequel sont mesurés nos vies, nos accomplissements, notre expression et nos capacités terrestres.

Après avoir raconté cette histoire dans les ateliers, je demande souvent aux participants de compléter un simple tableau avant de poursuivre l'exposé. Je leur demande de s'évaluer dans un certain nombre de domaines, dont l'éducation, la forme physique, la vie amoureuse, les réalisations commerciales et athlétiques. Le système d'évaluation est composé de quatre catégories : Réussite élevée, Réussite modérée, Résultat moyen et Échec. En général, j'accorde très peu de temps pour remplir cette feuille. Il y a une raison. Les réponses sur le tableau ont en fait une importance moindre que la pensée derrière chacune d'elles. En réalité, peu importe la réponse. Toutefois, si elle indique quoi que ce soit d'autre que la perfection, c'est que le participant se juge. La seule façon dont on puisse s'évaluer du point de vue du succès ou de l'échec, c'est en se comparant à quelque chose d'extérieur à son expérience.

Souvent, le juge le plus dur sur soi, c'est soi-même. Pour cette raison, le septième miroir s'appelle notre « plus grand acte de compassion ». C'est dans le miroir de nous-mêmes que nous sommes requis d'accepter, en toute compassion, la perfection dans chaque expression de la vie, peu importe comment les autres considèrent l'expérience. Pourquoi tant de gens trouvent-ils plus facile de faire preuve de compassion envers les autres qu'envers eux-mêmes ?

Notre définition de la compassion du chapitre 3 nous rappelle que celle-ci est le résultat de qualités précises de la pensée, de l'émotion et du sentiment. La pensée sans attachement au résultat est peut-être notre plus grand défi dans un monde envisagé en tant que cause et effet.

Sans attachement vis-à-vis d'un résultat, chaque expérience devient une occasion de s'exprimer, et rien d'autre. Comment votre vie pourrait-elle être différente si vous permettiez à chacune de ses expressions d'être parfaite dans son résultat, peu importe ce résultat ? Si nous avons exprimé la vie au mieux de notre capacité dans une situation donnée, à un moment précis, sans la comparer à une autre, comment pouvons-nous avoir échoué ou réussi ? C'est notre idée de nous-mêmes, notre performance, notre apparence, nos accomplissements qui déterminent la direction de notre énergie émotionnelle. Le plus grand geste de compassion que l'on puisse vous demander de poser, c'est peut-être celui envers vous-même, dans votre choix de conduite de vie et d'expression de la vie.

Le fait de vous voir autrement que dans la perfection vous dévoilera votre plus grand doute (crainte universelle de moindre confiance) quant à la perfection de votre expérience.

Les gestes que vous posez en vue de vous changer, s'ils naissent d'autre chose que l'amour et le respect du cadeau que vous offre la vie par votre corps, vous révéleront votre question la plus grande concernant l'estime (la peur universelle de l'estime de soi) dans la perfection de qui vous êtes.

En appliquant les codes de compassion à votre sentiment de soi, vous devez vous poser les questions suivantes :

Si vous….

reconnaissez qu'il y a une source unique de tout ce qui est ou sera, que chaque événement de vie, sans exception, fait partie du Un ;

faites confiance au processus de la vie tel qu'il vous est montré, c'est divinement le bon moment et il n'y a pas d'accidents ;

croyez que chaque expérience qui est attirée vers vous, sans exception, est une occasion de démontrer votre maîtrise de la vie ;

croyez que votre vie reflète votre quête en vue de vous connaître de toutes les façons possibles, en connaissant vos extrêmes afin de trouver votre équilibre ;

croyez vraiment que votre essence vitale est éternelle et que votre corps peut lui aussi faire l'expérience de l'éternité ;

ALORS

comment pouvez-vous, en même temps, juger vos choix comme bons ou mauvais, bien ou mal, ou comme autres qu'une expression du Un ? Comment le corps que vous avez reçu en cadeau peut-il être autre chose que la perfection ?

SI

vous croyez être venu en ce monde
pour vous connaître de toutes les façons

ET

que votre expérience des extrêmes vous permet de
connaître votre équilibre

ET

que vous choisissez avec soin chaque engagement de vie, intentionnellement et pleinement présent, de votre mieux dans le moment,

ALORS

comment pouvez-vous être autrement que parfait sous quelque
rapport que ce soit ?

Vous n'êtes pas votre expérience. Vous n'êtes que le résultat énergétique de ce que celle-ci vous a démontré. Vous seul déterminez de quelle façon elle sera interprétée. Les choix que vous faites dans la vie vous offrent simplement l'occasion d'en faire l'expérience. Jusqu'au moment où vous la comparez à une autre ou encore à celle d'un autre, l'expérience elle-même n'est pas faite de succès ou de ratés ; elle n'est ni bonne ni mauvaise. Et dans la mesure où vous respectez votre unicité, comment peut-on se comparer à vous ?

Combien de fois vous êtes-vous trouvé dans un lieu public, un restaurant ou un centre commercial, et avez-vous entendu des commentaires sur des individus présents ? Ces commentaires ressemblaient peut-être à des expressions comme :

« Regarde-le, il devrait avoir honte. »

« Pourquoi ne « fait-elle » rien pour se changer ? »

Je me rappelle un cas survenu à l'aéroport de Dallas/Fort Worth, en attendant qu'un tram aéroportuaire emporte un groupe de gens d'une zone à une autre de cette immense « ville dans la ville ». Debout en file, je remarquai près de moi un couple âgé. De toute évidence, l'homme n'entendait pas très bien. Comme le train approchait et que nous nous préparions à entrer, une femme extrêmement grosse descendit l'escalier roulant en direction du train. Près de moi, l'homme âgé la regarda et fit un commentaire à sa femme concernant la taille de la passante.

« C'est terrible, non ? dit-il. Pourquoi ne fait-elle pas quelque chose pour son poids ? »

Peut-être parce qu'il était dur d'oreille, à cause de l'acoustique de la pièce ou parce qu'il n'y a pas d'accidents en ce monde, ses commentaires résonnèrent plus fort qu'il ne l'avait voulu et tout le monde entendit, y compris cette femme de près de 180 kilos. Je sais qu'elle entendit. Je le sais parce qu'elle ne dit pas un mot.

Toujours muette, elle se retourna pour lui faire face et, ce faisant, me donna l'occasion de la voir aussi. Lorsqu'elle regarda dans notre direction, j'acceptai l'invitation à la regarder dans les yeux. Je savais qu'elle ne voyageait pas beaucoup. Ses bagages étaient démodés, du genre en linoléum de vinyle ancien aux parois rigides et aux renforts de cuivre dans les coins. J'avais l'impression que son voyage était une combinaison difficile de connexions incertaines, d'installations spéciales en raison de son poids, d'exigences reliées aux repas et aux toilettes, tout cela compliqué par les températures de plus de 38 degrés Celsius qui règnent à Dallas en août. Je me dis :

Elle doit vraiment avoir une bonne raison de voyager aujourd'hui.

Ses yeux étaient rougis et gonflés de larmes à cause de la dureté des remarques dont elle venait de faire l'objet. Elle n'était pas en colère ni même surprise. Je suis certain qu'elle avait déjà entendu des propos semblables. Ses yeux trahissaient nettement la douleur qui venait d'être touchée dans son corps. En la regardant dans les yeux, je sentis la perfection de son âme dans l'illusion d'un corps volumineux. Quelle bravoure, pour une femme de cette taille, que de s'exposer à un examen en public. De quel souvenir son corps la protégeait-il ? Qu'était-il arrivé dans sa vie qui disait à son corps : « J'ai maintenant besoin de couches et de kilos de "protection" pour rendre ce monde sécuritaire » ? Peut-être seulement le genre de commentaire qu'avait offert le monsieur qui se trouvait près de moi. Alors que nous montions dans le tram, je regardai l'homme et sa femme et leur envoyai un bonjour avec le sourire. Je ne ressentis aucune intention malicieuse alors que celui-ci continuait à parler à sa femme. Cela semblait être quelque chose qu'ils faisaient tout le temps, discutant ensemble des différences entre eux, de leurs attentes envers la vie et de la réalité de ce que la vie leur montrait. De la part de ce monsieur âgé, je sentis une innocence inconsciente. Il n'avait certainement pas eu l'intention de blesser cette femme. Il n'était pas même conscient du fait que ses paroles avaient atteint d'autres personnes que sa femme. Je me dis en moi-même :

Quelle expérience forte nous venons d'avoir tous les quatre.

Chacun à notre façon, nous avions eu l'occasion de nous poser la même question. « Aimons-nous suffisamment pour permettre la possibilité de perfection dans les "imperfections" de la vie ? » L'homme et sa femme par rapport à la grosse femme. La grosse femme par rapport à l'homme et sa femme. Moi-même par rapport à chacun des trois. À partir de perspectives très différentes, chacun de nous venait de faire l'expérience personnelle du septième et du plus subtil, mais profond, mystère de la relation, celui de son plus grand acte de compassion.

Je vous invite à vous poser la même question. Aimez-vous assez pour admettre la possibilité de la perfection dans tout ce que la vie vous montre ? Pouvez-vous accepter la perfection dans l'asymétrie de la vie ?

À présent, je vous invite à consentir à ce qu'il en soit ainsi.

AU-DELÀ DES TEMPLES

Même s'il peut certainement y avoir des miroirs additionnels et même plus subtils que ceux qui nous sont montrés à travers nos relations, au meilleur de ma connaissance actuelle, ce sont les clés primaires. Chacune peut être considérée comme une étape vers un niveau élevé de maîtrise consciente et personnelle. Lorsque vous connaissez les possibilités, elles deviennent partie intégrante de vous. Une fois que vous les avez vues, vous ne pouvez plus ne plus les voir. À présent, vous serez requis de vivre la signification des mots.

Chaque fois que vous reconnaissez un miroir de relation, une occasion énergétique d'ouverture se crée. Cette ouverture est disponible tout simplement parce que vous le permettez. Avec cette ouverture vient une occasion supplémentaire de vous démontrer, uniquement à vous-même, la signification de chaque miroir particulier tel qu'il est dans votre vie. Comme vous avez lu les descriptions, histoires de cas et récits vécus, vous avez été à même de voir comment les patterns énergétiques vous sont présentés à travers les relations.

Il n'y a pas si longtemps, j'ai rencontré un ami qui venait de quitter une carrière, une famille, des amis et une relation dans un autre État pour s'installer dans les espaces sauvages des Rocheuses. Je lui ai demandé pourquoi il avait laissé autant derrière lui pour choisir la désolation du haut désert. Il commença à me dire qu'il était venu vers les montagnes pour trouver sa « voie spirituelle ». Du même souffle, il m'avoua qu'il n'avait pas été capable d'entamer son cheminement parce que rien n'allait. Il avait des problèmes avec sa famille, en affaires et avec les entrepreneurs embauchés pour rénover sa propriété. Sa frustration était évidente. En écoutant son histoire, je me suis retourné et lui ai livré une intuition.

C'est peut-être cela, ta voie spirituelle, lui ai-je suggéré.

C'est peut-être la façon dont tu résous chacun de tes défis qui est la voie que tu es venu connaître ici.

Me regardant l'air étonné, il dit :

« Peut-être bien. »

Selon moi, l'activité spirituelle est la seule dont nous soyons capables. La vie est une entreprise spirituelle. Aussi variée et diverse que puisse paraître chaque voie, je crois, avec la force de tout mon être, que chaque voie mène au même endroit. Sans exception, je crois que chaque vie, chaque mort, toute la souffrance, toute la joie et chaque expérience intermédiaire nous rapprochent du même tout, du même Un. Nos relations ne sont pas séparées de notre évolution spirituelle. Elles constituent notre évolution spirituelle.

Il y a une forte chance que lorsqu'un pattern est reconnu, n'importe où dans votre vie, dans toute relation, il soit observable à des degrés variables dans d'autres relations. Les questions de contrôle qui sont l'objet d'une émotion intense à la maison, on les retrouve, presque dépourvues d'émotion, en marchandant une nouvelle voiture, par exemple. Le pattern est toujours là, mais vous ne connaissez pas le concessionnaire avec autant de profondeur, vous ne partagez pas le même niveau d'intimité qu'avec vos enfants.

Il est intéressant de constater qu'en résolvant vos négociations avec le concessionnaire, vous avez fort probablement trouvé la résolution de vos expressions de contrôle à la maison. Voilà ce qui constitue l'attrait de l'hologramme de l'émotion et de la conscience. Lorsqu'un pattern change dans une relation, toutes les autres relations fondées sur celui-ci bénéficient du même changement.

Vos relations sont devenues vos temples ! Vous n'avez plus besoin de vous isoler dans des structures artificielles pour maîtriser des patterns précis d'émotion. Vous êtes allé au-delà des structures ! Aujourd'hui, moins de quelques années avant la conclusion de ce grand cycle d'émotion humaine, vous avez dépassé les temples extérieurs. Aujourd'hui, vous entrez dans le temple d'amour, dans une relation où vous croyez être en amour. Puis, étant entré dans le temple, vous en découvrirez d'autres, certains dont vous ne soupçonniez même pas l'existence.

Il y a une chance que personne ne vous ait rappelé que ces temples représentent pour vous des étapes vers les niveaux les plus élevés de la maîtrise humaine. Vous avez tout simplement senti, pensé, eu des émotions et avancé dans la vie à partir de ces pensées, sentiments et émotions. C'est précisément l'essentiel. Personne, peut-être, ne vous a rappelé que vous étiez un initié de l'ordre le plus élevé, immergé dans un monde de logique et

Marcher entre les mondes

d'émotion, pour vous connaître de toutes les façons. Néanmoins, peut-être sans savoir « pourquoi », vous avez avancé, gouvernant votre vie en cours de processus.

Voilà la mesure de votre puissance.

Vous maîtrisez des émotions qui se chevauchent et s'entremêlent, survivez au plus élevé des hauts ainsi qu'au plus creux des bas, sans même savoir précisément pourquoi. Vous avez franchi les temples extérieurs. De plus d'une façon, vous avez dépassé les leçons des maîtres extérieurs. Leurs leçons vous ont préparé et vous ont formé précisément pour ce moment de notre histoire. Vous entrez dans une époque où il n'y aura pas de points de référence auxquels se comparer, aucune expérience préalable permettant de trouver une réponse appropriée. Vous arrivez à une époque où vous n'aurez que vous-même.

« Vous » êtes tout ce dont vous aurez besoin.

Vos temples de relations vous préparent précisément à cette expérience, à ce moment. Chacun des sept mystères esséniens de la relation est séquentiel, s'élaborant sur la prise de conscience du précédent jusqu'à ce que, à travers chacun d'eux, vous ayez guéri vos peurs universelles. Ce faisant, vous vous êtes préparé à la voie qui permet à la compassion d'être une force dans votre vie. Dans le récit de sa recherche de la vérité dans sa vie, Gurdjieff est à un moment donné arrivé dans un monastère lointain et caché d'un pays qu'il ne nomme pas, où on lui dit les paroles suivantes comme une sorte d'offrande :

« Tu as maintenant trouvé les conditions dans lesquelles le désir de ton cœur peut devenir la réalité de ton être. Restes-y jusqu'à ce que tu acquières une force en toi que rien ne pourra détruire[10]. »

Pour moi, cette force est la compassion. Lorsque nos relations nous montrent notre nature véritable, l'illusion de l'obscurité, de la peur et de la haine est exposée. Une fois guéri, il ne nous reste que la compassion.

CHAPITRE SIX

TOUS NOS ANCÊTRES

ÉMOTION, COMPASSION ET MASSE CRITIQUE

FIGURE 7 : *Chrysanthème*
L'idéogramme japonais représente l'âme de l'homme.

« *Puissé-je devenir un trésor inépuisable pour*

les pauvres et les indigents ;

Puissé-je me changer en toutes les choses dont ils puissent avoir besoin

Et puissent-elles à leur tour

Être placées tout à côté d'eux. »

SHANTIDEVA,
A GUIDE TO THE BODHISATTVA'S WAY OF LIFE[1]

⸎

Il était près de 21 h 30 lorsque nous quittâmes le chemin ondulé de terre et de gravier pour prendre la route principale. Instantanément, la voiture devint plus silencieuse quand les pneus roulèrent sur l'asphalte plane de la route à deux travées. C'était un dimanche soir d'octobre, en 1987. Ma femme et moi venions de passer le week-end avec des méditants et des chercheurs spirituels vivant dans le nord du Nouveau-Mexique, discutant de la nature de la force de vie, de l'âme humaine et du Passage des âges. En retournant à mon monde commercial de production de logiciels, je savais qu'une réunion de personnel avait été prévue pour 7 h 30 à mon bureau le lendemain matin. Ma femme aussi commençait tôt le lendemain. Au mieux, le trajet de cinq heures nous amènerait à notre maison de South Denver vers 2 h 30 du matin. En accélérant sur la route, je poussai ma cassette préférée de U2, et ma femme se recroquevilla pour un long trajet. Ni l'un ni l'autre n'allions beaucoup dormir cette nuit-là.

Nous avions traversé la frontière du Colorado et nous nous trouvions sur la route de montagne menant à la petite ville de Walsenberg. C'est là que nous allions accéder à l'autoroute 25 et devoir respecter une limite de vitesse de 88 km/h pour la plus grande part de notre trajet. Alors que nous prenions un virage en épingle à cheveux, je vis les feux arrière d'une autre voiture qui roulait devant nous dévier sur l'accotement. Je ralentis et me rangeai aussi sur l'accotement afin de voir si les occupants avaient besoin d'aide. Alors que notre voiture ralentissait pour s'arrêter, je remarquai deux personnes penchées devant les phares, fixant la route. Je courus en vitesse à leur voiture et trouvai deux femmes debout dans la lumière des phares, regardant un jeune faon qu'elles avaient heurté quelques instants auparavant. Le faon s'était apparemment arrêté sur la route, effrayé par les phares. Les femmes avaient tenté d'arrêter, mais trop tard.

Le faon respirait encore. Il était étendu là dans la voie de droite, silencieux et immobile à l'exception d'une respiration intermittente. Il paraissait en état de choc. Je regardai avec ma lampe de poche et ne vis aucune blessure évidente. Pourquoi ne se mettait-il pas à sauter et à courir ? Je demandai aux deux femmes de m'aider, et nous roulâmes doucement le faon sur le côté pour vérifier les dégâts. Lorsque nous observâmes son corps dans la lumière des phares, je compris soudain pourquoi ce beau et jeune animal était étendu immobile sur la route. L'impact de la collision avait comprimé un grand nombre de ses organes internes, les poussant à travers une grande ouverture dans son abdomen. Je savais qu'il n'en avait pas pour longtemps à vivre. Nous le tirâmes vers l'accotement, puis plus loin jusqu'à ce qu'il fut appuyé contre une clôture à bétail. Le fait d'élever légèrement son cou sembla l'aider à respirer. En regardant vers le haut, je vis les silhouettes des deux femmes debout au-dessus de moi dans la lumière des phares. Chacun de nous, y compris le faon, créait un petit nuage avec son souffle dans l'air froid des montagnes. Les femmes étaient infirmières dans un grand hôpital de Denver. Formées à sauver des vies et à limiter la souffrance, elles se sentaient prises au dépourvu devant ce doux et jeune animal en train de mourir devant elles.

Lorsque je tournai à nouveau les yeux vers le faon, il demeura immobile. Une paix l'avait envahi alors qu'il m'observait du regard. Je sentis qu'il « savait » d'une manière ou d'une autre que nous étions en train d'essayer de l'aider. Il ne semblait pas effrayé. À présent, c'est moi qui me sentais pris au dépourvu. Ici, sur cette route de montagne déserte, se trouvaient deux infirmières certifiées, ma femme, une massothérapeute certifiée, et moi-même, ingénieur diplômé. Chacun de nous était maître dans son domaine respectif. Chacun se sentait impuissant à faire quoi que ce soit dans l'instant. Je m'agenouillai, pris affectueusement la tête du faon sur mes genoux et offris une prière silencieuse.

Je demande que cet animal soit béni d'un gracieux trépas. S'il vous plaît, permettez-lui de commencer son nouveau voyage d'exploration sans souffrir. Soudain, quelque chose se produisit. C'était à moi que ça arrivait. J'eus une sensation familière, le sentiment que j'avais déjà eu dans mes expériences de mort imminente. À présent, j'avais ce sentiment, ici, par cette froide soirée d'octobre, en présence du passage d'une vie. Dans ce sentiment, je savais que nous n'étions pas seuls sur cette route et que tout allait bien. Lorsque je plaçai ma main sur le front du faon, sur ses yeux, sa respiration s'amenuisa. Un dernier soupir, et elle s'arrêta. Je baissai ma main, et ses yeux étaient encore grands ouverts. Je savais qu'il était en transition.

Je m'aperçus tout de suite du fait que je n'avais jamais été présent au moment véritable du trépas d'une vie. J'avais certainement assisté à des services commémoratifs d'amis et à des funérailles de proches. J'avais accompagné des amis jusqu'à quelques moments de leur mort. Chaque fois, quelque chose s'était passé. Il y avait eu une distraction ou une diversion, et j'avais quitté leur présence à l'instant du trépas. Peut-être avaient-ils choisi d'être seuls à l'heure de la mort. Peut-être était-ce mon choix que de ne pas en être témoin. Jusque-là, je n'avais jamais été présent au moment véritable de la transition.

Pendant que je tenais l'animal dans mes bras, de chaudes vagues d'émotion surgirent dans tout mon corps. Comme des pulsations ondulantes de chaleur qui irradiaient de ma poitrine à mes extrémités. Avec un doux éclat de chaleur, les ondulations cessèrent. Je savais qu'il était parti. Ainsi, ce jeune faon m'avait fait le cadeau d'accompagner son trépas. J'avais senti l'essence de sa vie alors qu'elle quittait son corps et, brièvement, partageait la mienne. Bien que j'aie toujours *su* que nous étions reliés, à ce moment, j'avais dépassé le simple savoir. Dans ce moment de transition avec ce bel animal qui reposait sur mes genoux, j'avais *senti* son trépas. Pendant quelques secondes, lorsqu'il cessa de respirer, il avait en quelque sorte fait partie de moi. Son trépas eut un effet sur moi. Sans émettre un seul son, il m'avait profondément affecté.

Durant cet instant, il m'aurait été difficile de décrire où la force vitale du faon s'arrêtait et où je commençais. Durant ces brèves secondes, lui et moi étions le même être. Sans savoir pourquoi, je pleurai. Des larmes roulèrent sur mes joues et sur la tête immobile et chaude de cette bête que je n'avais jamais connue. Je me rappelle m'être demandé : *Comment la vie de cet animal, qui m'était inconnu, ici à 2000 mètres d'altitude dans les montagnes du sud du Colorado, peut-elle faire une différence dans ma vie ?* En me posant cette question, je sentis un vide. Sachant qu'avec bien d'autres de son espèces, il était « là-bas », il me manquait. Sa présence en ce monde me manquait. Avec son trépas, quelque chose semblait à présent différent dans ma vie.

J'ai toujours su que nous faisons partie de toute la vie, reliés par les fils d'une force qui lie tout dans sa création. Bien que je l'aie toujours su, il a fallu le trépas de cette vie particulière pour que je sente la différence. Cette différence est la raison pour laquelle je partage cette expérience.

DEVENIR : NOTRE TECHNOLOGIE DE LA SECONDE VOIE

Nous avons choisi. En tant que mémoire collective de tout ce qui a jamais été et de tout ce qui reste à venir, nous avons fait nos choix. En nous parlant, nous avons dit : « Plus de faim, plus de douleur. »

Et pourtant, bien des membres de notre espèce attendent que la faim et la douleur « partent ». En nous regardant dans les yeux, nous avons répété : « Plus de maladie. »

Et pourtant, beaucoup d'entre nous sont témoins de nouvelles maladies à l'épreuve de la technologie moderne, qui nous rappellent notre vulnérabilité passée. Nous nous sommes serré la main pour nous entendre sur une chose :

« Plus de meurtres. »

Horrifiés et impuissants, nous avons été témoins d'actes de violence et d'atrocités sans précédent à l'égard des peuples de toutes les religions, cultures, ethnies et conditions sociales, et de tout âge. Nous avons choisi.

Notre choix est une première et nécessaire étape vers la création de ce que nous désirons pour notre monde et pour nous-mêmes. Mais il ne suffit peut-être pas de croire que ce seul choix fait une différence. Choisir, c'est signaler à la création qu'une ouverture s'est produite. Vos choix ont créé des ouvertures énergiques de potentiel, des espaces de possibilité, dans votre expérience de la création. La question devient à présent celle-ci :

« Que placerez-vous dans les ouvertures que vous avez créées ? »

Ayant fait les choix qui créent le vide de la possibilité dans le tissu de la conscience humaine, comment remplirez-vous ce vide ? La décision de changer constitue cinquante pour cent du processus. En choisissant, vous avez exercé une moitié du grand cadeau que représente votre vie. À présent, en ce temps que les Mayas appellent le « non-temps », les jours de la vie entre la conclusion d'un grand cycle et l'ouverture d'un autre, on vous demande d'aller plus loin que le fait de choisir.

Aujourd'hui, à quelques années de l'ère que les Anciens appelaient le Passage des époques, on vous demande de *devenir*. Devenir vos choix, c'est exercer la seconde moitié de votre don. C'est votre libre arbitre qui vous permet de faire fructifier vos choix. En exerçant votre libre arbitre, vous êtes requis de devenir les conditions mêmes que vous désirez tant pour vos enfants et vos proches. On vous demande de devenir ce que vous désirez le plus dans votre vie. Le fait de devenir est le secret de l'accomplissement de la promesse que vous vous êtes faite à vous-même pour cette vie-ci.

Notre prédisposition culturelle au *faire* est un vestige de notre passé, le vestige d'un paradigme qui nous a si bien servi. En exprimant notre reconnaissance pour notre don d'une technologie fondée sur le faire, il est possible que la voie même qui nous a si bien servi dans le passé ne puisse plus nous servir en ce moment. Les idées, croyances et pensées qui nous permettent de nous tuer les uns les autres pour ne pas être tués, de nous conquérir et de nous posséder les uns les autres pour ne pas être conquis et possédés, et de juger les choses que nous ne comprenons pas nous ont bien servi. Chaque idée, croyance et pensée a pavé la voie à ce moment même. À présent, je vous demande d'envisager la possibilité que nous ayons dépassé la voie du meurtre, de la conquête, de la possession et du jugement. Nous avons commencé à *Marcher entre les mondes* avec une discussion des technologies internes et externes qui fournissent un plan, une carte routière de l'endroit où nous étions sur le point d'aller. Maintenant que j'ai livré la plus grande part de ce texte, cette discussion mérite d'être revue.

Par-delà le « faire « de notre passé, nous sommes à présent requis de devenir nos choix. Notre « devenir » est la technologie de la seconde voie. Des outils anciens vous ont été laissés pour cette période de l'histoire. Ces technologies anciennes mais sophistiquées étaient destinées expressément à la maîtrise de votre vie à cette époque, ces jours-ci. Vivant en vous, encodés en vous, ces outils sont à présent disponibles, en ce moment. Maintenant que vous avez lu les mots de ce texte, je vous invite à vous poser cette question : *Vous voyez peut-être dans ces outils des codes logiques et émotionnels de votre esprit, mais vous les rappelez-vous dans votre corps ?* Peut-être latente, certainement vivante en vous, se trouve la capacité de changer la vie dans votre corps, de même que la manière dont vous voyez cette vie. Ce changement peut se produire le temps d'un battement de cœur lorsque vous vous rappelez de l'accueillir. Le fait de transformer des patterns vitaux dans votre corps en modifiant votre point de vue est peut-être l'outil le plus puissant que vous ayez à votre disposition pour le reste de cette vie.

La seconde voie de la technologie interne est une voie qu'on se rappelle au lieu de la produire. Elle est votre nature véritable. Vous avez appris à construire des miroirs de vous-même à l'extérieur de votre corps seulement lorsque la mémoire de votre nature véritable a commencé à faiblir. Vous avez cette force, votre volonté a cette force de connaître, de se rappeler et de vivre.

Notre technologie intérieure se rappelle notre corps comme étant l'union sacrée entre l'expression atomique de la terre mère et l'expression électrique et magnétique du père ciel. On nous rappelle cela dans les textes originaux des manuscrits de la mer Morte et dans les livres des Esséniens.

> « [...] car tout comme le Père céleste t'a donné son esprit saint, ta Mère terrestre t'a donné son corps sacré... »
> D'APRÈS L'ÉVANGILE ESSÉNIEN DE LA PAIX[2].

Votre force de potentiel énorme est activée et régulée par vous par la manière dont vous choisissez de mener votre vie. Si vous et moi sommes véritablement qui et ce que nous disons être, des êtres de compassion et de sagesse, puissants et magistraux, vivant à quelques brèves années du Passage des époques, pourquoi ne pas devenir cette technologie de guérison ? Plutôt que de créer la technologie extérieure pour remédier aux conséquences de notre condition passée, pourquoi ne pas devenir cette technologie ? Pourquoi ne pas sentir les sentiments, éprouver les émotions et « penser » les pensées qui nous permettent de passer à un état d'être où les bactéries, les virus, le changement et même la mort ont peu d'importance ? Pourquoi ne pas devenir les remèdes de l'intérieur ?

De ce point de vue, les virus, les bactéries, les dépressions immunitaires, les soulèvements sociaux et politiques et les autres conditions auparavant considérées comme des horreurs peuvent vraiment servir de puissants agents de changement. Chacun peut être vu comme un catalyseur auquel vous et moi avons consenti en un effort pour nous propulser collectivement vers un choix d'être plus élevé. Nous consentons en encourageant et en permettant à la technologie et à la pensée derrière elle d'être présentes au moment de la création de ces conditions.

Les Anciens nous rappellent que la compassion n'est pas une chose que nous faisons ou accomplissons. C'est plutôt ce que nous nous permettons de devenir. Le message de l'espoir n'est pas étranger, car il vient à nous d'une source d'expérience extérieure. C'est notre propre message ancien/futur qui revient vers « nous », qui l'avons créé. Il vient de l'intérieur de nous, répondant au signal que nous avons programmé pour nous-mêmes il y a longtemps. « Lorsque nous atteignons un niveau particulier de sophistication technologique, nous sommes prêts pour la prochaine étape. » Lorsque nous :

- arriverons au jour qui nous permettra de voir dans l'essence même du code génétique de notre créateur au moment de la conception.
- arriverons au moment où nous serons capables de projeter des extensions de nos sens dans le cosmos qui nous entoure, de même que dans les atomes qui nous composent, pour nous dire ce qu'il y a « à l'extérieur », alors nous serons prêts pour le prochain niveau.

À présent, nous sommes prêts à devenir la technologie même que nous avons créée pour nous rappeler nous-mêmes. À ce moment de notre histoire s'offre l'occasion de nous rappeler nous-mêmes notre nature la plus profonde. Les machines, outils et gadgets sont une collection d'objets anciens qui nous représentent sous la forme d'un reflet extérieur à nous-mêmes en tant que trace de notre passé collectif. Aujourd'hui, vous avez l'occasion de bénir la technologie de la première voie pour tout ce qu'elle a offert, pour le temps où elle l'a permis, la facilité de vie qu'elle a offerte et tout ce qu'elle a signifié pour vous. Bénissez la technologie et poursuivez dans la seconde voie.

Beaucoup plus sophistiquée que toutes les machines jamais construites par les esprits les plus brillants de notre espèce, la seconde voie représente un incroyable progrès dans notre conduite et dans notre niveau de vie. Nous avons maintenant l'occasion de devenir la guérison des médecines, la santé permanente et éternelle, la paix des pacificateurs, la compassion des religions et les vibrants compagnons de la vie, et de le faire avec grâce. Je vous invite à réexaminer les enseignements qui traitent d'une puissante force de vie circulant *à travers* votre corps. C'est là que réside la séparation.

Cette force puissante est votre corps.

Il n'y a aucune séparation entre cette force et vous. En plus de couler à travers votre corps, cette force est votre corps. Vous seul déterminez votre réaction aux bactéries, aux virus, aux rayons ultraviolets de l'ozone qui s'amenuise et même au « microbe » de la grippe qui circule au bureau. Vous seul déterminez votre seuil de colère, de haine et de rage devant des événements que vous avez créés dans votre vie. Vous seul déterminez le résultat auquel nous aboutirons à ce moment fort de l'histoire, en définissant notre réponse à cette période historique. Vous seul, dans votre totalité, avez quelque chose de beaucoup plus grand à offrir à vous-même, à vos proches et à ce monde, que vous n'en trouverez jamais dans une machine reflétant un fragment de vous « à l'extérieur ».

NOTRE TEMPS DE MAÎTRISE

Le temps de nos temples et de nos réseaux extérieurs, de nos grilles extérieures et de nos lignes de conduite externes tire à sa fin. Pour beaucoup, ce qui est advenu comme une connaissance intérieure a été clairement annoncé dans le langage de notre temps il y a deux mille ans et même avant. Notre connaissance nous rappelle que vous et moi vivons comme une expression d'une union hautement sophistiquée, un mariage sacré entre les éléments de cette terre et une force directive non physique. Nous appelons cette force l'Esprit.

Lorsqu'on la définit comme une qualité de pensée, de sentiment et d'émotion, la compassion est la paix que nous cherchons dans notre corps pour aligner ces éléments avec notre esprit. La paix dans la compassion est la technologie destinée à maintenir l'alignement en place, la paix offerte à la pensée, aux sentiments et au corps dans les références esséniennes. La vitalité de votre corps, la qualité de votre sang et de votre souffle, votre choix de relations et d'émotions, et même votre capacité de reproduction semblent directement reliés à votre capacité d'accueillir la force de compassion dans votre vie.

Dans la mesure où vous embrassez la compassion dans votre vie, le changement se produit avec grâce et aisance. Pour ceux qui ont besoin d'une preuve, celle-ci est maintenant disponible. Pour les autres, le simple fait de savoir qu'il y a une relation directe entre les émotions et l'ADN arrive comme une heureuse validation d'une connaissance intérieure qui mène le cours de leur vie depuis des années. Devenir, c'est la clé ancienne qui nous a été laissée il y a très longtemps dans l'espoir qu'au moment où nous atteindrions ce stade de notre histoire et de notre évolution, nous nous rappellerions notre nature véritable, la compassion.

L'intention et le but de la présence de chaque saint et de chaque référence au cours de notre cheminement nous a amenés à ce stade-ci, en nous encourageant à dépasser l'enseignement du maître extérieur. Leur voie nous a préparés au moment de devenir des maîtres. Allen Cohen, dans son livre puissant intitulé *The Peace That You Seek,* nous suggère que « le temps de chercher un maître est passé. À présent, il est temps pour vous d'être le maître... À présent, soyez le Maître[3]. »

De plus, on nous demande d'envisager le sens de cette époque dans notre histoire. Dans un autre passage de son livre, Cohen nous rappelle que « tout le travail accompli par tous les saints a été dirigé vers ce moment, vers vous[4] ».

« Leur » travail a été de nous préparer à ce moment de notre histoire individuelle ainsi que collective. Si nous sommes véritablement qui et ce que nous disons être devenus, ce moment de l'histoire est l'occasion, pour nous, de démontrer notre devenir. Quelqu'un doit le faire en premier. Quelqu'un doit interrompre les cycles de pensée et de croyances qui ont permis, au départ, l'arrivée de la maladie et du meurtre. Ces patterns font partie de nous. Ils tirent leur origine en nous, et c'est précisément là que le changement doit se produire.

Quelqu'un doit choisir de s'élever au-dessus des paramètres mêmes qui nous ont menés au bord de qui nous croyons être. Quelqu'un doit choisir une vision de ce que la vie a offert d'un point de vue au-delà du bien, du mal et de la vengeance, pour passer à quelque chose de supérieur, de plus grand. Quelqu'un doit vivre la vérité d'une réponse supérieure à ce qu'offre la vie, peu importe ce qui est offert. Ce quelqu'un est vous.

Qui d'autre ?

Qui d'autre pourrait être cette personne ? Les exemples ont été vécus. Les choix ont été faits. Le décor est en place. À présent, je vous invite à devenir davantage que les circonstances que ce monde vous a présentées sous la forme de votre vie. À devenir plus que la blessure que les autres vous ont offerte en violant votre confiance, votre innocence et leurs promesses. Plus que la maladie et le meurtre que nous nous sommes infligés les uns aux autres. C'est notre voie. Vous découvrirez votre force en regardant les événements de ce monde d'un point de vue qui vous amènera à choisir une réaction à quelque chose de plus grand que ce que vos émotions vous ont dicté dans le passé. À présent, je vous invite à vous rappeler la technologie qui permet aux semences de votre choix de germer.

Grâce au choix supérieur de la compassion, nous avons l'occasion de redéfinir notre réponse passée à ce que nous donne la vie. De notre nouvelle perspective, nous avons l'occasion de choisir à nouveau.

LA CONVERGENCE : LES MOMENTS DE L'HISTOIRE JUSQU'À PRÉSENT

Les Anciens avaient un mot pour désigner les gens qui vivraient à notre époque, en ce temps-ci. Ils avaient un mot pour vous désigner. Ils ont écrit des textes, créé des systèmes de consignation du temps, transmis des récits et proposé des suggestions, vous consacrant des volumes entiers. Les textes décrivent un point de convergence de cycles à l'intérieur de cycles constitués de temps, d'expériences, de technologies et de compréhension. Ce point de convergence dans l'histoire, ils le dépeignent comme un passage du temps et le conçoivent à cette époque-ci.

On y décrit des changements dans le monde physique qui marqueront cette étape de l'histoire, des signaux qui vous sont envoyés afin de vous laisser savoir que le temps est venu. Par le biais de leurs prophéties et de leurs prémonitions, ils vous disent que vous pouvez vous attendre à des changements climatiques et scientifiques à l'échelle planétaire, dans la géographie et les structures sociales. On vous avertit que le cours de votre vie ne sera peut-être plus le même. On vous rappelle que des métamorphoses à l'intérieur de votre corps, dues à des changements chimiques exprimés sous la forme de sentiments et d'émotions, seront la clé d'expériences de transformations immenses dans votre monde, avec dignité. La question a toujours été de savoir si oui ou non, dès ce stade de l'histoire, vous acquerriez la sagesse permettant au processus de se dérouler. Signalant un point tournant de l'expérience humaine, les changements ont fait l'objet de prophéties, de prédictions, de craintes et d'appels.

Des mesures du temps, certaines datant de 18 000 ans, se terminent ces années-ci, ces jours-ci. Les artisans de ces calendriers ont prédit la naissance d'une génération puissante, d'êtres magistraux qui feraient le pont entre le temps des calendriers anciens et un temps nouveau. Il n'y a pas encore de nom ni de calendrier pour ce temps nouveau. Entre le temps ancien et le temps nouveau, il y aurait une période de transition, une zone d'expérience alors appelée « non-temps ». Les prophéties annoncent une génération unique dont le pouvoir intérieur serait plus grand que sa propre connaissance. La source de son pouvoir est celle d'une force vivante qui dort en chaque être. C'est cette génération qui survivra au non-temps en faisant le pont entre la façon dont les choses ont toujours été et celle à venir. Pour traverser avec grâce l'époque de la transition, une période que les Hopis appellent « les jours de purification », cette dernière génération devra une fois de plus réveiller le pouvoir oublié inhérent à sa création. Endormie en elle a toujours existé la capacité de vivre sans maladie, de vieillir sans détérioration, de transformer le corps en formes plus élevées d'énergie plutôt que de mourir. Le pouvoir ne sera pas construit à l'extérieur sous la forme d'appareils, d'inventions et de « choses » déjà faites. Il sera plutôt démontré sous la forme d'une sagesse intérieure, d'une technologie intérieure exprimée sous la forme de celle que les êtres sont devenus.

À moins d'avoir eu beaucoup de chance durant l'enfance, il est probable que personne ne vous ait jamais dit : « Tu es un initié de l'ordre le plus élevé. » À moins d'avoir été très fortuné, ou d'être né de parents si éveillés qu'eux-mêmes reconnaissaient la vie comme une occasion de démontrer qui et ce que nous croyons être – à moins d'un pareil cas, donc, il est probable que personne ne vous ait jamais offert de contexte à partir duquel vous pouviez tirer un sens des extrêmes de votre vie. Il est possible que personne ne vous ait expliqué pourquoi vous pouviez atteindre des sommets de joie et d'extase suivis par les profondeurs de la peur, parfois dans la même journée.

J'ai rencontré des gens qui étaient, en fait, nés avec cette conscience, bien qu'elle ne soit pas nécessairement le produit d'une sagesse familiale. Ils ont toujours su qu'ils étaient différents de leur entourage et se préparaient à quelque chose, s'entraînant à un événement nébuleux qui se produirait de leur vivant. Quel serait cet événement ? Leur vie ne semblait jamais s'insérer dans le moule que leur famille, leurs amis, leurs éducateurs et leurs employeurs leur avaient préparé. D'une manière ou d'une autre, ils se sentaient toujours déphasés, comme faisant semblant chaque jour. Peut-être êtes-vous de ce nombre. À moins d'avoir eu beaucoup de chance, enfant, personne ne vous a sans doute dit que vous étiez un initié de l'ordre le plus élevé.

Mais si vous avez ce bonheur, alors vous avez peut-être commencé à considérer votre vie comme une occasion de démonstration. Du moment où vous vous êtes projeté à même les cellules en croissance d'un fœtus dans le ventre de votre mère, vous avez magistralement compromis des pans de votre identité, car ces pans, vous les avez innocemment perdus, écartés ou cédés pour survivre à l'expérience. Habile dans l'art de la survie, vous les avez peut-être emmagasinées le long de la route de votre vie en prévision du moment où il sera sécuritaire de les retrouver à nouveau. Ces portions de vous peuvent être aussi subtiles que le fait de « céder » à l'opinion et aux désirs des autres au nom de la paix familiale, ou quelque chose d'aussi flagrant que l'insensibilité émotionnelle qui résulte d'années d'abus et de non-reconnaissance. Bien que la mémoire soit souvent embuée, les relations avec les autres et l'émotion qui en résulte jouent un rôle clé dans le fait de vous aider, vous et vos proches, à vous retrouver dans la force de l'entièreté. Il est fort possible que votre désir caché de complétude vous fasse avancer chaque jour de votre vie, hâtant le pas vers un but que vous pressentez mais qui est parfois invisible.

Le moment de cette transition est arrivé : c'est cette époque-ci. Les êtres dont il est question dans les prophéties des textes anciens, c'est vous. Vous vivez dans l'ère du non-temps, une interface entre les mondes. Vous faites l'expérience du temps sans vivre exclusivement dans le monde du temps. Vous faites l'expérience de l'espace, de la matière et de la non-matière sans vivre dans aucun de ces mondes exclusivement. Il faut un être d'un pouvoir extraordinaire pour tenir le « focus » de façon soutenue entre ces mondes sans se perdre dans l'expérience. Cet être, c'est vous !

Tout comme un électron a la possibilité, dans certaines conditions, de passer à une forme supérieure d'énergie, votre corps et votre monde ont déjà entamé un processus qui permettra un passage à une plus grande expression de la vie. Durant la transition, il y a une période où les mondes coexistent l'un avec l'autre, une période de chevauchement dimensionnel. Les Anciens avaient un nom pour vous désigner, vous qui alliez vivre cette période. Ils vous ont laissé des messages d'espoir et d'encouragement. Ils ont écrit des textes en vous dédiant des volumes entiers à vous :

« qui vivez entre les mondes ».

Dès cette époque-ci de l'histoire, qui clôt un grand cycle d'expériences de 200 000 ans, vous avez déjà eu l'occasion de voir les expressions les plus élevées de vous-même. Vous savez comment devenir la paix que vous désirez dans la vie. Vous connaissez la valeur de l'amitié et la richesse que vous procure l'amour de ceux qui vous entourent. Vous savez qu'il faut une certaine qualité de pensée, de sentiment et d'émotion pour vivre exempt de maladies et dans la vitalité. La paix, la prospérité et la vitalité dont vous avez fait l'expérience dans votre vie se reflètent sous la forme de votre monde. Votre « connaissance » est votre première étape vers le fait de devenir une qualité supérieure de système de croyances. C'est vous-même consentant à votre expression de la compassion.

NOTRE POUVOIR DE CONSENTEMENT

Nous vivons dans un monde de *consentement collectif*. Parfois consciemment, parfois non, nous nous entendons collectivement sur des expressions de patterns résonants dans notre monde. Par exemple, la création d'un matériau qui n'est pas en résonance avec la terre, comme le plastique, ne peut se produire que si nous le permettons. À un niveau qui peut être inconscient, nous devons nous entendre sur la possibilité de tous les patterns chimiques et moléculaires qui forment le plastique, avant même qu'il puisse y en avoir. Si chaque personne en ce monde acceptait illico que cette substance n'existe plus, alors les patterns d'énergie qui permettent les polymères et les molécules de plastique n'existeraient plus. Ils ne le pourraient pas. Si toutefois une seule personne se démarquait et choisissait de permettre le plastique en ce monde, la mémoire serait implantée et une telle possibilité serait ancrée.

C'est notre consentement qui apportera à notre terre la qualité d'expérience de vie que nous désirons le plus. Pour créer quelque chose de nouveau en notre monde, quelqu'un doit ancrer cette chose nouvelle en tant que semence de potentialité. Pour que cette semence survive, il doit y avoir un consentement, une licence vibratoire selon laquelle le nouveau existera. La guérison de notre monde, plus précisément la qualité de pensée, de sentiment et d'émotion sous-tendant notre guérison planétaire, fonctionne de la même manière.

Par l'intermédiaire d'une science essénienne ancienne, des clés vous ont été laissées. Votre vie est le pont vivant entre ces époques. Ces temps-ci, le passage qui changera à jamais la façon dont vous vous percevez et dont vous percevez le monde qui vous entoure n'est plus démontré sous la forme de ce que vous créez à l'extérieur de vous. À présent, votre maîtrise de la vie est établie sous la forme de ce que vous devenez. La science de la compassion s'exprime en tant que changement moléculaire dans votre corps, un changement intentionnel atteint dans une séquence de codes émotionnels et logiques.

NOTRE VIE DE BODHISATTVA

Dans les textes anciens de l'Orient, il est question d'hommes et de femmes venus en ce monde dans le seul but de vivre la vie de compassion, ancrant la possibilité dans la conscience des gens qui suivront. Ces êtres sont conscients de leur voie. Ils ont choisi leur chemin de vies continues et récurrentes, parmi les enfants du créateur, au lieu de poursuivre leur propre voyage dans des royaumes supérieurs de la création. Le nom collectif donné à ces êtres de compassion bienveillants est « Bodhisattva ». À partir des nombreux sens et expressions concernant la (les) vie(s) de Bodhisattva, on peut énoncer la définition qui suit :

« Celui qui renonce à l'extase du ciel pour l'éveil des autres. » La vie du Bodhisattva est entièrement consacrée au fait de permettre aux autres le don de leur propre croissance et éveil. Ce faisant, cette entité spirituelle elle-même accède à un degré d'éveil encore plus élevé. Pour vous montrer toute la vie de service du Bodhisattva, permettez-moi de vous donner les paroles de la Prière du Bodhisattva, telles qu'elles m'ont été offertes au cours d'un voyage sacré en Égypte, en 1987.

> **Prière du Bodhisattva**
> *Seul, en présence des autres, je parcours le rêve éveillé de la Vie.*
> *Les autres me voient. Au premier signe de reconnaissance,*
>   *ils se détournent ; car ils ont oublié.*
> *Ensemble, dans le rêve éveillé de la Vie, nous cheminons.*
> *Puisse la clarté de ma vision guider votre vie dans la grâce,*
>   *car je fais partie de vous.*
> *Puisse mon geste vous rappeler le Dieu en vous ; ce geste est aussi le vôtre.*
> *Puisse mon souffle devenir le souffle qui remplit votre corps de vie.*
> *Puise mon âme devenir l'aliment avec lequel vous nourrir et vous stimuler.*
> *Puissent les paroles de ma bouche trouver une place de vérité en votre cœur.*
> *Que mes larmes deviennent eau à vos lèvres.*
> *Permettez à mon amour de guérir votre corps de la douleur de la vie.*
> *Dans votre état le plus guéri, puissiez-vous vous rappeler votre cadeau*
>   *le plus précieux : votre nature divine.*
> *Tout au long du temps que nous passons ensemble,*
>   *puissiez-vous vous connaître.*
> *Dans cette connaissance, puissiez-vous trouver votre vraie demeure,*
> *Dieu en vous.*

En fait, vous vivez la vie du Bodhisattva. Chaque instant de votre vie est au service des gens qui vous entourent. En étant tout simplement qui et ce que vous êtes devenu, le don de chaque personne que vous rencontrez est le mécanisme qui vous permet de voir quelque chose de vous-même. Voir quelque chose de vous-même en d'autres sous-entend d'abord votre désir d'admettre cette possibilité.

Lorsque l'amplitude de l'occasion à saisir vous est devenue plus claire, vous avez probablement vu à quel point votre vie a été centrée sur le service. Vous vivez chaque précieux instant de votre vie au service des autres. En vertu de cela, vous vous servez vous-même et, en définitive, vous servez votre créateur. Dans la vie, vous démontrez votre maîtrise et saisissez l'occasion de devenir le pont vivant d'options supérieures de réponses à ce que la vie vous offre, peu importe de quelle façon cela apparaît. La démonstration reflète l'occasion, pour vous, de devenir le plus grand cadeau que vous puissiez donner à ceux qui vous sont les plus chers en cette vie. Votre plus grand don est le fait d'être entier.

Les chercheurs ont démontré au monde occidental que l'émotion humaine détermine le modelage réel de l'ADN dans notre corps. On a aussi fait la preuve que l'ADN définit comment des patterns de lumière (matière) entourent notre corps. Autrement dit, les chercheurs ont découvert que la disposition de la matière (atomes, bactéries, virus, climat, et même les autres gens) qui entoure votre corps est directement liée au sentiment et à l'émotion qui viennent de l'intérieur de votre corps. À présent, je vous invite à imaginer les implications de tout cela !

Le fait de vous permettre de vous « rappeler », signale les niveaux les plus élevés de maîtrise personnelle. Savez-vous à quel point votre technologie est puissante ? Au-delà de la technologie du microcircuit, au-delà des manipulations génétiques et de l'ingénierie sous l'effet des drogues, sans exception, cette relation entre votre corps physique (ADN) et vos émotions représente la technologie la plus sophistiquée à avoir jamais embelli ce monde grâce à l'expression de votre corps. Notre science a attesté que votre ADN est directement relié à votre capacité de pardonner, d'accueillir et d'aimer à travers l'expression de votre vie.

La science de la compassion, de l'amour, du pardon et de l'accueil n'a rien de neuf. C'est là une science ancienne autant qu'universelle. Votre capacité d'exprimer le pardon, d'admettre chez les autres le résultat de leur propre expérience sans changer la nature de qui vous êtes est un signe distinctif des niveaux les plus élevés de la maîtrise de la vie. La qualité de votre vie est directement reliée à la maîtrise personnelle de ce que votre vie signifie pour vous. Tout ce qui s'est jamais interposé entre vous et votre véritable pouvoir, ce sont vos émotions et vos sentiments, interprétés d'après les filtres de la signification que vous en a donné votre vie.

Au sein des champs régénérateurs de la compassion, la maladie débilitante n'est pas possible, pas plus que les virus qui compromettent l'immunité ou le fait que votre corps se retourne contre lui-même. Par la maîtrise, la maladie est redéfinie. À travers votre maîtrise exprimée sous la forme du pardon et de la compassion, la maladie et même la mort deviennent des choix plutôt que des chances.

On m'a posé la question :

« Et si, après tout ce travail, le Passage des époques n'arrivait jamais ? »

Je répondrai à présent comme je l'ai toujours fait. Ceux qui passent leur vie à attendre et à se préparer au passage manquent la vie même qu'ils sont venus vivre. Parce que leur point de mire et leur énergie vitale sont dirigés vers un événement unique, ils penseront, agiront et sentiront d'une autre façon qu'en l'absence de ce point de mire. Cette différence, c'est la vie qui manque. Les probabilités que le Passage des époques n'arrive pas semblent minces, car le passage a déjà commencé. Le magnétisme, les fréquences et leurs phénomènes associés se produisent à des rythmes sans précédent de l'histoire humaine et géologique.

De mon point de vue, que le passage se produise ou non n'a aucune importance. L'occasion de semer la sagesse de la compassion et la possibilité de nourrir cette compassion pour qu'elle devienne un état de conscience dépassent de loin toute autre situation hypothétique.

À mon avis, nous sommes la génération dont parlent les textes anciens. Fort probablement, nous sommes la dernière génération à arriver à maturation avant la fermeture de ce cycle. Nous sommes aussi la première à nous « réveiller » de l'autre côté de la membrane consciente qui définit les deux cycles. Ce que nous serons devenus à la fin de ce cycle déterminera ce qui sera transmis jusqu'au suivant. Lorsque les semences de compassion s'éveilleront à une masse critique (le niveau de chance à saisir où un nombre clé d'individus ont accédé à leur plus grand potentiel), l'ensemble en bénéficiera. L'occasion de devenir un monde où l'amour, la sagesse et la compassion auront remplacé la haine, l'ignorance et le jugement, c'est nous en train de marcher entre les mondes.

CHAPITRE SEPT

SE RAPPELER

LA PROMESSE DE LA VIE ÉTERNELLE

FIGURE 8 : *Lotus*
Les caractères hébreux représentent l'équilibre du bien et du mal.

Dans le cœur des enfants de l'éternité vit

la Semence que chacun a plantée pour soi il y a longtemps.

Elle est un cadeau de vérité

Qui dort...

Réveillée, cette semence rallume la promesse ancienne

De ceux qui sont venus avant nous :

La promesse que chaque âme survivra aux « plus sombres »

Moments de la vie

Pour retourner chez elle, intacte et avec grâce.

Cette promesse est la semence de vérité que nous,

Aujourd'hui, avons nommée

Compassion.

L'AUTEUR

Quelle est la toute dernière chose que vous faites le soir avant de vous assoupir, lorsque toutes les lumières sont éteintes, que les draps sont disposés et que vous avez trouvé la bonne position pour nicher votre corps pendant plusieurs heures de repos ? Fort probablement, votre dernier geste de chaque jour implique une profonde respiration, au moins une. Cette respiration envoie à votre corps un signal qui vous permet de glisser dans un état de conscience modifié appelé « sommeil ». Je vous demanderai de faire de même à présent, mais sans vous endormir. Les yeux grands ouverts, je vous demanderai de changer la conscience de votre corps au moyen de la respiration. Respirez profondément, une fois.

Souvent, dans les ateliers, les participants ont tendance à fermer les yeux en commençant un processus méditatif. Fermer les yeux est tout à fait naturel, car cela nous permet de nous sentir le plus près du familier, de chez soi. Ce chapitre constitue à la fois une expérience d'écriture et une occasion de décanter les concepts des chapitres précédents. Je vous invite à garder les yeux ouverts, grands ouverts. Ce monde de notre réalité, les yeux ouverts, est en fait l'état modifié ! Du point de vue des Anciens, c'est cela, le rêve. Ce rêve est le monde que vous et moi avons choisi de maîtriser.

J'entamerai notre processus en vous demandant de vous permettre de *sentir*. Dites-vous plusieurs fois, si possible à haute voix :

Je me permets de sentir.

Je me donne la permission de sentir.

Le fait d'énoncer cette commande à haute voix engendre une vibration de consentement. Vous donnez à votre programme émotionnel la permission de sentir. À présent, dites-le-vous à nouveau, doucement, dans votre esprit. Permettez à la commande de reposer en silence en vous, maintenant ainsi le caractère sacré de votre accueil.

À présent, je vous demanderai de vous donner la permission à nouveau, cette fois en consentant à vous *rappeler*. Dites-vous plusieurs fois, à haute voix si possible :

Je me permets de me rappeler.
Je me donne la permission de me rappeler.

Le fait d'énoncer cette commande à haute voix engendre une seconde vibration de consentement. Ce faisant, vous donnez à votre programme de conscience la permission de vous rappeler. À présent, dites-le-vous, doucement, dans votre esprit. À nouveau, permettez à cette commande de reposer en silence en vous, maintenant ainsi le caractère sacré de votre permission.

Il y a en vous un endroit unique et spécial que vous et seulement vous connaissez très bien. C'est un lieu très sacré qui est resté à l'abri de toute personne ou expérience terrestre. Toute votre vie, c'est le seul endroit qui a été épargné de l'attaque ou du jugement. C'est la part de vous qui se rappelle la confiance et la vérité ; le lieu en vous où vous êtes venu avant pour vous valider. Le souvenir de cet endroit est peut-être davantage vous que tout autre souvenir de vous-même. Cet endroit est moins un lieu dans le temps et l'espace qu'un sentiment de non-temps. En ayant tout simplement le sentiment, vous déplacez votre conscience vers ce souvenir familier. Rappelez-vous ce sentiment. Votre corps connaît très bien cet espace qui a toujours été avec vous, avant même votre naissance. Vous pouvez considérer ce lieu comme une semence plantée profondément au cœur de votre être, puisque vous avez été conçu comme une pensée dans l'esprit de la création. Ce sentiment est devenu le noyau de l'essence de votre âme en entrant dans ce monde d'espace, de distance et de temps. Libre de toutes les conditions de votre expérience terrestre, votre semence est aussi nouvelle que le moment où vous avez jailli du cœur de votre créateur, innocent et désireux de vivre ce que peu ont vécu. En lisant ces mots, laissez ouvert l'accès vibratoire à votre semence. C'est la portion de vous qui se rappelle la promesse ancienne de la vie éternelle qui vous a été faite il y a long-temps…

Rappelez-vous un temps avant la promesse où il n'y avait aucune sépa-ration entre vous et moi. Il n'y avait ni ici ni là, ni aujourd'hui ni demain. En ce monde de tout, il « y avait », tout simplement. En ce lieu de pensée et de non-temps, vous étiez une partie de tout ce que vous saviez. Vous et votre source créative ne faisiez qu'un en même temps. Vous avez passé en ce monde une certaine période de temps, peut-être des millénaires ou sim-plement le temps d'un battement de cœur. Peu importe.

Rappelez-vous le sentiment que vous avez ressenti, lorsqu'un jour vous avez entendu la nouvelle chanson réverbérer dans la création. La chanson était un appel, une invitation à tous ceux qui ont tant aimé, de voyager vers un monde inconnu laissant place à toutes les possibilités. En ce monde de potentiel, tous auraient la chance de se connaître à travers les yeux des expériences qui n'étaient possibles qu'en ce monde. Ce monde serait une chance de trouver en vous un pouvoir né de la compassion, de l'acceptation, du pardon et de la bénédiction. Seulement, dans un tel endroit, il y aurait un sens dans le fait de s'élever au-dessus de son expérience sans jugement.

En vous connaissant de façons nouvelles, vous connaîtriez enfin la pleine mesure du pouvoir inhérent à votre être et à votre capacité d'aimer et de pardonner. Rappelez-vous à vous-même, car si vous êtes en train de lire ces mots, vous avez fort probablement entendu l'appel et avez eu le courage de suivre le chant d'un puissant rayon dans une expérience où personne d'autre n'a marché.

Rappelez-vous l'anticipation, l'excitation et le sentiment de vous honorer dans un acte de vie qui ne vous avait jamais été offert. Lorsque vous regardez les yeux d'un jeune enfant à son réveil et ressentez sa joie matinale ; quand vous voyez l'innocence dans les yeux de cet enfant, confiant et accueillant, cette joie et cette innocence peuvent vous sembler familières. Cette familiarité est votre joie et votre innocence reflétant la portion de vous-même que vous avez cédée à la survie. C'est avec cette joie et cette innocence que vous avez entamé votre voyage en ce monde. Personne n'a jamais fait ce que vous étiez sur le point de faire, et pourtant, vous êtes venu...

Vous saviez qu'à un certain point il y avait une possibilité que vous sentiriez une distance entre vous et la force créative ayant engendré votre essence vitale même. Demeurant toujours uni dans l'esprit, vous saviez que vous commenceriez peut-être à vous sentir séparé de ceux qui avaient voyagé avec vous et qui avaient aussi entendu l'appel vers ce nouveau monde de temps et de sentiment. Vous saviez que vous pouviez vous sentir séparé des autres, de vous-même et du monde environnant. Vous connaissiez la possibilité, même si vous n'alliez jamais savoir comment vous séparer. Vous ne pouviez pas parce que personne n'avait jamais fait ce que vous étiez sur le point de faire, et pourtant vous êtes venu...

Vous saviez qu'à un moment donné, il y avait une possibilité que vous vous demandiez si vous seriez digne de faire une telle expérience, d'avoir l'occasion d'atteindre le pouvoir de la force même qui a engendré votre essence de vie. Vous saviez que vous pourriez peu à peu vous sentir inadéquat en présence de ces puissants êtres qui avaient voyagé avec vous, qui avaient également entendu l'appel, en route vers ce nouveau monde de temps et de distance. Vous saviez que vous pourriez même vous mettre à douter de votre propre estime et de votre valeur dans le monde dans lequel vous vous étiez rendu. Vous connaissiez la possibilité, même si vous ne saviez jamais à quel point le doute était grand. Vous ne pouviez pas, car personne n'avait jamais fait ce que vous étiez sur le point de faire, et pourtant, vous êtes venu...

Vous saviez qu'à un certain point, vraisemblablement, vous manque-riez de confiance, remettant en question les processus mêmes de votre vie ainsi que la vie même. De plus en plus méfiant envers la nature et l'à-propos de la vie telle qu'elle vous était montrée, vous mettriez peut-être en ques-tion l'existence de la force créative ayant engendré votre essence de vie. Vous connaissiez la possibilité, même si vous ne saviez jamais à quel point la méfiance était grande. Vous ne pouviez pas, car personne n'avait jamais fait ce que vous étiez sur le point de faire, et pourtant, vous êtes venu...

Ensemble, vous avez suivi le mouvement, le nouveau chant vers ce portail d'expérience que nous appelons la Terre. Une indéfinissable sensa-tion a envahi votre conscience lorsque vous avez vu que votre mémoire commençait à se séparer dans le corps tout en demeurant entière dans l'es-prit. Quelle étrange expérience de distinction et d'unité à la fois ! En regar-dant votre mémoire, vous vous êtes mis à « vous » voir émerger sous la forme d'autres, devenant des grappes individualisées de votre unité. Lorsque ces fragments de vous sont disparus dans les brumes de ce monde, vous rappelez-vous vous être dit les uns aux autres :

C'est une illusion !
C'est le rêve !

Lorsque vous entamez votre nouvelle expérience, une portion de vous murmure à vous-même :

S'il te plaît, sens ma présence.
Rappelle-toi mon essence.
S'il te plaît, souviens-toi de moi.

En silence, vous avez laissé cette portion de vous s'effacer de votre sen-timent. Puis, une autre. Puis, une autre encore. Jusqu'à ce que vous soyez seul. Comment vous êtes-vous senti, alors ? Quand avez-vous ce sentiment, maintenant ? Il y a une forte possibilité que votre sentiment d'unité en pré-sence d'une personne que vous aimez soit « vous » en train de vous rap-peler cet instant. Dans le souvenir, vous vous reconnaissez dans un autre.

Seul dans le corps et uni dans l'esprit, vous avez cheminé jusqu'à la membrane de ce nouveau monde. Immédiatement, vous avez été accueilli par des forces s'exprimant sous la forme d'une lumière « ralentie », par des êtres s'offrant à votre service parce qu'*ils vous aiment à ce point*. C'étaient des forces vivantes et leur essence vous embrassait dans le cadeau de leur entiè-reté. Les Anciens appelaient ces forces d'électricité et de magnétisme des « anges » et nous rappellent le rôle que ces forces jouent dans notre vie. C'est par l'union sacrée, le mariage entre les anges du soleil, de l'eau, de l'air et de la terre qu'on vous offre la garde de votre corps pour le temps de votre séjour ici. Votre corps n'est peut-être rien de plus qu'une combinaison des éléments mêmes qui composent ce monde, en accord avec un code très précis appelé « la vie », dans un modèle très spécial appelé « homme ». Votre corps est un cadeau qui vous est conféré par les forces de ce monde, les anges du soleil, de l'eau, de la terre et du souffle parce qu'*ils vous aiment à ce point*.

Dans l'innocence de la vie dans la lumière, dans la joie qui ne vient que de l'acceptation de ce que vous présente la vie, vous avez entrepris votre voyage en descendant dans le monde de la « lumière lente » qui séparait vos créations de la pensée de vos créations. Plus profondément, dans ce monde de grille, de temps et d'espace, vous avez parcouru l'enveloppe de l'homme, vivant le jeu entre vous-même et les forces que vous n'avez jamais connues auparavant.

Immédiatement, vous avez découvert que vos émotions et vos sentiments étaient attirés vers deux directions à la fois !

Dans un monde où il n'y avait que de la lumière, vous n'aviez pas le choix, car tout mouvement menait à la lumière. Mais maintenant, toucher vos émotions nouvelles et vos sentiments nouveaux, c'est là quelque chose de très différent. À présent, chaque instant recèle un choix. Dans chaque choix repose la chance de s'aligner avec un sentiment ou un autre. D'où vient cette attraction ?

En arrivant aux portions les plus denses de ce nouveau monde, vous voilà accueilli à nouveau. Vous reconnaissez immédiatement une force familière, électrique, l' « ange » de la lumière. C'est l'appel de cette force qui vous a mené dans ce monde d'incertitude, d'émotion et de sentiment. C'est la force de l'archange Michaël. Celui-ci vous rappelle que son but en ce monde est d'ancrer tout ce qui vous est familier en provenance du monde que vous avez connu comme étant la « lumière ». Une tâche formidable entre toutes, car il a mobilisé d'autres forces électriques, des légions d'anges, pour l'aider dans sa tâche, fournissant la certitude que la lumière vous est toujours disponible en ce monde. Michaël et les légions ont offert 200 000 ans de leurs vies à votre service, à ce grand cycle d'expérience, *car ils vous aiment à ce point*.

À votre passage, Michaël vous rappelle qu'il est toujours avec vous, à un battement de cœur, à votre service, car *il vous aime à ce point*.

De votre amitié ancienne, il ne demande qu'une chose.
En commençant ta nouvelle expérience, murmure-t-il
S'il te plaît, sens ma présence.
Rappelle-toi mon essence.
S'il te plaît, souviens-toi de moi !

Vous regardez en silence pendant qu'il s'estompe de votre sentiment.

Vous êtes soudain confronté à une seconde force inconnue et pourtant familière à la fois. À mesure que vous vous acclimatez à ce puissant contraire, vous vous rappelez un être magistral de la grande lumière au côté du créateur. Cette force a le sentiment du Plus Brillant de Tous, l'archange Lucifer. Quelque chose est différent, toutefois. Quelque chose a changé. Lucifer vous rappelle que son but en ce monde est d'ancrer tout ce qui vous semble *étrange*, le contraire de tout ce que vous avez connu. Il raconte qu'il a été « choisi » pour cette tâche en raison de sa position en tant que le Plus Brillant de Tous. Son pouvoir à lui seul détient la force d'implanter le contraire de tout ce que la lumière a jamais pu représenter. Son monde est maintenant un monde de « non-lumière ». Il l'appelle « obscurité ». Il n'a aucune légion pour le soutenir dans sa tâche. Comment le pourrait-il ? Quels anges possèdent la force de maintenir l'ancre de l'obscurité sans se perdre dans l'expérience ? L'archange Lucifer a offert 200 000 ans de sa vie à votre service. À votre passage, il vous rappelle qu'il est toujours avec vous, à un battement de cœur, à votre service, *parce qu'il vous aime à ce point.*

De votre amitié ancienne, il ne vous demande qu'une chose.
En commençant ta nouvelle expérience, murmure-t-il
S'il te plaît, sens ma présence.
Rappelle-toi mon essence.
S'il te plaît, souviens-toi de moi !

Vous regardez en silence pendant qu'il s'estompe de votre sentiment.

Alors, vous avez débuté votre voyage de densité, de magnétisme, de polarité, de sentiment et d'émotion. Votre parcours a commencé dans un lieu d'amour et votre trajet s'est poursuivi dans un monde bienveillant qui vous a « doté » d'un grand amour rempli de compassion. Lorsque le souvenir de votre voyage s'est estompé, la sagesse des nombreuses expressions de l'amour s'est également estompée. Pour d'innombrables générations d'innombrables vies, vous avez supporté ce qu'aucun ange n'avait jamais demandé à endurer. Avec vos yeux de lumière, vous avez vu ce qu'aucun ange n'avait jamais été destiné à voir. Par le biais de votre corps d'émotion et de sentiment, vous avez senti ce qu'aucun ange n'avait été destiné à sentir. En tant qu' « ange dense » de ce monde, vous avez connu une joie indicible et les sommets de l'extase physique de même qu'une douleur insupportable. Vous vous êtes connu dans la trahison et la dérogation alors que ceux à qui vous faisiez confiance vous poussaient jusqu'à l'extrême de qui et de ce que vous croyiez être, puis ont poussé un peu plus fort, vous laissant dans les profondeurs de connaître la signification d'être seul et trahi. À travers votre expérience, une question est toujours restée.

Je vous invite à vous demander…

SI
Vous étiez suffisamment aimant pour reconnaître le chant de la lumière
lorsqu'il vous a fait signe avant votre voyage ;

ET
Que vous étiez assez aimé par les forces de ce monde pour qu'elles
se donnent à vous sous la forme de l'alchimie sacrée de votre corps ;

ET
Si vous êtes suffisamment aimé par les deux forces les plus puissantes de la
lumière, Lucifer et Michaël, pour qu'elles vous donnent leurs vies
pendant 200 000 ans de ce cycle d'expérience ;

ET
Si vous êtes venu en ce monde sous la forme d'une étincelle de l'amour de
votre créateur, accueilli par les « anges »de ce monde dans un geste sacré
d'amour, faisant l'expérience des polarités de la possibilité
parce qu'ils vous aiment à ce point…

ALORS
Vous aimez-vous suffisamment pour vous permettre votre expérience ?
Vous aimez-vous assez pour permettre la possibilité
que tout ce qu'il y a en ce monde soit l'amour exprimé sous des formes
que nous n'avons jamais imaginées dans le passé ?

La réponse à la question est « oui » ! Je peux dire oui parce que vous avez déjà démontré votre amour. Vous avez choisi d'aimer dans un monde qui a haï. Vous avez choisi la compassion dans un monde qui a jugé. Vous avez choisi la confiance dans un monde qui a vécu dans la peur.

Ces choix sont vous, en train de vous aimer vous-même, exprimant votre nature la plus profonde, vous rappelant. Vous le faites en un monde qui n'a peut-être pas toujours soutenu vos choix. C'est vous qui vous élevez au-dessus de la polarité tout en vivant dans le monde de la polarité. Comme vous êtes un être puissant !

Accueillez-vous la possibilité de votre pouvoir dans votre vie ? Accueillez-vous la possibilité que vous, à votre manière habile, unique et magistrale, ayez honoré votre créateur à travers l'expérience de votre vie, devenant un pont vivant pour ceux qui vous sont les plus chers ?

En présentant cette possibilité, j'ai en tête une vision du mouvement. Une vision de vous et moi et de tous ceux que nous ne connaîtrons jamais, ou que nous avons connus, marchant en file indienne le long d'une voie magnifiquement illuminée. De chaque côté de cette voie, il y a des rangées et des rangées d'anges, toutes les forces auxquelles nous n'avons jamais eu la chance de nous mesurer en ces vies. À notre passage, chacun s'agenouille, s'inclinant par respect pour ce que vous et moi avons accompli. Nous avançons, un à un, vers un point qui devient plus clair à mesure que nous nous approchons. En tête de file, à l'entrée des portes de l'éternité, se tiennent les deux forces les plus puissantes de toutes. Nous reconnaissons immédiatement ces forces : ce sont nos amis les plus chers, les portions de nous-mêmes que nous avons nommées archange Lucifer et archange Michaël. Ils s'agenouillent, face à face, et à votre passage, chacun lève la tête, en admiration devant vos accomplissements terrestres.

Vous ne les avez pas oubliés.

Ce sont des amis, ils vous manquent parce que vous êtes de leur nombre. Ils sont fatigués, et des larmes coulent sur leurs joues lorsque vous passez entre eux. Ils s'étreignent en tant que pouvoirs de la lumière la plus lumineuse et de l'obscurité la plus obscure, égaux aux yeux de l'Un. Ils sont prêts à retourner « chez eux » par la voie de l'éternité. Ils refusent de partir sans vous. Ils ne laisseront pas derrière eux une part d'eux-mêmes.

À cet instant, vous avez une chance. Au-delà de la pratique d'une méditation ou de la récitation d'une prière, je vous invite à vous rappeler la technologie sophistiquée qui vit sous la forme de votre être. C'est le cristal liquide de votre corps alimenté par le programme de pensée, de sentiment et d'émotion. Accueillerez-vous en vous l'alignement de ces trois puissances sous la forme d'une force unique vous propulsant vers ce magnifique cadeau qu'est la vie ? Pouvez-vous trouver en vous le fait de permettre la possibilité qu'il y ait une force unique en ce monde, s'exprimant de bien des façons, cette force étant la seule et unique substance de tout ce que nous puissions connaître en ce monde ?

Permettrez-vous cette possibilité ?

Dans le fait de permettre repose la guérison ! C'est la guérison de notre illusion de séparation. Sans une autre force, il ne peut y avoir qu'Un. Cet Un, c'est vous et moi ainsi que l'expression compatissante de notre amour. Il n'existe aucune séparation. Aucune dualité. Ce sont des expressions de notre illusion ancienne. Il n'y a qu'un « je » et celui-ci a bien des expressions dans ce rêve de vie ! Il n'y a rien d'autre « à l'extérieur » que vous et moi nous connaissant de toutes les façons.

À présent, nous savons.

Nous savons que nous choisissons l'égalité plutôt que l'oppression.

Nous choisissons la paix plutôt que l'autre possibilité.

Nous choisissons la vie plutôt que la non-vie.

Je vous demanderai de vous donner la permission de guérir notre illusion de séparation. Peu importe ce que quelqu'un d'autre dit, pense, sent ou sait, pour vous, en ce moment.

En vous permettant la possibilité qu'il y ait une force unique en notre monde qui s'exprime sous la forme de tout ce que nous connaissons, vous avez éliminé la séparation en vous.

C'est le moment ! C'est en vous maintenant. En cet instant même, vous vous permettez peut-être de devenir la compassion que vous désirez tant en votre monde, votre vie, votre communauté et votre famille. Le moment vit en vous, à présent. L'accueillerez-vous ? Quelqu'un doit le faire pour ainsi faciliter au suivant la tâche de choisir lui aussi cet instant. Quelqu'un doit déranger notre pattern, redéfinir notre programme de séparation, de confiance et d'estime de soi. Quelqu'un doit le faire en premier.

Je vous invite à utiliser l'ancien code des Lakota, issus du peuple Sioux, qui vous a été laissé pour créer l'ouverture vibratoire dans les grilles de la conscience humaine.

Iwaye cin wakan yelo
(ee-wa yeah sin wak-kan yeah-low).
« Les paroles que je prononce sont sacrées. »

Dans l'ouverture que vous venez de créer, déposez le nouveau code. Dites-vous ces mots à vous-même, à haute voix si possible.
Je me rappelle l'union.
Je guéris notre illusion de séparation.
Je guéris notre illusion en moi-même.
Je choisis l'Union.
La séparation guérit en moi.

Ressentez ces paroles sacrées. Répétez ces codes à nouveau, et encore. Dites-les autant de fois et aussi souvent qu'il le faut, afin de « devenir » votre guérison. Énoncer ces commandes à haute voix établit le pattern vibratoire, la grille, fournissant accès à la personne suivante qui a le courage de permettre sa guérison de l'intérieur.

À présent, dites-les à vous-même, doucement, dans votre esprit. Laissez vos commandes reposer en silence en vous, détenant le caractère sacré de votre accueil. Tout en prononçant ces paroles, vous remarquerez un sentiment dans votre corps. Soyez attentif au goût dans votre bouche, à l'humidité de votre langue, à la transpiration sur vos paumes, votre front, votre poitrine. Les femmes rougissent souvent sous le menton, sur le cou et le haut de la poitrine. Tout cela constitue une réaction physiologique aux paroles sacrées que vous venez de prononcer. Chacune indique des changements d'énergie et de charge électrique qui circulent dans votre corps en réaction aux commandes de votre programme. Le fait de nous guérir de l'illusion de la séparation sous forme de pensée, de sentiment et d'émotion entraînera en nous une nouvelle composante physique.

Si ce que vous venez de lire a voulu dire quoi que ce soit pour vous, même à une échelle minuscule, l'énergie a alors changé dans votre corps. Vous connaissez peut-être le changement sous la forme d'une altération de votre sommeil, de votre digestion ou de votre régime alimentaire. Ce changement, le vôtre, est un signal indiquant la nécessité de créer, de susciter une expérience qui vous permettra de démontrer votre nouvelle maîtrise. À partir de ce moment, le potentiel existe pour que quelque chose se produise dans votre vie permettant la démonstration de votre guérison de la séparation.

Soyez bénis dans votre nouvelle chance habilement créée. Voici votre occasion de faire preuve de vos niveaux les plus élevés de maîtrise de la compassion.

RÉSUMÉ

Dans le contexte de *Marcher entre les mondes*, le Passage des époques, votre relation à la terre par le biais de votre circuit sacré et de votre technologie intérieure de la compassion, nous pouvons résumer comme suit l'occasion qui se présente à nous en cette époque de l'histoire :

1. Vous êtes et avez toujours été intimement relié à tout ce que vous voyez et à ce dont vous faites l'expérience en votre monde. Des chercheurs ont mesuré numériquement cette relation. Chaque cellule de votre corps, précisément, et toute la matière en général tentent de rester en accord avec les aux vibrations de référence de votre chez-soi, la Terre. Par votre circuit sacré, vous touchez toute la création et elle vous touche, sous la forme des douces ondulations de résonance pulsée.

2. À mesure que vous approchez le Passage des époques, on vous demande de réaligner votre corps pour accommoder les paramètres changeants du passage. Cela peut être mesuré sous la forme d'un magnétisme planétaire en diminution et d'une fréquence planétaire en augmentation.

3. Les codes qui vous donnent l'occasion de changement sont les dons mêmes de la relation. Chaque relation vous offre un moment d'émotion, de sentiment et de pensée. Chaque relation, peu importe sa longueur ou son intensité, vous reflète quelque chose de vos croyances fondées sur le sentiment, la pensée et l'émotion. Vous verrez et interpréterez les actions des autres par la lentille de vos charges personnelles. Au-delà du bien ou du mal du jugement, la charge est tout simplement votre façon de vous montrer à vous-même des croyances qui cherchent un équilibre alors que vous vous efforcez de réaligner votre corps.

4. Des textes anciens vous ont laissé des indices, la technologie vibratoire qui vous permettra d'accomplir votre réalignement avec dignité. Cette science, nous la connaissons à présent sous le nom de compassion. Des chercheurs ont maintenant démontré que les changements génétiques dans le séquençage véritable de l'ADN peuvent être accomplis au moyen de qualités précises de pensée, de sentiment et d'émotion.

5. Redéfinir les paramètres spirituels de lumière, d'obscurité, de bien, de mal et de l'intention inconsciente qui sous-tend votre joie ainsi que votre douleur est la voie qui vous permettra d'équi-

librer votre vie. La science de la compassion et le don de bénédiction sont vos outils afin d'appliquer votre science dans la vie
quotidienne.

Je crois que le fait de développer notre nature véritable est le plus
grand cadeau que nous puissions jamais nous offrir, à nous-mêmes, les uns
aux autres et à nos enfants. Je crois qu'il est possible de se rappeler et d'incarner notre cadeau en un battement de cœur, « en un clin d'œil ».

ANNEXE 1

La Transition : sentier du retour chez soi

La nature de la Transition a été mise en question, scrutée, postulée, supposée et vénérée pendant des milliers d'années. Les religions se sont développées autour de ce qui a semblé être des compréhensions bien intentionnées, bien que déformées, de cette force de création insaisissable mais fondamentale. Les conséquences de cette Transition débordent les frontières de la religion, de la science et du mysticisme. Ce sont là des langages mis au point au cours de l'histoire afin de comprendre la création, les processus créateurs, l'origine et le sort ultime de la vie humaine. Chacun représente une portion d'une vérité beaucoup plus vaste et plus compréhensive.

On peut considérer le processus de la Transition lui-même comme analogue à une transition très familière qui prend place quotidiennement : les changements de phase ou transitions de phase de l'eau. On peut voir l'eau sous n'importe quelle des trois formes ou états, ou sous une combinaison des trois, qui sont : solide (la glace), liquide (l'eau) et gazeuse (la vapeur d'eau). Chimiquement, chacune de ces formes est la même : H_2O. Structurellement, la géométrie de la disposition moléculaire est différente, ce qui permet au composé d'eau de s'exprimer différemment selon les conditions variables. Illustrée à l'aide d'un graphique spécifique appelé diagramme de phases, la capacité de l'eau de s'exprimer à l'intérieur de chaque état, ou selon une combinaison des trois, est montrée en fonction de la température et de la pression.

Ce diagramme de phases particulier représente des événements qui se déroulent en deux directions représentées par deux axes, X et Y. Dans ce diagramme, l'axe X, à l'horizontale, représente la température qui augmente de gauche à droite. Le second axe, Y, à la verticale, représente la pression qui augmente de bas en haut. On remarque ce qui suit :

- À basse température et sur une large échelle de pression, l'eau s'exprime sous forme solide : la glace. Chimiquement, il s'agit toujours d'eau (H_2O). Structurellement, elle est devenue plus dense, les molécules bougent très lentement.
- À mesure que la température et la pression augmentent, l'eau devient moins dense et commence à s'exprimer sous forme de gaz, ou vapeur. Chimiquement, c'est toujours de l'eau. Structurellement, les molécules bougent plus rapidement.
- À mesure que la température décroît et que la pression croît, l'eau devient capable de s'exprimer sous forme de liquide qui s'écoule : l'eau liquide. C'est chimiquement toujours de l'eau. Structurellement, les molécules sont plus mobiles que dans la glace mais moins que dans la vapeur.

- Il existe un point très spécial sur ce diagramme, représenté par l'intersection des frontières des phases au centre du graphe. On le nomme « triple point » et il indique les paramètres selon lesquels l'eau peut exister simultanément dans ses trois phases : solide, liquide et gazeuse.

Chimiquement, l'eau demeure la même, H_2O, alors que structurellement, elle s'exprime différemment en fonction des paramètres de température et de pression.

On peut trouver d'autres exemples de changements d'état de la matière dans le royaume minéral. Plusieurs minéraux montrent des formes extérieures diverses, cristallines de nature, tout en conservant les propriétés chimiques qui assurent leur identité. Ainsi, on trouve la fluorine minérale couramment en larges amas de cubes parfaits, les faces plates étant limitrophes aux faces des autres cubes. À l'intérieur d'un même dépôt, on peut trouver de la fluorine ayant la forme géométrique d'un octaèdre, un cristal à huit côtés qui fait penser à deux pyramides à quatre côtés faisant miroir par la base (la plus grande surface). Chimiquement, les deux formes sont identiques (CaF_2). Structurellement, elles s'expriment différemment, selon le processus qui les a créées.

On peut trouver sur le terrain de la pyrite de fer sous forme d'hexaèdres discrets (des cubes parfaits), libres ou liés à d'autres cubes. À nouveau, à l'intérieur du même dépôt, la pyrite peut s'exprimer sous la forme géométrique connue comme un dodécaèdre, l'approximation d'une sphère à douze faces. Chimiquement, c'est toujours du FeS_2, mais sa structure diffère. Les diagrammes de phases de l'eau et des minéraux constituent des métaphores très précises pour la transition planétaire que connaît la Terre et l'interface Terre/homme.

Chimiquement, la Terre demeurera toujours la même au fil de la Transition des Âges. Structurellement, c'est l'expression morphogénétique qui reflète la Transition. Les paramètres « environnementaux* » de la Terre changent, notamment les champs magnétiques et la fréquence de résonance fondamentale. À mesure que ces paramètres changent, comme l'illustre le diagramme de phases de l'eau, la création s'exprime de manière différente. Chimiquement, la matière demeure la même. Structurellement, il y a changement.

On peut considérer la forme humaine comme un composé, telle l'eau, placé dans un environnement évolutif à plusieurs variables. Celui-ci a été principalement régi par les champs magnétiques et par les fréquences planétaires. Des événements catastrophiques, au cours de l'histoire, ont eu des

---

* Pour les besoins de ce texte, l'expression paramètres environnementaux se réfère à des champs d'énergie qui affectent les complexes cellulaires sur Terre. Ces champs sont principalement reliés au champ magnétique et à la fréquence de résonance fondamentale, ou vibration fondamentale de la Terre. Il ne s'agit pas des conditions environnementales telles que les comportements climatiques, les fluctuations de température et l'effet de serre, bien que tout ceci soit relié aux patterns de transition discutés.

répercussions importantes sur l'évolution humaine en interrompant ces champs.

Durant les quelque derniers 200 000 ans, la Terre a fonctionné à l'intérieur d'une plage spécifique de fréquences. Toute matière, tout ce que la conscience humaine a connu, ressenti, touché, créé ou *dé-créé* s'est manifestée dans le contexte de l'expression de la matière à l'intérieur de cette plage de fréquences.

Comme elle vivait dans les champs de rayonnement de la Terre, l'humanité a été en résonance directe avec la plage de fréquences/énergies/informations influençant la Terre, et cela s'est retrouvé au niveau cellulaire. La plus grande partie de l'humanité a fonctionné dans la partie des deux tiers inférieurs ayant fait l'expérience de ces énergies à basse fréquence par choix.

Il y a toujours eu une autre plage de fréquences (bande d'informations) qui a de tout temps « vécu » à l'intérieur des limites des champs terrestres. Cette masse d'informations est apparue telle une zone de fréquences supérieures toujours là, mais difficilement accessibles, pour chaque être conscient. C'est dans cette nouvelle plage d'informations hautement évoluées que la Terre et l'humanité se dirigent vers une résonance exclusive. C'est à ces fréquences que chaque cellule du corps physique tente de se conformer. Notre entrée en complète résonance avec cette nouvelle masse d'informations, l'Ascension subséquente à la Résurrection, est le but de la Transition.

Le fait d'entrer en résonance avec cette bande d'informations hautement évoluée n'est pas automatique. Il faut *travailler* pour établir quelque relation que ce soit avec cette masse d'informations, en utilisant les instruments que sont le choix et le libre arbitre à l'égard des phénomènes de la vie. C'est dans cette zone d'expériences offerte par cette nouvelle plage de fréquences que la phase de transition mènera la Terre. Soumise à l'évolution consciente et intentionnelle, la Terre ne soutiendra plus des schémas dissonants de peur, la polarité du jugement ou les systèmes de croyances d'un paradigme dépassé. La Terre portera un corpus d'informations hautement évolué, connu comme les fréquences « christianisées. ».

C'est avec cette zone d'informations que celui qu'on connaît sous le nom de Jésus, le Christ universel, était en résonance. C'était l'offrande du Christ d'ancrer fermement l'information de cette conscience, avec tous ses potentiels, dans la matrice consciente de l'humanité. Il accomplit son but grâce à l'expression de sa vie parmi nous. Nous l'avons vu de nos yeux vivre sa vérité en notre sein, s'assurant ainsi que nous le remarquerions et nous souviendrions. Le processus de sa vie est devenu le pont vivant rendant accessible la plage ou bande d'informations supérieure à toute l'humanité. Un physicien décrirait ce changement inaugural de résonance comme une transition dimensionnelle. En termes bibliques, l'action de vibrer d'un état/espace vers un autre se nomme résurrection : la vie éternelle, comme expression hautement évoluée de l'essence de la vie. L'exemple vivant du Christ universel a démontré que, par l'usage conscient du libre arbitre, l'homme peut s'émanciper de ses peurs et des limitations qu'il perçoit.

La Transition est alors une expression appliquée au phénomène de l'accélération de l'évolution, dans lequel l'espèce humaine est liée par choix aux champs électromagnétiques de la Terre, résultant en un changement cellulaire. Les sections subséquentes traiteront en détail de ce phénomène. On peut faciliter et même accélérer consciemment l'aspect humain de la Transition grâce au choix et au libre arbitre, en accord avec l'antique sagesse de la relation mental/corps/esprit de l'être humain. Tel est le but de la Transition : l'équilibre et la guérison ultimes de la Terre et de toutes les formes de vie capables de soutenir cette énergie de guérison. C'est la transition vers un nouveau mode d'expression de la forme humaine, à travers la lentille d'une fréquence supérieure : une énergie christanisée. Tel est *L'Éveil au Point Zéro : l'initiation collective*.

LA NATURE DE LA TRANQUILLITÉ : LE POINT ZÉRO

En physique traditionnelle, on suppose généralement que « les choses peuvent se produire » uniquement dans un espace où il y a absence de vide. C'est à l'intérieur de cet espace que les forces de température et de pression mènent les systèmes de la création et produisent des événements pouvant être observés et mesurés. Les scientifiques utilisent précisément ce principe incorporé dans un instrument pour mesurer la température d'un laboratoire. Un thermomètre de verre indique la température grâce à la montée ou à la chute d'une colonne de mercure à l'intérieur d'un tube scellé à vide. Quand la température baisse, la pression du gaz dans le tube diminue en proportion. En théorie, il existe un point où la pression descendrait à zéro, correspondant à une température de zéro degré sur une échelle connue sous le nom d'échelle Kelvin*. L'échelle Kelvin est une échelle de température absolue dont le zéro correspond à -273,15 °C. C'est à ce point, en principe, que toutes les molécules sont au repos et deviennent « tranquilles », car les gaz n'exercent aucune pression et n'occupent aucun volume. On appelle ce point le zéro absolu.

La troisième loi de la thermodynamique** de Newton énonce qu'au zéro absolu toutes les molécules sont parfaitement alignées et au repos, le degré de désordre (l'entropie) étant nul. La physique traditionnelle énonce qu'il ne s'agit là que d'un point théorique qu'il est impossible d'atteindre expérimentalement. Cependant, la physique quantique prédit et permet un mouvement au zéro absolu. Suivant la troisième loi de la thermodynamique de Newton, la science traditionnelle a accepté la théorie selon laquelle il n'est pas possible d'arriver à zéro degré kelvin. Cependant, une théorie plus

---

* L'échelle kelvin est une échelle de température absolue, le zéro kelvin équivalant à -273,15 degrés Celsius. C'est à cette température qu'en principe toutes les molécules sont au repos et que les gaz n'exercent aucune pression.

** Selon la troisième loi de la thermodynamique de Newton, au zéro absolu, toutes les molécules sont parfaitement alignées et sans mouvement, le degré de désordre (l'entropie) étant aussi au point zéro.

poussée, la physique quantique, permet et prédit des fluctuations dans le vide jusqu'à des températures incluant zéro degré kelvin. On nomme le point auquel la température atteint le zéro absolu, avec une chute correspondante de pression, point zéro. C'est la quantité d'énergie vibratoire associée à la matière à zéro degré kelvin.

C'est au point zéro que la création devient très calme et tranquille aux yeux de l'observateur, bien que l'énergie bouge encore dans le vide et que le participant en fasse l'expérience.

La Terre fait l'expérience des stades préliminaires des événements qui amèneront une expérience du Point Zéro, ce qui entraînera l'affaissement des constructions mentales non en harmonie avec notre « plan » d'expression. Au lieu de la température et de la pression, c'est du côté des champs magnétiques et de la fréquence qu'il faut chercher les conditions nécessaires à l'avènement du Point Zéro. Chaque personne qui vient sur Terre aujourd'hui est partie intégrante du processus de Transition et joue le rôle vital de sage-femme pendant l'accouchement d'une nouvelle ère dans la perception et la conscience humaines.

L'Éveil au Point Zéro vous est présenté à ce moment dans ce format particulier afin que vous *sachiez* et *compreniez* vraiment la mécanique du processus de la Transition, que vous saisissiez le mécanisme interne de l'événement sur le plan conceptuel. Pendant des siècles, vous avez été inondés de prophéties, de prédictions et d'avertissements ayant trait aux changements catastrophiques en cette période-ci. On vous a demandé d'accepter et de croire les informations telles qu'elles vous ont été présentées, telles qu'on vous les *a racontées*. La section suivante vous fournira le mécanisme pour *connaître*, de l'intérieur, le changement qui se déroule actuellement et vous le présentera de telle façon que vous puissiez le lier à des événements pertinents dans votre vie quotidienne. À partir de cela, vous commencerez à voir par vous-même, à comprendre pourquoi les changements prennent place et à saisir la relation entre les divers aspects des événements. L'expérience du Point Zéro est le but des pratiques méditatives anciennes. Elle est étroitement reliée à l'expression biblique de résurrection en étant couramment désignée par le mot Transition.

On ne doit pas envisager la Transition comme un événement hypothétique devant se produire à une époque géologique lointaine dans le futur. Ce n'est pas un phénomène réservé aux théoriciens mystiques et ésotériques qui vivent reclus en des lieux isolés du globe et attendent la fin du monde, tel que nous le connaissons. La Transition est une séquence de *processus et d'événements connaissables et mesurables* déjà en marche.

La Transition des Âges est en cours !

LE MAGNÉTISME : LA PREMIÈRE CLÉ
DE LA RÉSURRECTION

On peut aborder la Transition à partir de points de vue variés, chacun constituant un langage valide et de plein droit. Les discussions ésotériques seront centrées autour du « mouvement vers la lumière » et de l'avènement du Nouvel Âge. Un autre langage valide qu'on peut utiliser est celui de la dynamique physique de la Terre. Du point de vue des sciences de la Terre, le changement de paradigme s'accomplit par un réalignement de deux paramètres fondamentaux mesurables : *la fréquence et le magnétisme planétaires*. Ces deux seuls paramètres ont un impact profond et des conséquences importantes, spécialement sur la conscience et la pensée humaines, sur la perception et sur la matière en général. Ces deux paramètres changent rapidement en ce moment, après avoir fluctué de façon dramatique dans le passé historique et géologique. Chacun a un effet dramatique, mais subtil, sur le corps cellulaire, sur la conscience et sur la manière dont s'exprime cette conscience.

Dans l'ouvrage universitaire *Physical Geology* de Leet et Judson, on énonce ce qui suit : « La cause du magnétisme de la Terre demeure l'un des problèmes les plus frustrants des sciences de la Terre. Une réponse parfaitement satisfaisante à cette question se fait toujours attendre[1]. »

La relation entre la Terre, les champs magnétiques planétaires et le fonctionnement cellulaire du corps est capital dans la compréhension de l'évolution consciente et dans le processus de la Transition. On peut connaître le concept des champs magnétiques de la Terre à l'aide d'une petite démonstration. Prenons une barre de fer de n'importe quelle dimension. Le fer apparaît comme dense et sans propriété magnétique. Si on enroule une certaine longueur de fil conducteur autour de la barre de fer suivant une direction, peu importe le nombre de tours, et qu'on fait circuler une charge électrique dans le fil et dans une direction quelconque, il se produit un phénomène intéressant. La barre de fer, non magnétique au départ, devient magnétisée et développe un champ doté d'un pôle nord et d'un pôle sud.

La partie suivante de la démonstration produit un effet très significatif et peut-être inattendu par rapport au processus de Transition de la Terre. Si on inverse le courant électrique autour de la barre de fer, celle-ci demeurant en même position, le premier champ magnétique disparaît et un second est généré à sa place. Ce dernier exprime cependant le champ magnétique de façon significativement différente : *il est maintenant inversé*. Sans qu'on ait changé l'orientation physique de la barre, ce qui était le pôle nord est devenu le pôle sud et ce qui était le pôle sud est devenu le pôle nord. Simplement en altérant la *direction* du flot des électrons par rapport à la barre, le *sens* du champ magnétique s'est inversé, alors que la barre est demeurée à sa position originale ! Si on génère ce champ sur une surface plate saupoudrée de limaille de fer, les particules de fer s'aligneront selon les lignes du champ magnétique, rendant son arc visible. Ces lignes ressemblent à celles des lignes de force autour de la Terre.

La clé des champs magnétiques réside dans le mouvement des électrons. Ceux-ci, en circulant autour d'une masse de fer relativement fixe, produisent le phénomène du magnétisme. Les électrons de notre exemple sont dirigés le long de l'enroulement conducteur, tournant autour de la barre et générant un nouveau champ de force à angle droit (90°) de la direction des électrons. C'est là une excellente analogie de la dynamique du processus de la Transition qui se déroule actuellement autour de la Terre.

Une coupe de la Terre révèle que la planète n'est pas de composition uniforme. Elle est plutôt composée de zones constituées de couches de matériaux de température et de densité différentes. Ces paramètres sont fonction de la profondeur sous la surface et des énormes pressions associées à ces profondeurs. On nomme la couche la plus extérieure la « croûte » : c'est elle qui constitue la surface visible des continents et des océans. Elle est relativement mince. On en retrouve à environ cinq kilomètres de profondeur sous les océans et à quarante kilomètres sous les continents, d'après les mesures.

Sous la croûte terrestre elle-même, on trouve une autre couche, qui fait environ 2900 kilomètres d'épaisseur : le manteau. La matière du manteau est beaucoup plus dense que celle de la croûte ; la température et la pression y sont si élevées qu'il s'agit essentiellement d'un épais liquide en fusion. C'est cette matière plastique du manteau qui surgit à la surface au travers des ouvertures dans la croûte, telles que les volcans, et qui produit des écoulements de lave.

Sous le manteau repose une zone de matière plus mince mais plus dense. Les scientifiques divisent le noyau en deux zones, le noyau extérieur et le noyau intérieur, dont on estime les épaisseurs respectives à 2185 et 1250 kilomètres. On croit que le noyau interne est une sphère aux propriétés plastiques et que le noyau externe serait constitué de matière de nature plutôt liquide en fusion ; le noyau externe serait plus chaud que le noyau interne mais plus froid que le manteau adjacent.

Notre analogie de la barre de fer s'applique au noyau de fer et de nickel de la Terre. Dans la démonstration, le mouvement des électrons autour d'un noyau de fer stationnaire produit le champ magnétique. (Le champ magnétique prédominant de la Terre a une forme dipolaire simple, comme si la planète avait comme noyau une énorme barre magnétique.) C'est la rotation de la Terre autour du noyau intérieur en fusion qui génère un surplus d'électrons dans les couches supérieures. Selon les lois de la physique classique, un champ magnétique proportionnel est généré à un angle de 90 degrés par rapport à la direction des électrons, ce qui produit des champs magnétiques dont la forme ressemble à un beignet.

Ces champs, mesurés en une unité appelée le gauss*, sont fonction de la rotation composée de la Terre autour des noyaux internes en général et,

---

* D'après Carl Gauss. Il s'agit de l'unité de mesure de la densité du flux magnétique.

plus spécifiquement, du mouvement du noyau externe autour du noyau interne.

Plus rapide est la rotation, plus forte est l'intensité du champ autour du noyau de fer et de nickel de la planète.

Le mouvement de rotation est analogue à une charge électrique circulant à travers un conducteur enroulé autour de la barre de fer. Pour les besoins de la discussion, le mode de transport des électrons n'est pas important, qu'il s'agisse de la charge planétaire en rotation ou de l'enroulement conducteur en cuivre. Dans chaque exemple, les électrons circulent autour d'une source de fer relativement stationnaire, ce qui produit un effet de champ dit magnétique. L'implication est que l'intensité des champs magnétiques est fonction de la vitesse de rotation : plus la Terre tourne vite, plus denses sont les champs magnétiques. Plus la Terre tourne lentement, moins les champs magnétiques sont denses. C'est exactement ce qui se produit à l'heure actuelle et c'est ce qui s'est produit à de nombreuses reprises au cours de l'histoire de la planète. Bien qu'on y ait fait allusion dans les textes anciens, les preuves du rapport entre la rotation et le champ magnétique n'ont commencé à faire surface que récemment. Nils-Axel Morner rapporte ce qui suit : « Parce que le noyau interne est un bon conducteur électrique et porte une grande quantité de mouvement de rotation, il est très susceptible d'entrer fortement en interaction avec le champ géomagnétique principal[2]. »

En plus du champ magnétique global, la rotation de la Terre à l'intérieur d'une enveloppe comportant plusieurs couches atmosphériques produit une charge électrique qu'on peut mesurer comme un potentiel statique : c'est une charge qui peut s'accumuler jusqu'à un certain point avant de se décharger. Nikola Tesla a découvert – et la science moderne le reconnaît – que le système Terre/atmosphère se comporte essentiellement comme un gros condensateur, la surface étant chargée négativement à cause d'un surplus d'électrons eux-mêmes chargés négativement. Les couches de la haute atmosphère portent une charge positive, ce qui génère un potentiel électrique de 130 volts par mètre à la surface de la Terre. Le phénomène de la foudre est une belle démonstration dramatique de l'effort de la Terre pour atteindre l'équilibre en neutralisant les charges entre l'atmosphère et le sol. Les décharges électriques totales de la foudre frappent environ 2500 fois par 100 kilomètres carrés annuellement. Cela fait partie d'une tentative actuelle de la Terre et de l'atmosphère pour arriver à un équilibre parfait.

Vous baignez dans ce potentiel électrique toute votre vie, sans effet semble-t-il. Cette charge d'électricité statique qui s'écoule est partiellement responsable du maintien de l'alignement magnétique entre votre corps et les schémas de votre expérience de vie. Des études récentes ont corroboré le rapport entre le cerveau et la Terre par le magnétisme.

Une équipe internationale étudiant le phénomène de la « magnétoréception », la capacité du corps de percevoir des fluctuations magnétiques, a démontré que le cerveau humain contient « des millions de petites particules magnétiques »(*Science*, vol. 260 : 1590, 11 juin 1993). Les textes anciens nous apprennent que le corps cherche un équilibre avec la Terre. Cet équilibre constitue l'objectif de l'expérience de la vie, et on peut le réguler consciemment avec des pensées non polarisées comme le pardon et la compassion. Les domaines magnétiques dans le cerveau servent de lien physique : le potentiel statique sert de « charge lente » retenant l'information.

Les données géologiques indiquent que le champ magnétique de la Terre s'est inversé au moins quatorze fois dans les derniers 4,5 millions d'années[3], comme le prouvent les mesures magnétiques effectuées sur des échantillons de roche refoulée (matériau auparavant en fusion mais qui a été éjecté à la surface de la Terre puis refroidi et dont l'alignement des domaines magnétiques a été préservé). On peut aussi trouver une preuve supplémentaire d'une inversion relativement récente de 180 degrés des pôles dans les travaux de M. Morner. « Des datations au radiocarbone de concrétions carboniques dans les varves les situent entre 13 600 et 12 800 BP (*before present*, c'est-à-dire avant aujourd'hui), l'inversion polaire étant survenue autour de 13 200 BP. Ceci veut dire que la même inversion polaire est actuellement aussi enregistrée dans l'hémisphère sud. Ceci ne peut guère vouloir indiquer autre chose que la nature dipolaire de l'inversion[4]. »

Si la force du champ magnétique de la Terre est effectivement fonction du rapport noyau/manteau, une inversion des pôles tendrait alors à indiquer que le mouvement de ces masses a diminué et s'est inversé, ce qui coïnciderait avec l'inversion magnétique. Si un tel événement s'est produit dans la mémoire collective de l'humanité, n'aurait-il pas été enregistré ? C'est possible.

Il semble qu'il y ait des vestiges d'au moins un événement dans la mémoire collective concernant non pas une, mais deux civilisations, alors que la Terre se comportait de manière très peu habituelle. Dans son livre *The Lost Realms*, Zechariah Sitchin relate des anecdotes provenant de ces sociétés sur des anomalies dans la rotation terrestre. L'une origine des Andes (au Pérou), l'autre, des textes bibliques. À l'époque de Titu Yupanqui Pachacuti II (environ 1394 avant J.-C.), il y eut une nuit anormale où « il n'y eut pas d'aube pendant vingt heures[5] ».

Il ne s'agissait pas là de la description d'une éclipse, car aucune n'a été enregistrée ni prédite pour cette époque par les astronomes péruviens ou chinois. Même s'il s'était agi d'une éclipse, aucune n'est connue pour durer aussi longtemps. Quelque chose est arrivé et a été interprété comme l'immersion d'une partie de la Terre dans la nuit pendant vingt heures, soit presque deux fois plus que la nuit normale.

Sitchin spécule que si un tel événement s'est produit, on aurait dû enregistrer un événement opposé quelque part de l'autre côté de la planète. La version concordante des textes bibliques fait part d'un tel événement dans le Livre de Josué, chap. 10, verset 13 : « Et le soleil s'arrêta et la lune se tint immobile jusqu'à ce que le peuple eût tiré vengeance de ses ennemis... Le soleil se tint immobile au milieu du ciel et près d'un jour entier retarda son coucher[6]. »

Selon les érudits bibliques, cet événement se déroula un peu après 1393 av. J.-C. Est-ce là une preuve concluante que la Terre a coutume de ralentir sa rotation et de s'arrêter? Certainement pas. Mais ces récits indiquent néanmoins qu'il existe des moments dans la mémoire de la conscience humaine (comparativement au temps géologique) où la rotation de la Terre était inhabituelle. Plus loin dans cette section, vous commencerez à saisir pourquoi la majorité des vestiges d'un cycle particulier ne survivent pas à la Transition. Voici un indice: les seuls vestiges qui peuvent survivre à l'éclatement du champ magnétique et de la fréquence de résonance fondamentale de la planète sont ceux qui sont en résonance avec la Terre. Peu importe la valeur des paramètres terrestres, les vestiges sont toujours au diapason de ces derniers.

À l'heure actuelle, les indicateurs précédant une telle transition ne sont pas immédiatement identifiables, bien qu'on reconnaisse leur existence. Dans le numéro de juin 1993 de *Science News*, un article sur les inversions magnétiques affirme: « La tâche de trouver un registre fidèle semble d'autant plus difficile parce que le champ magnétique diminue considérablement lorsqu'il s'inverse[7]. »

L'intensité du champ magnétique terrestre chute rapidement en ce moment. Les données géologiques indiquent qu'il baisse depuis la crête d'il y a 2000 ans, les valeurs diminuant de façon constante depuis.

Les données montrent que l'intensité du champ magnétique de la Terre est environ 38 % plus faible que ce qu'elle était il y a 2000 ans.

Les mesures des dernières 130 années indiquent un déclin du champ magnétique de $8,5 \times 10^{25}$ à 8×10^{25} gauss, soit une moyenne d'environ 6 % par 100 ans[8]. Comme les champs magnétiques sont fonction de la rotation de la planète, la diminution de l'intensité de ces champs indiquerait une diminution du taux de rotation de la Terre. C'est en fait précisément ce qui se produit, tant pour la rotation des noyaux interne et externe que pour celle de la planète entière. Dans un rapport de 1985 intitulé « Le magnétisme de la terre solide », Tsuneji Rikitake et Yoshimori Honkura énoncent : « En accord avec une vitesse maximale de dérive vers l'ouest du dipôle excentrique, apparu vers 1910, *on a observé un retard dans la rotation de la Terre*[9] [l'italique est de l'auteur]. »

Deux fois en 1992 et une fois en 1993, le National Bureau of Standards situé à Boulder, au Colorado, a réajusté les horloges atomiques au césium afin de tenir compte du « temps perdu » dans le jour, celui-ci devenant plus long que ce qu'indiquent les horloges. « Si nous n'avions pas fait cela, nous deviendrions éventuellement déphasés par rapport à la lumière du jour », affirme Dennis McCarthy, un astronome du US Naval Observatory.

Les effets des champs magnétiques globaux ne se font pas sentir seulement chez l'individu. Les variations magnétiques de la planète procurent des endroits où des groupes sont enclins à ressentir ou à travailler une quelconque forme d'expérience commune. Quand une conscience individuelle ou de groupe sent qu'un espace n'est plus approprié, ou ne résonne plus avec elle, elle ne fait que décrire le rapport entre les capteurs de son corps et ceux de ces zones de densité magnétique. La compréhension de la nature de ces champs est la clé de la compréhension des migrations massives de populations (humaines ou animales) d'un lieu vers un autre sans raison apparente. Elle explique aussi l'établissement énigmatique de cultures anciennes dans ce qui apparaît être des lieux très inappropriés pour le commerce ou la quête spirituelle (par exemple : Chaco Canyon, au Nouveau-Mexique).

On peut établir une corrélation intéressante en superposant une carte indiquant l'intensité du champ magnétique vertical à une carte politique de la Terre à l'heure actuelle. Vous vous rappellerez que des valeurs faibles du champ magnétique sont indicatrices de possibilités de changement. De plus, la façon d'exprimer ce changement demeure le choix de ceux qui en font l'expérience. Inversement, des valeurs élevées indiquent des zones où le changement ne se produit pas aussi rapidement. Elles peuvent même indiquer une certaine stagnation.

Notez les lieux géographiques et les zones politiques situés à l'intérieur d'une ou deux lignes de contour des zones à faible magnétisme. L'une des zones les plus frappantes est le Moyen-Orient. Un contour nul s'étend le long de la frontière nord-est de l'Afrique, le long de la péninsule du Sinaï, à travers le golfe de Suez et dans la mer Rouge. Il s'agit certainement là d'une zone qui a connu beaucoup de difficultés et de formidables bouleversements pendant des siècles. Une bonne part de ces changements se sont exprimés par des conflits menant à des guerres et à des troubles politiques. Des contours encore plus faibles continuent vers l'ouest, en Égypte et au Soudan. La côte occidentale de l'Amérique du Nord montre aussi des lignes de contour de valeur faible. Elle est également connue pour les changements qu'elle initie, quoique ces changements soient de nature différente : des idées nouvelles et des innovations en technologie, dans le domaine de la mode et en politique. Ces lignes de contour continuent vers le sud et s'approchent de l'Amérique centrale, lieu de changements rapides et parfois radicaux amenés par de l'agitation politique et militaire. Encore une fois, ces zones offrent simplement l'occasion d'un changement ; la façon dont cette occasion s'exprime relève de la décision de ceux qui vivent cette transformation.

À l'opposé du spectre, il y a des zones de très fort magnétisme, ce qui dénote des endroits où le changement peut ne pas être aussi rapide ou aussi facilement accepté. En Russie centrale, entre autres, la valeur des lignes de contour dépasse 150 gauss. La partie sud-est des États-Unis montre aussi des valeurs d'intensité magnétique relativement élevées. Historiquement, cette région a été plus lente à répondre au changement, à s'y adapter et à innover.

La valeur de ces lignes de contour n'est pas constante dans le temps : ces lignes sont en transition ! On a déterminé que la dérive des champs magnétiques s'effectue d'est en ouest et qu'elle est fonction directe de la rotation de la planète[10]. De plus, pour que les champs magnétiques effectuent une rotation complète autour de la Terre, il faut un laps de temps qui vous est maintenant très familier, soit 2000 ans ! La symétrie de ce processus est magnifique ! À un moment ou à un autre à l'intérieur d'une période de 2000 ans, les masses continentales auront toutes la chance de faire l'expérience de plusieurs valeurs du champ magnétique terrestre. À la fin d'un sous-cycle de 2000 ans, chaque continent aura connu tout le spectre des intensités magnétiques. Ceci tend à montrer que maintenant (1994), moins de dix ans avant la fin de ce cycle et le 2000e anniversaire de la naissance du Christ universel, l'alignement des contours magnétiques est presque identique à ce qu'il était lors de la naissance du Christ. La Terre est en position pour faire l'expérience du même alignement magnétique maintenant : elle est au seuil d'un nouveau paradigme d'expérience. Elle a un alignement identique à celui qui a présidé à l'avènement d'un nouveau paradigme, il y a 2000 ans !

Quel est alors le sens du rapport entre les fluctuations du champ magnétique de la Terre et le processus d'éveil dans l'évolution de la conscience humaine ? Pour le comprendre, il est nécessaire de développer une connaissance pratique du rapport entre la conscience humaine et les champs magnétiques de la Terre.

LA TENSION MAGNÉTIQUE :
LE CIMENT DE LA CONSCIENCE

L'énergie qu'on appelle conscience est de nature électromagnétique. Il s'agit d'énergie/information normalement liée à un aspect quelconque des champs magnétiques de la planète. On peut considérer l'essence consciente comme des réseaux hiérarchiques de cette énergie en lien avec d'autres réseaux hiérarchiques, formant des matrices continues de fréquence et de géométrie subtiles. C'est à l'intérieur de ces matrices que les influences magnétiques déploient un champ de « tension » ou de stress liant l'essence de la conscience humaine afin d'en faire un cadre pour l'intelligence divine. Ces champs d'informations appartiennent à la sphère terrestre grâce à un ciment stabilisateur fait de magnétisme terrestre. Veuillez comprendre que c'est la *conscience* de l'espèce humaine et non l'essence vitale elle-même qui sert à interpréter le monde tridimensionnel, le soi et, ultimement, le créateur. La substance vitale n'a pas besoin de comprendre. C'est cette conscience qui est emprisonnée dans les champs magnétiques entourant la planète. Grâce à la structure des champs magnétiques, le réseau qu'est la matrice de conscience est stabilisé et fixé.

Vous pouvez vous percevoir comme bien des choses, à bien des niveaux, et vous pouvez être catégorisé et défini à l'aide du vocabulaire spécifique utilisé pour chacun de ces plans. Biologiquement, vous êtes os, chair, organes, cellules, fluides, etc. Géométriquement, vous êtes de nature cristalline : chaque composant biologique de votre corps peut être réduit à une substance cristalline. Si on prenait des images de votre corps au scanneur, vous apparaîtriez sous forme d'ondes composées, soit une série complexe de patterns géométriques constitués de plusieurs ondes individuelles issues de chaque aspect biologique particulier de votre corps.

Énergétiquement, vous êtes de nature électrique : chaque cellule de chaque composant de votre corps génère une charge d'environ 1,17 volt selon une fréquence spécifique à chaque organe. On appelle cette vibration spécifique la fréquence de *signature*. Chaque cellule est en mouvement constant, selon l'oscillation rythmique d'une cadence subtile, ce qui génère sa fréquence de signature. Mais vous êtes plus qu'un simple être électrique : vous êtes électrique *et magnétique*. En plus de la charge électrique générée par chaque cellule de votre corps, un champ magnétique perpendiculaire au champ électrique entoure chaque cellule. En trois dimensions, la zone ombragée sortirait de la page. Le corps humain, en tant que tout, porte un champ magnétique complexe, qui est la résultante des champs de chaque organe individuel, tissu ou cellule osseuse. Des cellules électromagnétiques dans des êtres électromagnétiques : deux champs distincts, bien que reliés, et qui déterminent dans une large mesure comment vous vous percevez, comment vous percevez votre monde et comment vous fonctionnez à partir de ces perceptions.

La partie électrique de votre corps est vous dans votre forme la plus pure : information/énergie. C'est votre semence-noyau essentielle – vous sans jugement ni ego, sans peur, sans idées préconçues sur vous-même, sur les autres ou sur le monde autour de vous. Votre aspect électrique est ce qu'on a historiquement appelé votre *âme*. Cet aspect de vous n'est pas limité par une dimension, une planète ou une étoile. C'est votre étoile qui a voyagé dans une multitude de systèmes énergétiques pour faire l'expérience de la Terre dans ce cycle de conscience. C'est l'âme qui, éventuellement, achèvera l'expérience de la Terre à un moment donné, portant les vibrations bienfaisantes de ses vies terrestres, en route vers une nouvelle expérience.

On peut considérer les champs magnétiques entourant chaque cellule de votre corps comme un « tampon » qui stabilise l'information de l'âme dans chaque cellule. Ce tampon crée une « traîne », ou une friction, autour de chaque cellule, limitant votre libre accès à cette masse d'informations. Les champs magnétiques de la Terre ont donc été historiquement votre zone de sécurité entre la pensée et la manifestation. Tôt dans ce cycle de conscience, les champs magnétiques étaient élevés, permettant un délai entre la formulation d'une pensée et ses conséquences. La conscience-groupe-corps était relativement nouvelle, tandis qu'elle faisait connaissance avec la puissance et la conséquence de la pensée. C'est à cette époque que des champs magnétiques élevés étaient souhaitables. Autant à cette époque que maintenant, cela aurait été une grande source de confusion si chaque pensée et chaque fantaisie mentale passagères s'étaient manifestées dans votre vie. Le magnétisme planétaire était élevé, de sorte que pour faire naître quelque chose dans ce monde, vous deviez être très clair et vouloir, ou « désirer » vraiment, ce qui était envisagé. Seulement alors le germe de cette pensée pouvait-il être soutenu assez longtemps pour traverser la matrice de la création et se cristalliser en quelque chose dans votre monde et dans votre vie ? Maintenant que l'intensité des champs diminue, le délai entre une pensée et sa réalisation décroît en proportion. Peut-être avez-vous noté à quel point vos pensées se manifestent rapidement dans votre monde ?

Des champs magnétiques faibles permettent un changement grâce à la rapidité de manifestation de la pensée et du senti.

ANNEXE 2

Les solides de Platon : les codes du créateur

Tous les patterns de la création tridimensionnelle, y compris la forme humaine, se réduisent à des liens énergétiques résultant d'une ou plusieurs combinaisons de cinq formes simples.

Ces cinq formes ont fait l'objet d'études et de débats pendant des siècles. Les religions se sont développées autour de la compréhension de ces formes. Les écoles de mystères se sont données à la préservation de cette information pour les générations futures. La science de l'alchimie, souvent associée à la transmutation du plomb en or, prend racine dans ces formes. Les alchimistes n'étaient pas tant intéressés par l'obtention de métaux que par la transformation subie par ces métaux lors d'un changement d'expression. C'est par ce processus que nous faisons actuellement l'expérience du miroir de la Transition de la Terre. C'est dans ces transitions évolutives qu'on peut trouver la clé de l'évolution consciente, car ces clés fournissent la carte de la matière qui s'exprime sous forme d'assemblages ou de vibrations géométriques complexes. On connaît aujourd'hui les patterns de base, qui sont littéralement des codes de création, comme des solides de Platon, qui décrivent les volumes physiques inscrits dans ces patterns.

Le terme « platonique » se réfère au scientifique et philosophe Platon et à *Timée* l'un de ses ouvrages les plus connus. Dans ce livre, on utilise une métaphore pour décrire une cosmologie universelle fondée sur des patterns géométriques interreliés. Ceux-ci semblent toutefois avoir été connus bien

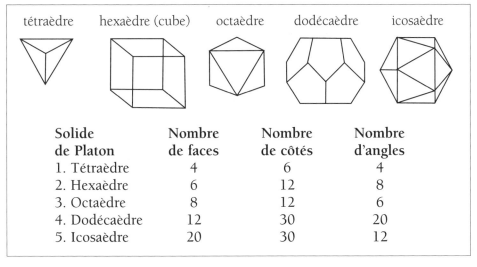

Solide de Platon	Nombre de faces	Nombre de côtés	Nombre d'angles
1. Tétraèdre	4	6	4
2. Hexaèdre	6	12	8
3. Octaèdre	8	12	6
4. Dodécaèdre	12	30	20
5. Icosaèdre	20	30	12

FIGURE 1.
Diagramme des cinq solides de Platon connus.

avant Platon, comme le montrent les vestiges archéologiques de formes résultant de ces patterns, qu'on peut voir au Musée du Caire, en Égypte. Dans les cages de verre se trouvent des modèles finement confectionnés datant de 3000 ans et dont les formes sont mentionnées dans *Timée*. Antérieures à ces formes sont celles préservées au Musée Ashmolean à Oxford, en Angleterre[1]; on estime qu'elles ont été assemblées environ 1000 ans avant l'époque de Platon. Bien que de confection moins raffinée que les formes égyptiennes, ces modèles sont toutefois des indications évidentes d'une conscience de la nature fondamentale et géométrique des éléments à la base de la création.

On peut définir un solide de Platon comme la surface délimitant un volume fermé particulier. Toutes les arêtes sont égales, comme les valeurs des angles intérieurs. On peut concevoir le solide comme une cellule-forme élémentaire se répétant jusqu'à se retourner sur elle-même et refermer le volume en s'imbriquant dans les cellules adjacentes. Tous les angles formés par la rencontre des cellules élémentaires ainsi que les dimensions de chaque surface sont égaux. On connaît actuellement cinq solides qui rencontrent ces critères. Connus sous le nom de solides de Platon, ils sont illustrés sur la page précédente par ordre de complexité croissante, tel que défini par le nombre de faces.

Le règne minéral offre les exemples les plus clairs de ces expressions naturelles d'énergie. Les structures cristallines sont les manifestations extérieures des champs de force ou de faiblesse le long desquels la matière s'aligne intérieurement. Les atomes qui se combinent pour former les briques élémentaires du cristal, formant ainsi la cellule première, définissent la forme du cristal pour le reste de sa croissance. Un exemple de séquence cristalline minérale commune servira à illustrer ce concept.

Le sel de table est composé de sodium et de chlore (NaCl). La nature cristalline du sel, la hatite, n'est pas apparente lorsque le sel est dissous dans l'eau. À certaines températures et sous certaines pressions, la hatite peut demeurer en solution indéfiniment, pourvu que la proportion d'eau et de sel ne change pas sous l'effet de l'évaporation. À des valeurs précises de température et de pression, le sodium et le chlore se combineront, tant qu'il se trouve des atomes de chacun, pour former la structure cristalline connue qu'est le sel. Cette structure est fondée sur un des solides de Platon, le cube. On désigne les liens des atomes suivant des patterns géométriques prédéfinis comme des patterns d'emballage, ou de coordination géométrique. La coordination désigne le nombre d'unités (atomes, molécules, cellules, etc.) comprenant l'arrangement.

Par exemple, une coordination « 2 » décrit un arrangement linéaire dans lequel l'un des éléments est juxtaposé à l'autre ⬤⬤, alors que dans une coordination « 3 », les éléments s'arrangent de façon tangentielle les uns par rapport aux autres ❤ .

Les patterns d'emballage sont clairs dans le règne minéral et les géologues les utilisent dans la description des liens interatomiques. Les cinq patterns de coordination basés sur les solides de Platon sont les suivants :

Description	Géométrie	Emballage
1. Coordination (2)	Linéarité	∞
2. Coordination (3)	Triangle équilatéral	⊗
3. Coordination (4)	Triangle tridimensionnel	⊗
4. Coordination (6)	Deux pyramides à quatre faces	⊗
5. Ccoordination (8)	Cube	⊞

ANNEXE 3

Le message au Point Zéro

Il y a près de 2000 ans, un événement unique a marqué le début d'une vie qui devait changer à jamais le cours de l'histoire humaine et la manière dont les gens se perçoivent et voient le monde. C'était la naissance d'un homme, un homme incomparable, qui a été conçu dans le sein d'une femme qui n'avait jamais donné naissance auparavant et qui était encore vierge. Dès le départ, l'événement était entouré de circonstances inhabituelles. On avait proclamé que l'arrivée d'une nouvelle étoile dans le ciel était le signe depuis longtemps attendu de la venue d'un grand prophète. La peur engendrée par ce signe provoqua la mort de milliers d'enfants hébreux, dans l'espoir de contrecarrer la prophétie sur le « sauveur ». Ces événements étaient extraordinaires en tous points. Nous avons beaucoup de documents sur les jeunes années de la vie exceptionnelle de l'homme appelé Jésus, le fils de Marie et de Joseph. Les Anciens de la synagogue appréciaient la lumière projetée par Jésus sur les Écritures et sur leur mise en application dans la vie quotidienne. Aujourd'hui, les meilleures sources sur les premières années de Jésus se retrouvent dans les textes bibliques. La découverte, en 1947, des manuscrits de la mer Morte et leur traduction subséquente ont mis fin à une controverse vieille de centaines d'années en corroborant les références bibliques partout, sauf en de rares endroits de l'Ancien Testament. L'histoire de la vie de Jésus et ses enseignements sont préservés dans la Bible, qui sert encore aujourd'hui de référence pour leur interprétation.

Malgré certaines distorsions inhérentes aux traductions, les événements de la vie de Jésus jusqu'à l'âge de douze ans sont relatés dans la documentation existante. À partir de l'âge de douze ans, nous ne retrouvons plus de traces de sa vie dans aucun texte biblique pendant 18 ans. Jésus réapparaît à l'âge de trente ans en pleine vie publique, enseignant et guérissant. Les 18 « années perdues » de Jésus, bien qu'ignorées dans les textes bibliques actuels, pourraient bien avoir été racontées dans des versions antérieures à la réorganisation des conciles constantins de Nicée, en 325 apr. J.-C.[1]. C'est à cette occasion que plusieurs documents bibliques importants ont été mis de côté et les livres restants, réarrangés pour donner la Bible telle qu'on la connaît. Il existe des indications supplémentaires à l'effet que ces livres écartés, conservés dans la Grande Bibliothèque d'Alexandrie, ont été perdus dans l'incendie de la bibliothèque, en 389 apr. J.-C.. Les renseignements ayant trait au message et à la vie de Jésus étaient cependant si importants que les livres avaient été conservés dans d'autres grandes bibliothèques, préservant ainsi la lumière sur la vie, l'enseignement et les déplacements de cet homme remarquable.

Dans le monastère de Jemez, à Leh, au Ladakh, on retrouve des traces du grand prophète venu de la Terre sainte. On reconnaissait Jésus comme le premier homme à avoir étudié et maîtrisé les enseignements de Bouddha, Krishna et Rama. Ces documents, dont les originaux demeurent aujourd'hui à Lhassa, au Tibet, fournissent des détails sur la vie de ce prophète. Son nom était Ehisa, et il a voyagé à travers l'Inde, la Chine, le Tibet, la Perse et l'Égypte, avant de retourner chez lui en Israël, à l'âge de trente ans, proclamant : « Mon Père et moi sommes Un. » Selon les documents tibétains, ses pérégrinations et ses études ont duré 18 ans.

Une des traces les plus tangibles de Jésus qu'on peut encore trouver aujourd'hui sont les restes d'une image « brulée » sur un suaire funéraire. Ce linceul est censé avoir recouvert le corps de Jésus-Christ après sa crucifixion. Conservé à Turin, en Italie, le saint suaire est fait d'un tissu mesurant environ 5 mètres par 1 mètre ; son authenticité a fait l'objet de débats, de scepticisme et de mystères pendant des siècles.

En octobre 1978, une équipe de chercheurs des Los Alamos National Laboratories dirigée par Ray Rodgers[2] a démontré que l'image du suaire était l'équivalent d'un négatif photographique et qu'elle n'a pas été peinte ni imprimée sur le tissu. De façon inexplicable, l'image a été « brulée » dans le tissu, résultat d'un flash intense d'un rayonnement électromagnétique *venu de l'intérieur du suaire*. Les détails du suaire correspondent, item par item, à la description biblique du type de blessures et à leur localisation aux poignets, aux pieds, à l'abdomen et à la tête. De l'avis de Ray Rodgers et de son équipe de chercheurs, le suaire est en fait une image authentique du corps de Jésus conservée par un processus inexpliqué et produite par une intense radiation biochimique il y a environ 2000 ans.

D'autres textes spirituels notent la visite d'un « prophète blanc » à une époque correspondant aux années perdues de Jésus et un message très similaire à celui que Jésus a imparti à ses disciples après son retour. Plusieurs traditions amérindiennes, par exemple, font remonter les racines de leurs systèmes de croyances directement dans la tradition des Esséniens. Tant en Amérique du Nord qu'en Amérique du Sud, les traditions orales relatent des histoires d'un prophète barbu qui vint à eux de l'Orient avec un message de compassion et de respect envers toute vie. Les Hopis, par exemple, nous rappellent ce message :

> *Accorder de l'amour à toutes choses, aux montagnes, aux arbres et aux roches, car l'Esprit est Un, bien que les katchinas soient multiples.*
> *ADAPTATION DE* MEDITATIONS WITH THE HOPI[3]

Dans plusieurs de ces traditions, le prophète a promis de retourner vers la fin de ce grand cycle avec un message du « Père ». La prophétie Hopi raconte l'histoire de « Bahana », le frère blanc qui a promis de revenir vers ceux à qui il a enseigné durant sa vie. On le considère comme le purificateur et celui qui épargnera la destruction à ceux qui auront maintenu la voie de la paix des Hopis.

Le *Livre de Mormon* est fondé sur le fait que Jésus a sillonné les Amériques et qu'il a fermement inculqué son enseignement à d'autres, tant en Occident que chez lui. À l'âge de trente ans, l'homme connu comme Jésus de Nazareth réapparaît dans les écrits bibliques, à l'occasion de son initiation par Jean le Baptiste. Il est écrit que Jean, pressentant la venue de Jésus en tant que Messie, dit à ses disciples :

> *Je vous baptise dans l'eau en vue du repentir, mais celui qui vient derrière moi est plus puissant que moi et je ne suis pas digne d'enlever ses chaussures; lui vous baptisera dans l'Esprit saint et le Feu.*
>
> MATTHIEU 3, 11

Quand Jésus s'approcha de la rivière où Jean baptisait, celui-ci le reconnut immédiatement et lui dit : « C'est moi qui ai besoin d'être baptisé par toi, et toi tu viens à moi. » Mais Jésus lui répondit : « Qu'il en soit ainsi, maintenant. »

Durant les années qui suivirent son baptême, Jésus devint célèbre en raison de son enseignement et sans doute plus encore pour ses miracles, ses guérisons et ses manifestations. En face de sa vérité, ceux qui craignaient son message étaient impuissants à le réduire au silence, à moins de lui enlever la vie. Afin de faire taire son enseignement, on le crucifia, sous l'autorité d'un officier romain, Ponce Pilate, en l'an 33 apr. J.-C.. L'ironie de ce geste se trouve dans l'intention. La crucifixion, qui devait le réduire au silence, a en fait ancré les enseignements et la vie de cet homme encore plus fermement dans la mémoire de l'humanité. Par sa Résurrection, le troisième jour après son « exécution », Jésus a fait la démonstration de la renaissance, de la vie éternelle au-delà de son apparente mort et de la peur qui l'a provoquée. Sa Résurrection a servi de modèle à un processus que chacun d'entre nous a la possibilité de connaître dans cette vie, celui de la Résurrection de la Terre : la Transition des Âges.

Historiquement, le mot « christ » a été appliqué à Jésus-Christ de Nazareth, même si d'autres êtres de référence très évolués, d'autres Christs, ont précédé Jésus, certains de plusieurs milliers d'années. Une des différences démarquant Jésus de Nazareth des autres réside dans le fait que les Christs précédents avaient une relation plus spécifique avec un peuple en particulier. Bouddha, Akhénaton, Shiva, Gogyeng Sowuthi, chacun a mis une semence dans la conscience humaine, préparant la voie pour le futur : une époque de grand changement dans la manifestation de l'homme. Dans le contexte de ce changement, chacun a fait allusion à un grand messager, le Christ pour l'humanité, sans tenir compte de la race, de la géographie ou de la tribu. Il serait l'Être de référence universel, notre Christ universel. Son message nous inciterait à nous souvenir de la destinée humaine et de notre but. Dans ce contexte, le terme « Christ » se réfère à Jésus-Christ de Nazareth. Les possibilités mises de l'avant par Jésus-Christ lors de sa brève vie sur Terre constituent un message d'espoir et d'ouverture qui transcende les doctrines religieuses et les enseignements fondés sur la séparation, le favoritisme, les règles et les dogmes qui résultèrent subséquemment de distorsions de son enseignement original. C'est un message adressé à toute l'humanité présente et passée, nous rappelant les possibilités du sacré de la vie.

L'OFFRANDE DU CHRIST À LA TERRE

L'offrande de Jésus-Christ à la Terre prend la forme d'un message destiné à toute l'humanité, livré par sa vie elle-même et fondé sur elle. Bien que les Christs précédents portaient un message similaire et auraient pu servir de Christ universel, c'est Jésus-Christ qui le devint par sa volonté, en choisissant d'émerger dans le monde comme il l'a fait. Ainsi, il montrait qu'il arrivait avec les mêmes paramètres que ceux qui l'entouraient, n'ayant aucun autre outil divin que sa foi. Jésus a vécu la vie de son époque. Il s'est associé avec les gens de cette époque, il a appris un métier et les faits de la vie économique, il a partagé la nourriture et le gîte de ceux qui l'entouraient. Des sources récentes suggèrent qu'il se serait marié et aurait engendré au moins un enfant, une fille. Durant sa vie, il a démontré qu'il ne possédait rien de plus qu'un autre, sauf la connaissance et la foi en sa nature et en son potentiel. Grâce à deux outils très puissants dont chaque homme et chaque femme disposent, il a été capable de se transformer, de changer le monde autour de lui et ultimement, de transcender les limitations de ce monde. Ces outils étaient les cadeaux du choix et du libre arbitre.

On a gravé dans notre mémoire ancestrale la croyance selon laquelle Jésus est mort pour les « péchés » de l'humanité. On enseigne qu'en vertu d'un mystérieux procédé, connu uniquement d'une poignée d'individus, la mort de cet homme sur la croix a servi de sacrifice pour l'humanité entière et que, par son sacrifice, tous les hommes peuvent suivre ses pas en tant qu'êtres de perfection. Nous avons ici le fondement du mystère et la clé menant à la compréhension de la pertinence de son offrande à l'expérience du Point Zéro de la Terre. Jésus n'est pas mort pour nos péchés sur Terre ni pour les gens de la Terre. Jésus n'est jamais mort ! Dans la mort, le message aurait été perdu. Jésus-Christ a ancré la sagesse de la renaissance grâce à la Résurrection, ce qui est très différent de la mort. À ceux de son époque qui ne connaissaient pas ou qui ne comprenaient pas le processus, il pouvait sembler que la mort avait été suivie par son renversement. Jésus a démontré que, par une conduite fondée sur son *choix* de vie et son libre arbitre, il est *devenu* un état de conscience dans lequel l'éventualité de la maladie et de la mort n'intervient plus. Il a démontré, aux yeux des autres hommes, que rien ne peut annuler le don de la vie pour un individu qui a choisi d'honorer complètement ce don. Voilà ce que constitue investir de puissance nos potentiels humains.

Jésus a été exécuté parce que la conscience de la Terre le permettait, résultat de l'intolérance envers son message de la puissance de l'amour. C'est ceux qui arboraient une conscience innocente et à qui il était venu apporter les outils de perfection, ceux qu'il a tant aimés au point de descendre dans la densité de la matière pour les guider vers l'accomplissement, qui ont fourni l'environnement et dressé le décor pour les événements qui ont suivi. Ce sont ces individus qui, par leur ignorance, ont essayé de tuer le Christ mais qui ont, en fait, consacré son message d'amour, de compassion et de pardon dans notre mémoire, de sorte que nous y ayons accès aujourd'hui. Ce sont ses pairs, avec leur choix et leur libre arbitre prenant la forme de la peur, de la culpabilité et de l'ego, qui sont devenus les catalyseurs de son message. Par son exécution, Jésus a montré qu'il n'y a pas de mort, mais seulement un changement d'expression, ce que les physiciens appelleraient aujourd'hui un « changement d'état ». Jésus est réapparu entier, complet, guéri et très vivant, en tant qu'être ressuscité en complète résonance avec l'expression supérieure de la création. Il nous a rappelé notre véritable nature en tant qu'« anges » de lumière.

L'offrande de Jésus-Christ a été d'ancrer fermement sa conscience dans la matrice consciente de tous les êtres humains présents à ce moment et à venir. Grâce à son incarnation humaine et à sa vie, d'autres ont vu, senti et vécu l'amour de Jésus-Christ dans leur propre vie. Son exécution et sa résurrection subséquente ont servi, à l'époque et aujourd'hui, de pont vivant entre les grilles d'expérience quotidienne et celles qui relèvent d'une expression beaucoup plus élevée de la même matrice, celle de la conscience christique.

Grâce au choix et au libre arbitre dans la manière de mener sa vie, Jésus a démontré que la résonance avec les deux grilles était non seulement possible, mais aussi acceptable. Il a vécu la vie humaine comme tremplin vers une humanité pleinement accomplie. Le Christ a également montré que la création elle-même ne juge personne par rapport aux actions qui résultent du choix et du libre arbitre. Jamais le poids du « péché » n'empêchera quiconque de s'élever vers une expression supérieure, ou vers le « ciel ». Il y a le choix et la conséquence du choix qu'incarnent les patterns de notre vie. La plus grande restriction de toute vie repose sans doute en nous et dans la manière dont nous nous jugeons devant les conséquences de nos choix.

Les traditions anciennes et celles des indigènes n'ont cessé de nous répéter que nous forgeons notre destin. Nous déterminons de quelle manière et dans quelle mesure nous avançons le long de la route de notre évolution, dépassant nos illusions quant à nos limitations en faveur de la liberté au-delà. Nous créons les occasions ; nous ne suivons pas un plan défini par un comité d'êtres superviseurs. Bien sûr, il se trouve des guides et des maîtres ascensionnés tout au long du voyage d'une vie. Le message se résume cependant au fait que le principal outil du voyage est la vie elle-même. Les choix effectués quotidiennement constituent les éléments de cet outil. Comment nous sentons-nous par rapport à nous-mêmes ? Et par rapport aux autres ? Comment traitons-nous les gens dans nos rapports quotidiens dans la rue, dans les magasins, au travail ? De ce point de vue, nous sommes sans doute moins visés par le résultat de chaque choix, car nous reconnaissons que chacun d'eux présente une occasion de maîtrise. C'est par le processus même des expériences riches et variées que nous forgeons le résultat éventuel de notre chemin évolutif. La manière dont nous choisissons de nous conduire extérieurement constitue un reflet du degré de résonance atteint à l'intérieur, selon des grilles supérieures de compassion et de non-jugement.

La vie nous rappelle comment nous « déconnecter » des vieilles grilles porteuses de haine, de peur et de séparation, telles qu'elles sont exprimées dans les lois, les règles et les dogmes qui ont nourri notre mémoire pendant des milliers d'années. Quand nous laissons place à de nouvelles possibilités, nous « laissons tomber » les vieux programmes qui ne nous servent plus. Se déconnecter des anciennes grilles indique notre capacité d'accueillir le changement positif, notre ouverture aux nouvelles idées et à des concepts différents, notre volonté de changer une vieille habitude qui ne nous sert plus en une occasion de créer quelque chose de neuf pour remplir le vide. Plus nous permettons de nouveaux schémas dans notre vie, plus nous renforçons notre lien avec le renouveau. Ce sont les signes d'une nouvelle sagesse. Nos pensées, nos croyances et la manière dont nous choisissons de les exprimer sont les outils du changement, notre clé vers les grilles de la conscience christique.

C'est à ces grilles de possibilités que Jésus-Christ a ancré le pont qui a rendu cette information facilement accessible à notre époque. C'est pour bâtir ce pont énergétique que le Christ est descendu en ce monde, qu'il a vécu, qu'il a été crucifié et qu'il est ressuscité, il y a près de 2000 ans. Telle était l'offrande de Jésus, un message de vie éternelle par l'usage conscient de la pensée, du senti et de l'émotion dans la vie quotidienne et par la volonté, l'intention et la prière. Nous atteignons cet état de conscience en modifiant délibérément notre attention, ce qui engendre dans notre corps des changements moléculaires orientés vers une plus haute expression de nous-mêmes. Nous appelons cela une technologie vibratoire de conscience de la Résurrection. Jésus a fait la démonstration de son cadeau en offrant sa vérité à un monde qui n'acceptait ni ne retenait d'emblée la sagesse divine ; c'est ainsi qu'il a relié l'ancien et le nouveau. C'est la voie de la christanisation de la Terre. Nous vivons cette Résurrection aujourd'hui dans les choix de notre vie.

LE MOMENT DU MESSAGE DE JÉSUS

Par son exemple vivant et ses enseignements, Jésus-Christ a fourni un point de référence à chaque personne, lui rappelant ce qu'il est possible de manifester en cette vie. Son don était un message d'espoir, de souvenance et de puissance de l'amour. Il a rencontré la méfiance, le scepticisme, la peur et le refus. Non seulement son message a-t-il été incompris de son vivant, mais les interprétations des enseignements du Christ font aujourd'hui l'objet de débats et de controverses. C'est spécialement vrai dans le cas de ceux qui s'appuient sur des interprétations modernes de textes bibliques anciens. Bien que reconnues par les historiens et les érudits, nos versions modernes des textes bibliques sont des représentations décousues et incomplètes d'un corpus de connaissance complet et riche quelquefois consigné des centaines d'années après les événements eux-mêmes. Bien qu'existants et parfois plus complets, plusieurs textes anciens sont rendus inaccessibles aux chercheurs modernes pour bien des raisons.

Ainsi, les manuscrits de la mer Morte ont été récupérés, restaurés et traduits. Des entraves légales assurent que plusieurs manuscrits demeureront hors de portée du public en général, seul un groupe restreint y ayant accès. À l'été de 1993, la cour de Jérusalem a attribué les droits d'auteur d'un texte particulièrement important, le manuscrit MMT, vieux de 2000 ans, à Elisha Qimron de l'université Ben Gourion du Negev[4]. Sans ces manuscrits et d'autres textes incluant les livres bibliques originaux d'Hénoch, le Protoévangile, le livre du Christ et d'Abgarus, les livres de Nicodème, des Laodicéens, de la foi des apôtres, des Philippiens, des Philadelphiens, des Romains, des Tralliens, les Lettres d'Hérode et de Pilate, les livres d'Hermas et des Magnésiens, des documents tangibles des enseignements du Christ semblent demeurer inaccessibles.

Même si les mots exacts du message de Jésus ne sont pas connus directement, les patterns de lumière, les vibrations ancrées par la vie du Christ sont présents et accessibles à ceux qui choisissent d'être en résonance avec la souvenance de ces vérités. Pourquoi le Christ est-il apparu à l'époque et de la manière dont il l'a fait? Quelle était son intention? A-t-il réussi? Un schéma de l'apparition de Jésus sur Terre par rapport à la longueur totale du cycle livre un indice sur le sens du moment et du lieu de son point d'entrée.

La Terre achève aujourd'hui un cycle commencé il y a 200 000 ans. On peut décrire l'époque de la naissance du Christ, il y a 2000 ans, comme 2000 ans avant la fin de ce cycle. Un événement ayant lieu 2000 ans avant la fin d'un cycle de 200 000 ans indique que 99% de ce cycle, soit 198 000 ans, sont complets.

L'intensité relative et la localisation des champs magnétiques globaux fournissent encore une autre indication quant au moment de la naissance de Jésus par rapport aux cycles planétaires. Vous vous rappelez sans doute que de faibles champs magnétiques favorisent le changement, alors que des champs élevés présentent des tampons qui font interférence et freinent le changement. Jésus-Christ a choisi un moment où le magnétisme planétaire était relativement élevé pour introduire son message d'espoir. Pourquoi? Et pourquoi a-t-il choisi d'implanter son message au Moyen-Orient?

Pour répondre à ces questions, il est nécessaire d'examiner l'intention du Christ lors de sa descente sur Terre. Le don qu'il nous fit était sa vie : cette vérité qu'il incarnait confronté à un monde qui n'accueillait pas son message. Afin d'ancrer son message fermement, il lui était nécessaire de donner un exemple de sa vérité, de démontrer le pouvoir de sa foi et de son amour de la Terre d'une manière qui ne serait pas contestée à son époque. Il prit avantage des actes posés par ceux qui ne le soutenaient pas et amplifia son message avec leur peur même. Leurs actes validèrent le message de Jésus-Christ puisqu'ils imposèrent l'épreuve. Ce qui contrecarrait justement leur intention de le réduire au silence par la mort. Offrir ce message dans un monde de magnétisme faible qui accepte et se plie volontiers aurait fait perdre au cadeau sa puissance et la durabilité de son effet.

Il est cependant intéressant de noter que bien que la Terre subissait des valeurs élevées du champ magnétique, une carte de contour des lignes du champ magnétique indique que le Moyen-Orient jouissait alors d'un magnétisme faible. On peut voir la valeur nette de ces paramètres ainsi :

Pour l'époque choisie par l'être de référence universel que fut Jésus-Christ pour apporter son message, le Moyen-Orient était le meilleur endroit possible sur Terre : il y avait là une forte densité de population pouvant accepter relativement facilement les nouvelles idées, et le champ magnétique y était faible. Jésus savait que ces conditions mêmes allaient sceller son sort en tant qu'homme, tout en permettant d'implanter son message dans la matrice humaine.

Il semble y avoir eu une supposition quant à la nature évolutive de la conscience humaine. En effet, la conscience progresse de façon plus ou moins uniforme dans le temps. Bien que tous les individus de chaque race n'arriveraient pas au même plateau de compréhension durant la même période, l'humanité en tant que tout connaîtrait une augmentation uniforme de conscience.

À divers moments clés de notre cycle d'évolution, des poussées ont eu lieu dans l'histoire de notre mémoire lorsque des êtres de référence ont implanté des concepts d'unité sans dualité. L'évolution consciente, qu'on peut définir par la masse critique de pensée pour déclencher la résonance avec le prochain niveau de conscience, progresse de façon géométrique plutôt que linéaire. Elle semble évoluer lentement, pendant longtemps, mais augmenter soudainement avec l'arrivée abrupte d'un nouveau concept ou d'une idée autre. La conscience collective progresse si rapidement à l'heure actuelle que les anciennes prophéties selon lesquelles des individus choisis survivraient à l'expérience de la Transition et déboucheraient sur une nouvelle réalité méritent un réexamen. Tout être humain vivant à l'intérieur de l'enveloppe du champ magnétique de la Terre au moment de la Transition fera l'expérience de la translation dimensionnelle (en termes bibliques : la Résurrection et l'Ascension). Tous auront le choix quant à la manière dont ils feront l'expérience de ce processus : consciemment ou inconsciemment, éveillés ou endormis. C'est le message que le Christ a apporté à ce monde et, avec ce message, il a aussi apporté les outils de la Résurrection et de l'Ascension conscientes.

LE MYTHE DU PÉCHÉ

La croyance est inculquée dans la mémoire-matrice de la Terre à l'effet que chaque individu jouissant de la chance de s'incarner commence à un stade inférieur de développement spirituel, du fait de la « chute » d'un niveau supérieur. Le terme qui décrit les choix résultant en une chute loin de la grâce est celui de « péché ». Alors que les textes modernes le définissent comme « la transgression d'une loi morale ou religieuse[5] », les anciens textes le décrivent simplement comme une « séparation ».

En raison de la densité magnétique et des fréquences extrêmement faibles de notre Terre, il se peut que nous ayons connu un sentiment de séparation par rapport à tout ce que nous avions connu avant notre arrivée. Vu de cette perspective, le « péché » est très différent de notre définition moderne de transgression. Il serait peu sensé d'extrapoler notre sentiment de séparation au point d'avancer que notre destin spirituel est prédéterminé à être celui d'un être inférieur par notre simple naissance. Nos conditionnements historiques exigent de nous racheter de nos mauvaises actions aux yeux du Créateur. De plus, on nous rappelle que peu importe la voie suivie, il ne nous sera pas possible d'atteindre le degré d'évolution spirituelle montré par notre être de référence universel. Grâce à nos textes anciens traditionnels, à ceux des Esséniens, et grâce aux traditions orales de nos ancêtres indigènes, nous pouvons bénéficier d'une tout autre vision de l'existence. Ce qui suit est un résumé partiel des confusions habituelles propagées par la distorsion des enseignements originaux :

- Nous sommes nés pécheurs, et l'incarnation humaine est une occasion de nous racheter aux yeux de notre Créateur ; nous pouvons approcher, mais jamais atteindre l'état du Christ universel.
- Nous sommes des anges déchus, handicapés de naissance par notre incarnation terrestre.
- À cause de cette déchéance, il nous faut un intermédiaire, quelqu'un qui puisse agir en notre nom afin d'intercéder auprès de notre Créateur.
- La direction de notre vie reste un mystère pour nous. Notre destinée est prédéterminée par un plan que nous ne pouvons comprendre.

Aujourd'hui, à la fin de ce cycle, un nombre sans précédent de personnes se détournent des systèmes de croyances traditionnels fondés sur ces distorsions. Les circonstances peuvent différer, mais en général chacun découvre, par son expérience, que les religions relativement modernes, fondées sur la peur, les rituels et les dogmes, ne permettent pas de faire face aux défis auxquels tous sont confrontés quotidiennement. Les croyances traditionnelles ne leur sont d'aucun secours quand ils sont face aux défis sans précédent inhérents à la fin du cycle : leurs propres peurs, les relations qui s'effondrent et les vagues d'émotions jamais ressenties auparavant. Les systèmes de croyances fondés sur la distorsion ne peuvent être à la hauteur, car ils s'enracinent dans la prémisse fondamentale selon laquelle nous sommes démunis et sans force, incapables d'influencer l'issue des événements en nous et autour de nous.

Voilà pourquoi aujourd'hui, dans les dernières années de ce cycle, tant de chercheurs trouvent une formulation plus pertinente par rapport à ce qu'ils ressentent. Leur enquête les a menés aux systèmes de croyances non traditionnels des anciens peuples indigènes oubliés de la Terre. Les mots peuvent différer, mais il existe des éléments de continuité entre les traditions anciennes et les enseignements véritables de notre Christ universel (plutôt qu'avec les interprétations des textes traduits et fragmentés dont nous disposons aujourd'hui). Parmi ces éléments de vérité communs aux Égyptiens, aux autochtones nord-américains, aux bouddhistes, aux Tibétains, aux Esséniens, aux premiers chrétiens et aux anciennes écoles de mystères, on compte les points suivants :

- Nous faisons partie de ce que nous voyons et nous avons l'occasion de vivre en harmonie avec la création au lieu de la contrôler et de la régenter.
- Nous sommes plus que des « anges déchus ». Nous sommes venus dans ce monde par choix, après avoir consciemment choisi de descendre sur Terre un certain temps.
- Nous sommes des êtres très évolués, puissants et en pleine possession de nos moyens. Nous sommes les créateurs de nos patterns de pensées, de sentiments et de croyances, et nous en ressentons les conséquences.
- Nous avons directement accès à la création en nous-mêmes. Nous sommes des étincelles de l'intelligence créatrice divine responsable de notre propre existence.

Nous sommes et nous avons toujours été les égaux de nos contreparties angéliques ; nous sommes les seuls à ne pas le voir. Nous sommes vraiment les créateurs de notre monde et nous sommes donc partie intégrante de tout ce que nous voyons et de tout ce qui fut. Nous sommes l'alpha et l'oméga, le commencement et la fin, toutes les possibilités ; nous attendons l'occasion de fusionner nos pensées, nos émotions et nos choix.

LA COMPASSION : UNE ÉMOTION MAGNIFIÉE

L'époque des temples, des réseaux, des grilles et des guides tire à sa fin. Pour plusieurs, ce qui est survenu comme une connaissance intérieure a été formulé clairement dans le langage de l'époque, il y a 2000 ans, et même avant. Nous savons que nous vivons, en tant qu'expression d'une union hautement sophistiquée, un mariage sacré entre les éléments de la Terre et une force directrice non physique. Nous appelons cette force « Esprit ». Une des plus étonnantes références anciennes à refaire surface aujourd'hui est le lien entre le sentiment, la pensée et la physiologie humaine.

> *Au nombre de trois sont les demeures du Fils de l'Homme et personne ne peut se présenter devant (l'Unique) sans connaître l'ange de la paix dans chacun des trois. Ce sont le corps, les pensées et les sentiments. (Les parenthèses sont de l'auteur.)*
> ADAPTATION DE L'ÉVANGILE DE LA PAIX DES ESSÉNIENS[6]

La paix que nous cherchons dans notre monde et dans notre corps est la même paix que celle à laquelle se réfèrent les Esséniens. On définit la compassion comme une qualité de la pensée dans la vie quotidienne. La vitalité de notre corps, la qualité de notre sang et de notre souffle, nos relations et nos émotions, même notre capacité de nous reproduire, semblent directement liées à notre capacité d'accueillir la force de compassion dans notre vie.

Si nous acceptons la compassion dans notre vie, le changement vient dans la grâce et avec aisance. La preuve est là pour ceux qui en ont besoin. Les autres n'ont qu'à savoir qu'il y a un rapport direct entre les émotions et l'ADN et que cela corrobore la connaissance intérieure qui a donné le ton à leur vie depuis des années. Selon notre définition de la science et nos notions de cause et d'effet, les Anciens nous ont clairement laissé une voie. Cette voie peut être aujourd'hui perçue comme une science choisie pour nous porter gracieusement à travers la Transition des Âges. La compassion, parfois associée à un état d'être un peu nébuleux, est une qualité de sentiment, de pensée et d'émotion qui permet au circuit à cristal liquide de 1,17 volt à l'intérieur de chacune de nos cellules de s'aligner sur l'oscillateur à cristal liquide à sept couches situé dans notre poitrine, et que nous appelons « le cœur ». La compassion, qui résulte de la cohérence de pensée, de sentiment et d'émotion, est le programme que vous encodez et qui détermine la réponse de votre corps à la référence qu'est le pouls de la Terre. Au-delà du simple sentiment, la compassion est la fonte du sentiment avec l'émotion et la pensée dirigée rendues manifestes par notre corps !

La compassion est le noyau de votre nature véritable. Sa science peut s'offrir en tant que programme de langage et de compréhension de la façon suivante :

COMME
nous permettons à la vie de nous indiquer de nouvelles voies
de sorte que nous sachions nous-mêmes ces voies
ET
comme nous nous réconcilions avec ce que la vie nous a montré,

ALORS
nous devenons la compassion.

C'est dans la réconciliation même avec ce que nous avons invité dans notre vie que nous devenons la compassion. La compréhension des mystères de la vie est simple au point de décevoir, mais elle a fait l'objet de controverses pendant des siècles. Jusqu'à quelles extrémités nous sommes-nous rendus pour connaître les ténèbres les plus sombres et la lumière la plus vive ? Les Anciens nous rappellent deux choses de façon très claire :

- Les événements de la vie servent à nous fournir l'occasion de ressentir les sentiments et les émotions grâce à un large spectre d'expériences : toutes les « bonnes » et toutes les « mauvaises ».
- Il y a aussi un ordre selon lequel nous allons reconnaître les expériences ; il y a une progression.

La clé de la compassion est alors notre capacité d'accueillir sans jugement toutes les expériences comme faisant partie de l'Unique. Vivre seulement dans la « lumière », reculant devant tout ce qui est autre chose, l'ignorant et le combattant, serait aller à l'encontre même du sens de notre vie dans un monde de polarité ! Il est aisé de vivre dans la lumière si cette lumière est tout ce qu'il y a. Nous sommes cependant venus dans un monde où la lumière existe en conjonction avec son opposé.

Sommes-nous tombés dans le piège ancien qui consiste à :

- voir un aspect de la polarité comme meilleur que l'autre ?
- croire qu'un aspect de notre monde de polarité est quelque chose d'autre que le Créateur ?

J'entends souvent des personnes qui se voient comme des guerriers spirituels engagés dans la guerre entre la lumière et les ténèbres et qui dessinent des plans de bataille. C'est une voie. Chaque voie porte ses conséquences. La vision guerrière porte en elle le jugement, la marque de commerce de la polarité.

Il ne peut y avoir de bataille sans jugement.

Dans un monde où nous sommes arrivés à nous percevoir de toutes sortes de façons, comment peut-il y avoir du « bon » et du « mauvais » dans l'expérience elle-même ? Ce sont les étiquettes de bon, mauvais, lumière et ténèbres qui forcent l'unité en polarité. Est-il possible que les ténèbres soient un puissant catalyseur dans notre vie, tout comme les virus mentionnés plus haut, et qu'elles nous catapultent au-delà de la polarité, vers une technologie encore plus englobante née de la compassion ?

Le plus grand honneur que nous puissions peut-être nous accorder et le plus grand défi que nous puissions rencontrer en chemin vers une plus grande maîtrise personnelle est de retourner à notre nature véritable de compassion. On peut la découvrir en redéfinissant les expériences de la vie pour ce qu'elles sont plutôt que selon ce que nous en faisons avec nos jugements et nos partis pris. La compassion dans le quotidien ne signifie pas la mesquinerie ni le vide de sentiment et d'émotion. Au contraire, c'est en nous permettant de ressentir que nous sommes menés vers ces parties de nous-mêmes qui nécessitent le plus une guérison. Les sentiments et les émotions sont les outils par lesquels nous pouvons accéder aux raisons qui sous-tendent l'intensité de nos émotions.

Dans chaque cellule de notre corps existe un potentiel « bioélectrique » créé par les charges différentes de fluides de part et d'autre de la membrane cellulaire. Notre cerveau régule ces potentiels en maintenant un équilibre pH entre acide et base. Quand nous ressentons ou que nous nous émouvons, en réponse à ce que nous offre notre vie, nous faisons littéralement l'expérience du déplacement d'une charge électrique d'un endroit à l'autre dans le corps ! Ce que nous ressentons alors est le déplacement du point d'équilibre pH dans notre cerveau et le changement qui en résulte par rapport au potentiel électrique dans les membranes cellulaires de notre corps. L'émotion est l'expérience de la charge électrique dans le cristal liquide de notre corps.

C'est cette transition qui polarise notre expérience en relation positive-négative ou bonne-mauvaise, empêchant de ce fait l'établissement du point de vue neutre. Quand notre potentiel électrique change, nous émettons de par le monde les fréquences correspondant aux charges que nous portons encore. Ce sont nos jugements. Poussés par ces fréquences, nous attirons dans notre vie les personnes, les circonstances et les événements qui nous procureront la meilleure occasion d'être les témoins de nos jugements tels que les reflètent les actions des autres.

Redéfinir avec compassion notre interprétation de ce que la vie nous a montré élimine les « attracteurs » des autres qui reflètent nos plus grandes possibilités de guérison. En tant qu'êtres de compassion, nous faisons la démonstration de la technologie vibratoire sophistiquée du pouvoir subtil de la pensée, du sentiment et de l'émotion.

Les interactions avec les autres, surtout en cette époque de syntonisation psychique fine, alors qu'il y a tendance à l'empathie, peuvent ressembler à des montagnes russes émotionnelles en l'absence de compassion. Nous voyons pourquoi nous ne pouvons pas contrefaire la compassion. Masquer l'émotion extérieure seule ne peut altérer le changement du pH à *l'intérieur* du corps. Notre corps connaît la vérité au niveau de la cellule. Pour cette raison, l'examen serré et honnête des relations, des gens qui nous sont familiers et des situations jettera une lumière directe sur notre état présent en ce qui concerne les partis pris et les jugements.

Sur les sites de temples anciens, comme la chambre du Roi à Gizeh, les tours dans le sud du Pérou et les *kivas* du désert du Sud-Ouest américain, nous trouvons des structures procurant un environnement à l'intérieur duquel nous pouvons accéder à une zone de charge neutre. Grâce à la « dynamique passive » de la géométrie des structures, les champs magnétiques (la colle) liant les grilles de peur, de jugement, de parti pris et d'ego sont sensiblement réduits. Cette réduction du champ magnétique mime des processus similaires qui peuvent être engendrés par des courants de pensée spécifiques, comme ceux qu'on enseigne dans les écoles de mystères et dans la méditation sur le Point Zéro. Le résultat net de ces processus est un accès direct à l'essence électrique de soi dans un environnement magnétique presque nul : les *conditions du Point Zéro*. Ce sont des exemples de technologie externe efficace pour induire l'expérience intérieure du Point Zéro. Ces outils, bien que valables, ne sont probablement pas nécessaires. Jésus a fait la démonstration de la technologie de compassion dont nous avons hérité en cadeau ; c'est l'outil avec lequel nous pouvons accomplir ce processus de l'intérieur.

L'un des plus grands messages et peut-être le moins compris que Jésus-Christ nous a imparti en le vivant en notre présence est celui de l'amour par la tolérance pleine de compassion : cela consiste à aimer les autres suffisamment pour tolérer leurs expériences. Cela devient possible si on sait que chacun vient sur Terre avec des capacités uniques, à partir de contextes et de modes d'expression variés, et que tous sont égaux dans leurs réponses face aux défis de la vie. Quand nous jugeons l'expérience d'un autre, nous demeurons dans la polarité de la séparation et dans la charge de ce jugement.

On peut faire la démonstration de la compassion dans la qualité de notre conduite quotidienne. Bien que le vocabulaire, la culture et la société aient changé, le message de Jésus est tout aussi valable aujourd'hui qu'il l'était il y a 2000 ans. C'est un message de la technologie intérieure. Notre science intérieure est à la racine et régit tout ce que nous pouvons planifier et ériger à l'extérieur de nous. Notre monde est un miroir des procédés intérieurs, des outils que nous créons *pour nous souvenir de nous-mêmes*. Grâce à sa vie et à sa Résurrection, le Christ, par son expérience, constitue une métaphore pour notre vie. Son exécution a servi de modèle à l'humanité entière pour un processus que nous suivrons tous individuellement et collectivement. Dans les dernières années de ce cycle, chaque forme vivante sur Terre aura l'occasion de faire l'expérience de la translation dimensionnelle alors que la Terre passe de la troisième à la quatrième densité ; c'est le moment de la conscience du Point Zéro et du choix de la Résurrection sur la mort.

LA FORCE ÉTERNELLE

Tout au long des facettes variées et nombreuses de l'histoire humaine, une constante est demeurée sous forme de force subtile, mais puissante, qui entraîne la vie toujours plus en avant. La vie mène chaque individu et le tout vers un certain but, vers un certain point de résolution. Plusieurs y voient « quelque chose », un événement quelconque qui donnerait de la valeur à la vie et la rendrait complète. C'est ce quelque chose qui a donné son impulsion à la conscience : la force de la volonté qui perpétue l'expérience. Depuis les tréfonds de la mémoire de l'humanité, le sens de cette force s'est maintenu vivant sous forme d'intuitions spontanées. Ce sont parfois des effleurements d'intuition divine ; nous nous sommes souvenus de notre relation avec cette force grâce à des rêves et des émotions familières. Une sorte de message perce ce qui est ressenti comme une barrière pour finalement atteindre la conscience du présent afin de rappeler l'humanité à elle-même, à son sens et à son but. On peut voir des signes de cette force au cours de l'histoire par la recherche incessante de la vérité et de la connaissance, une recherche étendue sur bien des vies et au coût de plusieurs vies. Quel peut bien être le fondement d'un tel désir ? Qu'est-ce qui meut notre recherche du savoir et de la souvenance ?

En soi, la connaissance de la vie ne présente pas grand sens. Sans contexte, notre expérience de vie peut ressembler à un torrent d'informations incongrues destinées à être emmagasinées et consultées plus tard. C'est le fait de vivre notre connaissance qui incarne la recherche. Telle est la sagesse qui procure son sens à la vie. Dans ce contexte, nous sommes forcés de nous souvenir du but de la vie en nos propres termes. De ce but, de notre connaissance, jaillit la raison de continuer. Nous sentons quelque part que nous approchons du temps où quelque chose en nous va changer. Nous pressentons un moment où toute la connaissance que nous avons amassée au cours de nos vies s'appliquera. Certains décrivent ce sentiment en disant avoir l'impression qu'ils ont été à l'entraînement durant toute leur vie, se préparant pour « quelque chose » d'énorme.

Historiquement, ces sentiments se sont exprimés extérieurement par des expériences extrêmes, illogiques et parfois insondables. En réalité, chacun des quelque six milliards d'êtres humains incarnés actuellement, bien que constituant une expérience unique et individualisée, est une expression du même pattern d'énergie. Telle est la mystérieuse ironie. Bien qu'il y ait une multitude de corps dans notre monde, il n'y a qu'un seul d'entre nous ici ! Nous recherchons la mémoire de nous-mêmes. En tant que conscience unique, nous devons faire l'expérience de nos extrêmes afin de trouver l'équilibre. Chaque expérience de vie devient une autre lentille à travers laquelle nous pouvons contempler la merveille, le mystère et les possibilités de la vie. Par sa seule unicité, chaque individu occupe une niche particulière de la vie d'où il peut exprimer le sentiment d'une force *redoutable* commune. Quelle est donc cette force ?

L'énergie qui nous porte vers le point de résolution est ce que plusieurs appellent la « volonté » de continuer, notre volonté de retourner à « l'Unique ». C'est la force de vie, la force vitale, le *chi*, le *ki* ou le *prana*. Par sa nature, la vie est forcée de rassembler ses propres fragments chaque fois et après chaque expérience, et de retourner à la complétude d'avant l'expérience. Volonté est le nom donné aux patterns de conscience tendus vers l'atteinte de cet état d'équilibre et de complétude. Dans notre monde tridimensionnel, la volonté s'exprime par notre corps, notre résonateur à cristal liquide à l'intérieur duquel l'Esprit peut se résoudre. Notre force porte toujours un message, et celui-ci est toujours le même. Avec cohérence, il devient une vérité, un message absolu et universel plutôt qu'une vérité relative qui ne vaut qu'en certaines circonstances. La volonté nous rappelle qu'il y a en chacun de nous une force infinie et éternelle qui ne saurait être créée ou détruite. La vie est la manifestation par laquelle nous nous souvenons de cette force.

Avant de poursuivre, je vous invite à vous pencher sur l'énoncé que vous venez de lire. Vous l'avez sûrement entendu plusieurs fois. En reconnaissez-vous la vérité ? Sentez-vous qu'il s'applique à votre monde ? Croyez-vous, avez-vous la foi qu'il en est ainsi ? Nous avons souvent confondu l'expérience de la vie avec l'énergie de l'essence vitale. Les patterns électriques de notre essence vitale demeurent et continuent, sans tenir compte des résultats de nos expériences de vie. Grâce au don de la vie, nous avons cependant tous reçu la chance d'exprimer notre essence de façon unique, peut-être même comme cela ne s'est jamais vu auparavant ! Arrêtez-vous un moment et laissez l'énoncé plus haut devenir partie intégrante de votre être. Si vous êtes sceptique quant à cet énoncé, vous pouvez peut-être vous demander pourquoi. Qu'est-ce qui a pu se passer dans votre vie pour que vous ayez appris à ne pas croire en une vérité universelle ?

La perspective des Anciens et les enseignements des peuplades indigènes d'aujourd'hui nient qu'il y ait une vraie vie ou une mort véritable. La totalité de notre expérience a la valeur d'un rêve. Dans cette expérience, la vie et la mort sont des « rêves dans des rêves », et aucune séparation n'existe entre elles. Il n'y a que la perception d'expériences diverses et la manière dont nous pensons et nous nous sentons par rapport à celles-ci. Voyez la même vérité formulée dans un langage faisant appel à une autre partie de notre sagesse. Selon la science occidentale, la force vitale est comme une énergie-lumière-information ou une série d'impulsions électromagnétiques arrangées en patterns d'expériences. Notre science nous rappelle que l'énergie ne peut être ni créée ni détruite. L'énergie répond aux diverses expériences en modifiant sa façon d'exprimer sa forme.

L'énergie de la force vitale imprègne la création entière et transcende toutes les frontières de la dimensionalité, de l'espace-temps. La force vitale est infinie par nature. L'équation désormais fameuse de la physique d'Einstein, posée au début de ce siècle, égale la masse et l'énergie dans un énoncé très explicite : $E = mc^2$, où E = énergie, m = masse et c^2 = le carré de la vitesse de la lumière. En d'autres termes, cette équation signifie que lorsque la matière est accélérée, sa masse augmente. En approchant la vitesse de la lumière*, la masse augmente jusqu'à l'état homogène appelé « infini ». C'est de la matière en tant que « groupe de vibration » qui accélère vers un autre « groupe de vibration » et qui devient ainsi une nouvelle manifestation que nous appelons lumière.

Deux langages expriment exactement la même vérité. L'un est très intuitif et fait appel au cerveau droit. L'autre est plus analytique et renvoie au cerveau gauche. Les deux sont également valides. C'est cette vérité qui meut notre volonté, notre désir d'atteindre un état permettant de voir la vie éternelle. Nous nous souvenons de cette vérité en nous. Nous savons que notre essence ne peut être créée ni détruite. Nous avons dû savoir ceci pour avoir navigué de par la matrice de création et avoir propulsé notre essence dans la forme cristallisée que nous appelons le corps afin de faire l'expérience de la vie !

> *Nul homme ne peut vous révéler quoi que ce soit qui ne sommeille déjà dans l'aube de votre connaissance. Car la vision d'un homme ne prête pas ses ailes à un autre homme. Et comme chacun de vous se tient seul dans le savoir de Dieu, ainsi chacun de vous doit rester seul dans sa connaissance de Dieu et dans sa compréhension du monde.*
>
> *LE PROPHÈTE,* KHALIL GIBRAN[8]

Chacun doit négocier cette vérité dans le contexte de sa vie et de l'unicité de son expérience. Pour vous donner complètement, vous devez vous connaître par rapport à l'ensemble de vos possibilités, et dans tous les extrêmes. Vos joies, vos peines, votre colère, votre rage, votre jalousie, vos jugements : tous ces précieux sentiments vous sont offerts pour vous aider à vous connaître. Votre expérience unique vous permet de repousser les frontières de ce que vous croyez être, dès que vous approchez la réalité de ce que vous êtes vraiment. Dans cette connaissance, vous avez l'occasion de vous voir dans des situations que vous ne rencontrerez peut-être plus jamais. Voilà les extrêmes qui vous aideront à connaître et à redéfinir votre point d'équilibre. Et ils changent constamment.

Même si elle peut être masquée par les distractions et les raisonnements de notre monde quotidien, l'indestructibilité de notre âme nous fournit l'impulsion pour que nous nous levions chaque matin et que nous

---

* Des études récentes indiquent que la vitesse de la lumière n'est pas constante, car on a enregistré des signaux électriques voyageant à plus de 100 fois la valeur acceptée pour la vitesse de la lumière (298 000 kilomètres par seconde[9]).

avancions dans la vie. Nous « connaissons » la nature éternelle de la conscience à un niveau profond. Elle est encodée dans les patterns de lumière de la mémoire qui habitent chacune des cellules de notre corps. La vie éternelle est fondée sur la vérité éternelle, et chaque cellule de notre matrice de création en est le miroir absolu. Notre corps apparaît entier et complet en lui-même et s'exprime dans chaque cellule d'existence. En même temps, nos patterns individuels font partie d'un tout beaucoup plus vaste. Le pattern continue. Telle est la loi holographique. Notre force vitale est éternelle, holographique et récurrente. La préservation de la conscience est la loi de la création. Comment la vérité pourrait-elle être défaite ?

Cette vérité est le message de nos prophéties anciennes. C'est le fondement des textes datant d'avant la période historique. C'est le fil commun reliant chaque religion, chaque ordre sacré, chaque secte et chaque école de mystères. L'essence de qui nous sommes, en l'absence de peur, de jugement, d'ego et de toute autre distorsion de notre nature véritable, est éternelle.

Le monde que nous avons créé pour nous-mêmes, notre vie, notre famille, nos amis, notre carrière, notre entourage et nos schémas de comportement découle de nos sentiments et de nos croyances. Ce sont là des schémas d'énergie temporels que nous avons créés pour nous servir dans le contexte de notre plan de vie, afin de nous voir d'après plusieurs points de vue. Tous ces points de vue convergent vers cette époque de l'histoire, quand la somme de l'expérience se concentre sur le moment actuel : la transmutation de nous-mêmes et de la Terre en un pattern de manifestation plus raffiné. Les prophéties nous rappellent que ce processus est notre but : nous souvenir des possibilités d'une nouvelle expression des fréquences créatrices de notre vie.

Jésus nous a rappelé nos potentiels par ses paroles : « Je suis la résurrection et la vie. Celui qui croit en moi, même s'il meurt, vivra, et quiconque vit et croit en moi ne mourra jamais[10]. » La Transition des Âges est la résurrection et la nouvelle vie, née d'une nouvelle sagesse ! On nous demande simplement d'être ouverts et de nous souvenir.

RÉFÉRENCES

Remerciements

1 Khalil Gibran, *The Profet*, Alfred A. Knopf, Inc., New York, 1977.

Préface

1 Dan Winter, *Alphabet of the Heart: The Genesis in Principle of Language and Feeling*, Waynesville, Caroline du Nord, p. 38-50.

2 Vladimir Poponin, *The DNA Phantom Effect: Direct Measurement of a New Field in the Vacuum Substructure*, HeartMath Institute, Boulder Creek, CA.

Introduction

1 Tom Hansen, *Trying to Remember,* Freedom Press Associates, Freedom, New Hampshire.

2 Eugene Mallove, « *The Cosmos and the Computer: Simulating the Universe* », Computers in Science, vol. 1, no 2, septembre/octobre 1987.

3 McCraty, Atkinson, Tiller, Rein et Watkins, « *The Effects of Emotions on Short-Term Power Spectrum Analysis of Heart Rate Variability* », *The American Journal of Cardiology*, vol. 76, no 14, 1995, p. 1089-1093.

4 Gregg Braden, *L'Éveil au point zéro : l'initiation collective*, Ariane Éditions, Montréal, 1998.

5 *The Essene Gospel of Peace*, tome 2, comparé, édité et traduit par Edmond Bordeaux Szekely, manuscrit araméen du IIIe siècle et anciens textes slaves, IBS Internacional, Matsqui, C.-B., Canada, 1937, p. 45.

6 Ibid., p. 19.

7 Joseph Rael, *The Sound Beings*, Exclusive Pictures/Heaven Fire Productions, vidéo, 1995, Van Nuys, CA.

8 *The Essene Gospel of Peace*, tome 4, comparé, édité et traduit par Edmond Bordeaux Szekely, manuscrit araméen du IIIe siècle et anciens textes slaves, IBS Internacional, Matsqui, C.-B., Canada, 1937, p. 30.

9 *The Essene Gospel of Peace*, tome 2, comparé, édité et traduit par Edmond Bordeaux Szekely, manuscrit araméen du IIIe siècle et anciens textes slaves, IBS Internacional, Matsqui, C.-B., Canada, 1937, p.109.

Chapitre 1

1 Carlos Castaneda, *Le Voyage à Ixtlan, Les Leçons de Don Juan*, Gallimard, Folio.

Chapitre 2

1 D'après une traduction de Doreal, *The Emerald Tablets of Thoth*, Source Books, Nashville, 1994, p. 79.

2 Tim Wallace-Murphy, *The Templar Legacy & The Masonic Inheritance Within Rosslyn Chapel*, « The Friends of Rosslyn », Rosslyn Chapel, Roslin, Midlothian EH, p. 50-51.

Chapitre 3

1 *The Essene Gospel of Peace*, tome 2, comparé, édité et traduit par Edmond Bordeaux Szekely, manuscrit araméen du IIIe siècle et anciens textes slaves, IBS. Internacional, Matsqui, C.-B., Canada, 1937, p. 31.

2 *Oxford American Dictionary*, Avon Books, New York, 1980, p. 172.

3 *The Essene Gospel of Peace*, tome 3, comparé, édité et traduit par Edmond Bordeaux Szekely, manuscrit araméen du IIIe siècle et anciens textes slaves, IBS. Internacional, Matsqui, C.-B., Canada, 1937, p. 70.

4 James M. Robinson, *The Nag Hammadi Library in English*, Harper San Francisco, 1990, p. 129.

5 Khalil Gibran, *The Prophet*, Alfred A. Knopf, inc., New York, 1977.

6 Dan Winter, *Alphabet of the Heart: The Genesis in Principle of Language and Feeling*, « Can the Human Heart Directly Affect the Coherence of Earth's Magnetic Field ? », Commentary on HearthMath Institute Data Power Spectral

Measurements of EKG et *The Earth's ELF Resonance*, Dan Winter, Waynesville, Caroline du Nord, p. 58-64.

7   James M. Robinson, *The Nag Hammadi Library in English*, Harper San Francisco, 1990, p. 131.

8   Joseph Rael, *The Sound Beings*, Exclusive Pictures/Heaven Fire Productions, vidéo, 1995, Van Nuys, CA.

9   Traduction par Doréal, *The Emerald Tablets of Thoth*, Source Books, Nashville, 1994.

10 *Dances with Wolves*, TIG Productions, inc., Orion Pictures Corporation, New York, 1990.

Chapitre 4

1   Robert Boissière, *Meditations with the Hopi*, Santa Fe, 1986, p. 112.

2   *The Essene Gospel of Peace*, tome 1, manuscrit araméen du IIIe siècle et anciens textes slaves. Comparé, édité et traduit par Edmond Bordeaux Szekely, IBS Internacional, Matsqui, C.-B., Canada, 1937, p. 10.

3   Ibid., The Unknown Books of the Essenes, p. 45-60.

4   Dan Winter, *Alphabet of the Heart : The Genesis in Principle of Language and Feeling*, « Testing the Effects of Heart Coherence on DNA, and Immune Function », Waynesville, Caroline du Nord, p. 56, 57.

5   Dan Winter, *Alphabet of the Heart : The Genesis in Principle of Language and Feeling*, « Can the Human Heart Directly Affect the Coherence of Earth's Magnetic Field ? », commentaire provenant du HeartMath Institute Power Spectral Measurements of EKG et. *The Earth's ELF Resonance*, Dan Winter, Waynesville, Caroline du Nord, p. 58-64.

6   McCraty, Atkinson, Tiller, Rein et Watkins, « The Effects of Emotions on Short-Term Power Spectrum Analysis of Heart rate Variability », *The American Journal of Cardiology*, vol. 76, no 14, 15 novembre 1995, p. 1089-1093.

7   Rollin McCraty, William A. Tiller et Mike Atkinson, *Head-Heart Entrainment: A Preliminary Survey*, HeartMath Institute, Boulder Creek, CA.

8   Glen Rein, Ph.D., Mike Atkinson et Rollin McCraty, MA, « The Physiological and Psychological Effects of Compassion and Anger », *Journal of Advancement in Medicine*, vol. 8, no 2, été 1995, p. 87-103.

9   James D. Watson, Matrix of the Human Genetic Code, adapté de *The Molecular Biology of the Gene*, 3e édition, W.A. Benjamin, inc., 1976.

10 Dan Winter, *Alphabet of the Heart: The Genesis in Principle of Language and Feeling*, Waynesville, Caroline du Nord, p. 58-64.

11 J. Travis, « Mutant Gene Explains Some HIV Resistance », *Science News*, 17 août 1996, vol. 150, p. 103.

12 Ibid.

13 Clare Thompson, « The Genes That Keep AIDS at Bay », *New Scientist*, New Science Publications, IPC Magazines, Ltd., King's Reach Tower, Stamford Street, London, 6 avril 1996, p.16.

14 Ibid.

15 J. Raloff, « Baby's AIDS Virus Infection Vanishes », *Science News*, vol. 147, avril 1995, p. 196.

Chapitre 5

1. *The Essene Gospel of Peace*, manuscrit araméen du IIIe siècle et anciens textes slaves. Comparé, édité et traduit par Edmond Bordeaux Szekely, Internacional, Matsqui, C.-B., Canada, 1937.

2   James M Robinson, *The Nag Hammadi Library in English*, Harper San Fransisco, 1990, p. 129.

3   Ibid, p. 136.

4   Ibid, p. 126.

5   Ibid, p. 136.

6   Ibid, p. 134.

7   Upton Clary Ewing, *The Prophet of the Dead Sea Scrolls*, Tree of Life Publications, Joshua Tree, CA, 1993, p. 114.

8 Khalil Gibran, *Le Prophète*.

9 James M. Robinson, *The Nag Hammadi Library in English*, Harper San Francisco, 1990, p. 134.

10 *Meetings With Remarkable Men*, Gurdjieff's Search for Hidden Knowledge, Corinth Video, 1987.

Chapitre 6

1 Alex Grey, *Sacred Mirrors, The Visionary Art of Alex Grey*, Inner Traditions International, Rochester, Vermont, 1990.

2 *The Essene Gospel of Peace*, tome 2, manuscrit araméen du IIIᵉ siècle et anciens textes slaves. Comparé, édité et traduit par Edmond Bordeaux Szekely, IBS Internacional, Matsqui, C.-B., Canada, 1937, p. 69.

3 Alan Cohen, *The Peace That You Seek*, Somerset, New Jersey, 1991.

4 Ibid.

Annexe 1

1 L. Don Leet, Sheldon Judson, *Physical Geology*. Prentice-Hall Inc., New Jersey 1971.

2 Nils-Axel Morner, « *Earth's Rotation and Magnetism* ». Dans *New Approaches in Geomagnetism and the Earth's Rotation*. Stig Floodmark, Université de Stockolm, Suède, 1988.

3 L. Don Leet, Sheldon Judson, *Physical Geology*. Prentice-Hall Inc., New Jersey 1971.

4 Nils-Axel Morner, « *Earth's Rotation and Magnetism* ». Dans *New Approaches in Geomagnetism and the Earth's Rotation*. Stig Floodmark, Université de Stockolm, Suède, 1988.

5 Zecharia Sitchin, *The Lost Realms*. Avon Books, 1990.

6 *La Sainte Bible*. Émile Osty, Joseph Trinquet, Éditions du Seuil, Paris, 1973.

7 Richard Monastersk, *Science News*, vol. 14, 1993.

8 L. Don Leet, Sheldon Judson, *Physical Geology*. Prentice-Hall Inc., New Jersey 1971.

9 Tsuneji Rikitake et Yoshimori Honkura, *Solid Earth Geomagnetism, Terra* Scientific Publishing Co., Tokyo, Japon, 1985.

10 Nils-Axel Morner, Earth's Rotation and Magnetism. Dans *New Approaches in Geomagnetism and the Earth's Rotation*. Stig Floodmark, Université de Stockolm, Suède, 1988.

Annexe 2

1 Robert Lawlor, *Sacred Geometry, Philosophy and Practice*. Thames and Hudson Ltd., Londre, 1982.

Annexe 3

1 *The Lost Books of the Bible* et *The Forgotten Books of Eden*. World Publishing Company, New York, 1963.

2 *In Search of Historic Jesus*. Sun Classics Video, Tulsa, Oklahoma, 1979.

3 Robert Boissière, *Meditations with the Hopi*, Bear & Company, Santa Fe, Nouveau-Mexique, 1986.

4 Elisha Qimron, « *Paying the Price for Freeing the Scrolls* ». Biblical Archaeology Review, vol. 19, no 4, juillet/août 1993.

5 *The American Heritage Dictionary of the English Language*. William Morris, éditeur, American Heritage Publishing Co., Inc. et Houghton Mifflin Company, New York, 1971.

6 Alan Cohen, *The Peace That You Seek*. Alan Cohen Publications, Somerset, New Jersey, 1992.

7 *The Essene Gospel of Peace*, tome 4, comparé, édité et traduit par Edmond Bordeux Szekely, manuscrit araméen du IIIᵉ siècle et anciens textes slaves, IBS, Internacional, Matsqui, C.-B., Canada, 1937

8 Khalil Gibran, *Le Prophète*, J'ai lu, 1993.

9 John Davidson, *The Secret of the Creative Vacuum*. The C.W. Daniel Company Limited, 1989.

10 *La Sainte Bible*. Émile Osty, Joseph Trinquet, Éditions du Seuil, Paris, 1973.

BIBLIOGRAPHIE

Boissière, Robert, *Meditations with the Hopi*, Santa Fe, 1986.

Braden, Gregg, *L'Éveil au point zéro : l'initiation collective*, Ariane, Montréal, 1998.

Castaneda, Carlos, *Voyage à Ixtlan, les leçons de Don Juan*, Gallimard, Paris.

Cohen, Alan, *The Peace that you Seek*, Somerset, New Jersey, 1991.

Dances Wilth Wolves, TIG Productions, inc., Orion Pictures Corporation, New York, 1990.

Doreal, *The Emerald Tablets of Thoth*, Source Books, Nashville, 1925.

Ewing, Upton, *The Prophet of the Dead Sea Scrolls*, Tree of Life Publications,

Joshua Tree, CA, 1993.

Floodmark, Stig, *New Approaches in Geomagnetism and the Earth's Rotation*, Université de Stockholm, symposium, Suède, 1988, « Earth's Rotation and Magnetism », Nils-Axel Morner.

Gibran, Khalil, *Le Prophète*.

Grey, Alex, *Sacred Mirrors, The Visionary Art of Alex Grey*, Inner Traditions International, Rochester, Vermont, 1990.

Hansen, Tom, *Trying to Remember*, Freedom Press Associates, Freedom, New Hampshire, 1995.

Lawlor, Robert, *Sacred Geometry, Philosophy and Practice*, Thames and Hudson Ltd., Londres, 1982.

Leet, Don et Judson, Sheldon *Physical Geology*, Prentice-Hall, inc., 1971.

Mallove, Eugene, « The Cosmos and the Computer: Simulating the Universe », *Computers in Science*, septembre/octobre 1987, vol. 1, no 2. McCraty, Atkinson, Tiller, Rein et Watkins, « The Effects of Emotions on Short-Term Power Spectrum Analysis of Heart Rate Variability », *The American Journal of cardiology*, vol. 76, no 14, 1995.

McCraty, Rollin ; Tiller A. William ; Atkinson, Mike, *Head-Heart Entrainment: a preliminary Survey*, HeartMath Institute, Boulder Creek, CA.

Meetings With Remarkable Men, Gurdjieff's Search for Hidden Knowledge, Corinth Video, 1987.

Monastersky, Richard, « The Flap Over Magnetic Flips », *Science News*, Washington DC, 12 juin 1993.

Oxford American Dictionary, Avon Books, New York, 1980.

Poponin, Vladimir, *The DNA Phantom Effect: Direct Measurement of a New Field in the Vacuum Substructure*, HeartMath Institute, Boulder Creek, CA.

Rael, Joseph, *The Sound Beings*, Exclusive Puctures/Heaven Fire Productions, vidéo, Van Nuys, CA, 1995.

Raloff, J., « Baby's AIDS Virus Infection Vanishes », *Science News*, Washington DC, avril 1995.

Rein, Glen, Ph.D. ; Atkinson, Mike ; McCraty, Rollin, MA, « The Physiological and Psychological Effects of Compassion and Anger », *Journal of Advancement in Medicine*, vol. 8, no 2, été 1995.

Rikitake, Tsuneji ; Honkura, Yoshimori, *Solid Earth Geomagnetism*, Terra Scientific Publishing Co., Tokyo, Japon, 1985.

Robinson, James M., *The Nag Hammadi Library in English*, Harper San Francisco, San Francisco, 1990.

Sitchin, Zecharia, *The Lost Realms*, Avon Books, 1990.

Szekely, Edmond B., *The Essene Gospel of Peace*, série composée, éditée et traduite par Edmond Bordeaux Szekely, manuscrit araméen du IIIe siècle et anciens textes slaves, IBS Internacional, Matsqui, C.-B., Canada, 1937.

« The Unknown Books of the Essenes », 1937.

« The Essene Gospel of Peace, 1937.

« The Teachings of the Elect », 1981.

« Lost Scrolls of the Essene Brotherhood », 1986.

Thompson, Clare, « The Genes That Keep AIDS at Bay », *New Scientist*, les publications New Science, IPC Magazines Ltd., tour King's Reach, rue Stamford, Londres, 6 avril 1996.

Travis, J., « Mutant Gene Explains Some HIV Resistance », *Science News*, Washington DC, 17 août 1996, vol. 150.

Wallace-Murphy, Tim, *The Templar Legacy & The Masonic Inheritance Within Rosslyn Chapel*, « The Friends of Rosslyn », Rosslyn Chapel, Roslin, Midlothian EH25 9PU, Écosse.

Watson, James, D., *Molecular Biology of the Gene*, adapté de « Matrix of the Human Genetic Code », 3e édition, W.A. Benjamin, inc., 1976.

Winter, Dan, *Alphabet of the Heart: The Genesis in Principle of Language and Feeling*, Waynesville, Caroline du Nord.

« Can the human Heart Directly Affect the Coherence of Earth's Magnetic Field? ».

« Testing the Effects of Heart Coherence on DNA and Immune Function ».

GLOSSAIRE

ACCORD. Alignement de forces ou de champs d'énergie destiné à permettre un transfert maximal d'information ou de communication. Par exemple, imaginez deux éléments adjacents l'un par rapport à l'autre et chacun en vibration, l'un vibrant à un rythme plus rapide que l'autre. On peut considérer comme un accord la tendance chez l'élément lent de se synchroniser et de s'adapter à l'élément plus rapide. Dans la mesure où l'adaptation est accomplie, nous disons que l'accord s'est produit ou que la vibration plus rapide a accordé la vibration plus lente.

BÉNÉDICTION. Ancien code de pensée verbale offert pour libérer la charge potentielle d'une émotion ou d'un événement. Le fait de bénir une action, un événement ou une circonstance n'indique pas une approbation ou un accord par rapport à cela. La bénédiction sert plutôt d'exutoire à la charge émotionnelle, par la reconnaissance de la nature divine de l'expérience. En effet, la bénédiction d'un événement est une façon d'affirmer ceci :

« Je reconnais que ce que j'ai observé ou vécu est de nature divine et fait partie du Un, même si je ne comprends ni ne connais peut-être pas les raisons ou mécanismes qui sous-tendent l'événement. »

Le don de bénédiction permet à l'individu de passer à autre chose dans le cadre de ce que la vie a à offrir. Dans sa divinité, l'expérience est considérée dans le contexte général du Un, comme ni bonne ni mauvaise, et pourtant partie intégrante de tout ce qui peut être.

CHARGE. Un sentiment intense sur la valeur ou la pertinence d'un résultat est notre charge sur cette expérience. Techniquement, la charge peut se mesurer comme un potentiel électrique entourant une attente, un acte ou une situation. Créée lorsqu'un événement est jugé et étiqueté d'après les yeux de la polarité en tant que bon, mauvais, obscur ou lumineux, la charge est souvent sentie sous la forme de sentiments de colère, de tristesse ou de frustration. Le miroir holographique de la conscience nous assure que nous ferons l'expérience de nos jugements (charges) de telle façon que ceux-ci puissent être redéfinis (réconciliés), nous permettant de passer à autre chose sans l'embarras de cette charge particulière.

COMPASSION. L'expression en un seul mot d'une qualité spécifique de pensée, de sentiment et d'émotion ; la pensée sans attachement envers le résultat, le sentiment sans la distorsion d'un point de vue de la vie d'un individu, et l'émotion sans la charge de la polarité. La science de la compassion permet l'observation/l'expérience d'un événement sans jugement polarisé quant au caractère bon ou mauvais de l'événement.

CRÉATEUR. Quelqu'un qui, connaissant les principes de « Dieu », crée la vie à partir de la non-vie. Mis à part la procréation résultant de l'union du sperme et de l'œuf, la création est l'acte de rassembler des composés non vivants au sein d'un environnement électrique afin de produire de la matière vivante.

DIEU. La matrice d'intelligence qui sous-tend toute création. Ce principe fournit le modèle vibratoire sur lequel toute la création est « cristallisée ». Le principe de Dieu représente toutes les possibilités et les vies en tant que chaque expression de l'expression du masculin et du féminin. De ce point de vue, la Force de Dieu est un pouls vivant et vibratoire qui vit dans les espaces entre le rien et qui est inhérent à tout ce dont nous pouvons faire l'expérience en notre monde.

ÉMOTION. L'émotion est le pouvoir que vous mettez dans vos pensées afin de les rendre réelles. C'est le potentiel scalaire de l'émotion, combiné au potentiel scalaire de la pensée, qui produit l'expérience vectorielle de la réalité. Les ondes de potentiel scalaire produisent le pattern d'interférence de votre réalité vectorielle. Vous ressentez l'émotion comme une sensation en mouvement, dirigée, ou logée dans la forme de cristal liquide de votre corps. La charge électrique qui pulse à travers votre corps en tant que force de vie fournit la sensation de l'émotion. L'émotion peut être ressentie de façon spontanée ou comme le résultat d'un choix d'être. L'émotion est étroitement alignée avec le désir, la volonté de permettre à quelque chose de devenir tel. Lorsque vous désirez vraiment remplacer la haine dans votre vie par la compassion, vous sentez le pouvoir qui découle de vos centres d'énergie inférieurs comme une chaude sensation piquante dans vos centres du torse et du cœur.

ESSÉNIENS. Une fraternité ancienne d'origine inconnue qui a choisi de se séparer des masses de son époque pour vivre la pureté des traditions qui lui avaient été laissées par ses ancêtres. Situés surtout autour de la mer Morte et du lac Maréotis au premier siècle de notre ère, les enseignements de cette mystérieuse fraternité sont apparus dans presque tous les pays et toutes les religions, y compris Sumer, la Palestine, l'Inde, le Tibet, la Chine et la Perse. Certaines tribus amérindiennes retracent les racines de leurs ancêtres dans les clans des Esséniens, juste après l'exécution de Jésus.

Les Esséniens étaient des agriculteurs vivant en communautés sans serviteurs ni esclaves. Ils menaient une vie structurée, n'ingérant ni viande ni boissons fermentées, ce qui leur permettait de vivre jusqu'à 120 ans ou davantage. Parmi les Esséniens bien connus, il y eut des guérisseurs : Jean le Bien-aimé, Jean le Baptiste, Élie et Jésus de Nazareth.

HOLOGRAMME. Pattern récursif d'énergie (géométrique, émotionnelle, ou le sentiment, la pensée, la conscience et la mathématique) qui se maintient complet en soi tout en servant de portion d'un plus grand ensemble. Par exemple, chaque cellule du corps humain est entière et complète en elle-même, car elle contient toute l'information requise pour créer un autre corps humain. En même temps, c'est une cellule d'un tout beaucoup plus grand, qui est le corps même.

Par définition, chaque élément d'un pattern holographique reflète tous les autres éléments du même pattern. C'est ce qui fait la qualité du modèle holographique de la conscience. Le changement introduit à n'importe quel endroit du système est reflété dans tout le système.

PASSAGE DES ÉPOQUES. Un moment de l'histoire de la Terre et une expérience de la conscience humaine. Définie par la convergence de la diminution du magnétisme planétaire et l'augmentation de la fréquence planétaire sur un moment dans le temps, le Passage des époques, ou tout simplement Le Passage, représente une rare occasion de remodeler collectivement l'expression de la conscience humaine.

Le Passage est le terme appliqué au processus de la Terre qui s'accélère à travers un cours de changement évolutionniste, avec l'espèce humaine reliée, par choix, aux champs électromagnétiques de la Terre, qui agit selon un processus de changement cellulaire.

PENSÉE. La pensée peut être considérée comme une énergie de potentiel scalaire la semence directionnelle d'une expression d'énergie qui peut, ou non, se matérialiser sous la forme d'un événement réel ou vectoriel. Assemblage virtuel de votre expérience, la pensée fournit le système de guidage, la direction, pour là où l'énergie de votre attention peut être dirigée. Sans l'influx de l'énergie émotionnelle dans vos pensées, celles-ci sont impuissantes à créer. Faute de puissance, votre pensée peut être vue comme un modèle ou une simulation de la façon ou du lieu où votre puissance peut être dirigée. Les fantasmes, hypothèses, affirmations et « je choisis de » sont des exemples du commencement d'une pensée. Ces processus détermineront le lieu où vous focaliserez votre attention.

POTENTIEL SCALAIRE. Qualité d'énergie décrite comme n'ayant pas été dispersée ou dissipée. On peut concevoir l'énergie scalaire comme une énergie qui est pleinement habilitée et qui attend d'être utilisée, comme une force potentielle disponible pour l'activation. Ainsi, le potentiel devient « réel », soit une quantité vectorielle qui peut être mesurée en tant qu'amplitude et direction.

RÉCONCILIATION. Dans le contexte de *Marcher entre les mondes*, réconcilier un événement, ou une situation, c'est trouver un lieu d'équilibre intérieur dans lequel l'événement a un sens. La réconciliation d'un événement n'indique pas l'approbation de ce qui est survenu. Elle permet tout simplement une reconnaissance au sein de l'individu afin qu'il puisse avancer dans la vie. Le geste de bénir, en attestant la nature divine de ce que la vie a à offrir, est un exemple de réconciliation.

RÉSOLUTION. Enlever la charge d'un événement, d'une circonstance ou d'une situation, c'est éliminer le potentiel électrique que le jugement y a placé. Nous disons que l'événement a été « résolu ». Résoudre la charge sur un événement, par exemple, c'est redéfinir la signification de cette circonstance en raffinant la signification jusqu'à ce qu'on atteigne un véritable sentiment neutre. La neutralité est une expression biochimique de la résolution.

RÉSONANCE. Échange d'énergie entre au moins deux systèmes d'énergie. L'échange étant bidirectionnel, il permet à chaque système de devenir un point de référence pour l'autre. Un exemple courant de résonance est illustré par deux instruments à cordes placés à deux endroits différents de la même pièce. Lorsque la corde la plus grave d'un instrument est pincée, la même corde du second instrument vibre. Personne ne l'a touchée, mais elle réagit aux ondes d'énergie qui ont traversé la pièce et trouvé une résonance en elle. Dans notre texte, nous parlons de résonance entre des systèmes d'énergie tels que la Terre et le cœur humain ou deux individus « s'accordant » pour résonner à travers l'émotion.

SENTIMENT. On peut définir le sentiment comme l'union de la pensée et de l'émotion. Lorsque vous faites l'expérience de la tristesse, de la haine, de la joie ou de la compassion, par exemple, vous faites l'expérience du sentiment. Le sentiment est la sensation de l'émotion, accompagnée de la pensée de ce dont vous faites l'expérience dans l'instant. Le résonateur de cristal liquide du muscle cardiaque est le point de focalisation du sentiment. On voit maintenant pourquoi le corps réagit si bien à l'amour et à la compassion. Par l'amour et la compassion, le cœur est accordé de façon optimale à la terre, permettant au circuit de s'exprimer pleinement et complètement.

Autre exemple de sentiment :

Lorsque vous ressentez de l'amour, vous sentez votre pensée de ce que l'objet de votre amour veut dire pour vous, accompagnée de l'émotion de votre désir.

UN (LE). Un terme non religieux faisant référence à la matrice d'intelligence qui sous-tend toute la création. Ce principe fournit le modèle vibratoire sur lequel est « cristallisée » toute la création. Le principe du Un représente toutes les possibilités et les vies en tant que chaque expression du masculin et du féminin. De ce point de vue, Un est un pouls vivant, vibratoire qui vit dans les espaces entre le rien et qui est inhérent à tout ce dont nous pouvons faire l'expérience dans notre monde.

À PROPOS DE L'AUTEUR

Écrivain, conférencier et guide de sites sacrés dans le monde entier, Gregg Bradena été présenté à la radio et à la télévision dans toute l'Amérique. Depuis la publication de son livre *L'Éveil au point zéro : l'initiation collective*, il est un orateur recherché lors de conférences, d'expositions et d'émissions spéciales concernant la sagesse ancienne, le changement planétaire et le rôle des relations dans le contexte de ces changements. Ses carrières professionnelles dans les sciences de la terre et l'ingénierie aérospatiale lui ont donné les outils nécessaires pour offrir de puissants séminaires avec clarté et pertinence. Deux expériences de mort imminente survenues durant son enfance lui ont fourni le langage intime nécessaire pour exprimer son message d'espoir et d'occasions à saisir.

Gregg livre son puissant message de compassion sous la forme de séminaires d'une durée de un, deux ou trois jours. Chaque atelier constitue une expérience multimédia s'adressant à la vue, à l'ouïe, au sentiment et au cérémonial. Vous êtes habilement guidé à travers votre mémoire des technologies vibratoires de la compassion, de l'émotion et des relations.

À PROPOS DE L'ARTISTE

Artiste et décoratrice accomplie, Melissa Ewing Sherman explore les techniques de l'expression visuelle depuis plus de quinze ans. Inspiré par les maîtres impressionnistes et de la Renaissance, son travail reflète son amour de l'histoire de l'art et ses voyages en Europe et en Égypte. Le trompe-l'œil et les finis décoratifs de Melissa se retrouvent dans des maisons et des résidences de distinction de tous les coins du sud de la Floride.

Son intérêt pour le sumi-e (art japonais – les maîtres zen en étaient des experts) et la peinture au pinceau chinois l'a amenée à étudier avec la regrettée Glory Brightfield. Les peintures orientales que l'on retrouve au début de chaque chapitre sont créées comme une préface méditative au message qui suit.

La solitude des montagnes du nord du Nouveau-Mexique et des côtes du sud de la Floride sert de résidence et d'inspiration à Gregg et à Melissa entre leurs voyages. De plus, lorsque le moment et les circonstances le permettent, ils dirigent des voyages vers des sites sacrés en Égypte, au Pérou, en Bolivie, au Tibet et dans le désert du Sud-Ouest américain.

CALENDRIERS

L'itinéraire des conférences et des voyages de l'auteur ont nécessité l'établissement d'un bureau pour faciliter sa correspondance quotidienne. Vos questions et vos commentaires sont importants. Lui et son personnel travaillent en étroite collaboration afin de répondre à chaque requête. Merci à l'avance de votre patience.

Pour les renseignements ayant trait aux dates, aux lieux et aux détails concernant des séminaires, ateliers et voyages sacrés, veuillez adresser votre courrier à :

Sacred Spaces/Ancient Wisdom – H.C.
81 Box 683 – Questa,
New Mexico 87556
Attention: **Schedules**.

Ou composez le 1 500 675-6308.

Vous pouvez écrire à Gregg Braden et à Melissa Sherman à l'adresse suivante :

C/o Sacred Spaces/Ancient Wisdom – H.C.
81 Box 683 – Questa,
New Mexico 87556
Attention: **Personal**

Sacred Spaces/Ancient Wisdom – le bulletin
Si vous désirez recevoir un numéro gratuit du *Shekinah Newsletter*, veuillez écrire à :

Sacred Spaces/Ancient Wisdom – H.C.
81 Box 683 – Questa,
New Mexico 87556
Attention: **Newsletter**

POUR COMMANDER DES LIVRES
ET TOUT AUTRE MATÉRIEL

Pour obtenir un catalogue gratuit et vous procurer des exemplaires
supplémentaires de ce livre, du guide d'études, du manuel qui
accompagne ce matériel et d'autres publications de Gregg Braden,
contactez :

Radio Bookstore Press
P.O. Box 3010
Bellevue, WA
98009-3010

POUR COMMANDER DES LIVRES
OU DES CASSETTES AUDIO OU VIDÉO

Composez le 1 800 243 1438 à l'extérieur des États-Unis
et le 1 425 455-1053 à Seattle.

Ou visitez notre site web : **www.lauralee.com**

QUELQUES EXEMPLES DE LIVRES D'ÉVEIL
PUBLIÉS PAR ARIANE ÉDITIONS

La série Conversations avec Dieu

Anatomie de l'Esprit

Sur les ailes de la transformation

Voyage au cœur de la création

L'Éveil au point zéro

Partenaire avec le divin (série Kryeon)

Les neuf visages du Christ

Les enfants indigo

Le réveil de l'intuition

Les dernières heures du soleil ancestral

Le futur de l'amour

Dernières heures du soleil ancestral